À la recherche du

BONHEUR

TÉMOIGNAGES DE 50 PERSONNALITÉS

D1406708

LES ÉDITIONS LA SEMAINE
Charron Éditeur inc.
Une société de Québecor Média
955, Amherst
Montréal (Québec) H2L 3K4

Directrice des éditions : Annie Tonneau
Coordonnateur des éditions : Jean-François Gosselin
Couverture : Julien Rodrigue
Infographie : Echo international
Correction : Andrée Laganière, Marie Théorêt

Les propos contenus dans ce livre ne reflètent pas forcément l'opinion de l'éditeur.

L'éditeur bénéficie du soutien de la Société de développement des entreprises culturelles du Québec (SODEC) pour son programme d'édition.

Canada

Nous reconnaissons l'aide financière du gouvernement du Canada par l'entremise du Fonds du livre du Canada pour nos activités d'édition.

REMERCIEMENTS
Gouvernement du Québec (Québec) — Programme de crédit d'impôt pour l'édition de livres — Gestion SODEC

Dépôt légal : premier trimestre 2017
Bibliothèque et Archives nationales du Québec
Bibliothèque et Archives Canada

ISBN : 978-2-89703-377-4

DISTRIBUTEURS EXCLUSIFS

• Pour le Canada et les États-Unis :
MESSAGERIES ADP*
2315, rue de la Province
Longueuil (Québec) J4G 1G4
Tél. : 450 640-1237
Télécopieur : 450 674-6237
* une division du Groupe Sogides inc.,
filiale du Groupe Livre Québecor Média inc.

• Pour la France et les autres pays :
INTERFORUM editis
Immeuble Paryseine, 3, Allée de la Seine
94854 Ivry CEDEX
Tél. : 33 (0) 4 49 59 11 56/91
Télécopieur : 33 (0) 1 49 59 11 33
Service commande France métropolitaine
Tél. : 33 (0) 2 38 32 71 00
Télécopieur : 33 (0) 2 38 32 71 28
Internet : www.interforum.fr
Service commandes Export —
DOM-TOM
Télécopieur : 33 (0) 2 38 32 78 86
Internet : www.interforum.fr
Courriel : cdes-export@interforum.fr

• Pour la Suisse :
INTERFORUM editis SUISSE
Case postale 69 — CH 1701 Fribourg
Suisse
Tél. : 41 (0) 26 460 80 60
Télécopieur : 41 (0) 26 460 80 68
Internet : www.interforumsuisse.ch
Courriel : office@interforumsuisse.ch
Distributeur : OLF S.A.
ZI. 3, Corminboeuf
Case postale 1061 — CH 1701 Fribourg
Suisse
Commandes : Tél. : 41 (0) 26 467 53 33
Télécopieur : 41 (0) 26 467 54 66
Internet : www.olf.ch
Courriel : information@olf.ch

• Pour la Belgique et le Luxembourg :
INTERFORUM BENELUX S.A.
Fond Jean-Pâques, 6
B-1348 Louvain-La-Neuve
Tél. : 00 32 10 42 03 20
Télécopieur : 00 32 10 41 20 24

À la recherche du
BONHEUR

TÉMOIGNAGES DE 50 PERSONNALITÉS

Entrevues et photos **DANIEL DAIGNAULT** *Préface* **ISABELLE GASTON**

ÉDITIONS
LA SEMAINE

Une société de Québecor Média

Entrevues

Isabelle Gaston

Le bonheur comme objectif...

Lorsque Daniel m'a écrit pour me demander de participer à ce livre, de lui accorder une entrevue portant sur le bonheur, ma réflexion a été profonde. Étais-je vraiment une bonne candidate pour me prêter à cet exercice? Je me voyais mal aborder ce sujet, car il y a souvent une dichotomie entre les attentes par rapport au bonheur et la sensation d'être heureux et en paix.

Je me considère comme une étudiante à temps plein dans cette vie où j'ai la chance d'être tout simplement en vie et en santé. Maintenant, je vois la chance que j'ai, car auparavant je n'en voulais plus de ma vie. J'ai de la peine, et un trou présent à jamais dans mon âme. Je n'aspire plus à combler ce vide. Je dois apprendre à dompter cette sensation de pesanteur qui vient et qui passe.

En me donnant plus de détails sur l'entrevue qu'il désirait faire, notamment en abordant les bonheurs auxquels j'aspirais et ma lutte pour sourire de nouveau à la vie, il m'a en quelque sorte forcée à réfléchir sur le paradoxe apparent qu'est ma vie. Et aussi sur ce qu'est la vie. Le simple fait de penser à ma vie, celle que j'avais et que j'ai maintenant, ou celle que je pense que je « devrais avoir », ou que je pense que j'aurai... avec le bonheur comme trame de fond... ouf! Faire ce cheminement sérieusement à la suite de mes échanges avec Daniel m'a permis de prendre le temps d'effectuer une grande mise au point sur ma vie. C'est un cadeau qu'il m'a fait et il n'a pas de prix. J'ai le goût de sourire, de rire (et je ris!), et de découvrir plein de choses. Et j'en découvre.

Ce n'est pas d'être faible que de regarder sa vie en face et de choisir ce qu'on en fera. En raison de l'ampleur du drame que j'ai vécu et des injustices qui se sont ensuivies, j'ai perdu un temps précieux à chercher, à souffrir, et à ne pouvoir goûter aux choses qui sont si bonnes pour moi, dans ma vie. Je réalise que lorsqu'on souffre terriblement, la route de la guérison et du bonheur est souvent remplie de contradictions. Un jour on pense une chose et le lendemain on pense le contraire.

Mais au fond, et si c'était ça le bonheur? L'avoir comme objectif, faire ce qu'on a à faire à la hauteur de nos capacités, accepter d'être imparfait et ne pas être obligé d'aller à fond dans tout ce qu'on entreprend, à la fois pour soi et pour les autres. Avoir le courage « d'Être » pour vrai, d'exister, de savourer.

Dans cet ouvrage, vous aurez l'occasion de lire de nombreux témoignages de personnes qui ont réfléchi à la question du bonheur. Celui qu'ils ont vécu, celui qu'ils se souhaitent, celui qu'ils ont perdu.

Et de la vie qui continue...
Bonne lecture!

Isabelle Gaston

Recettes de bonheur

« Sans le bonheur, t'es pas heureux ! »

- Yvon Deschamps, Le bonheur, 1969

On en a jamais assez, on en veut toujours plus, on voudrait même s'en faire une réserve, en emmagasiner en quantité afin de parer aux mauvais jours. On parle ici du bonheur, de cet état de plénitude qui nous fait savourer à fond de précieux moments de notre vie, de cette sensation de bien-être à laquelle on goûte, pour certains de façon régulière, alors que pour d'autres la tâche est plus ardue. Ce sont des instants magiques qui peuvent être brefs ou prolongés, tout dépendant de notre capacité à apprécier ces « éclairs de bonheur » qui sont parfois bien planifiés ou carrément des surprises, des situations inattendues qui nous emplissent d'un grand sentiment de gratitude envers la vie. Certains ont le bonheur facile, même si ce ne sont pas nécessairement tous les pans de leur vie qui les rendent heureux et, malheureusement, plusieurs demeurent insatisfaits de leur situation et doivent mener une lutte incessante pour avoir accès à des parcelles de bonheur.

La quête du bonheur est un sujet inépuisable et chacun la vit à sa façon. Tout le monde a ses rêves, ses aspirations, ses désirs parfois bien simples ou plus élaborés. Mais le destin présente aussi ses coups durs, ses embûches, ses périodes plus difficiles et des obstacles qu'il faut surmonter pour retrouver un mieux-être.

On le sait, la vie est inattendue et nous réserve souvent des surprises. Bonnes et mauvaises. Ce livre que vous tenez entre vos mains en est un bel exemple. C'est durant une période sombre, à la fin de 2015 et au début de 2016, alors que je manquais cruellement de travail, entre autres comme journaliste, que

l'idée de faire ce livre a germé. L'une de mes grandes sources de bonheur dans la vie est de m'accomplir professionnellement, d'avoir du plaisir à travailler, à réaliser des entrevues, à rencontrer des gens passionnants, à concevoir des projets, à œuvrer en équipe et à faire de la photographie. Puisque je suis plutôt du genre proactif, j'ai cherché à me sortir de ce mauvais pas en me retroussant les manches, en me creusant la tête pour me créer un emploi en développant une idée. Comme l'a si bien dit André Robitaille lors de notre entretien : « Si on s'écrase, on s'éteint et on va se perdre. » Il n'en était pas question.

Un matin, en consultant mes courriels dans l'attente de recevoir une réponse positive à la suite de démarches réalisées afin de trouver un emploi — réponse qui ne venait pas —, je me suis dit, un peu découragé je l'avoue, que je ne demandais pourtant pas la lune ! Simplement l'occasion de mettre mon expérience à profit et d'avoir le bonheur de travailler ! Le bonheur ! Une étincelle venait de naître. L'idée d'allier mon travail de journaliste et de photographe pour rencontrer une foule de personnalités du milieu culturel, ainsi que du domaine du sport, des gens que j'avais eu l'occasion d'interviewer à de très nombreuses reprises, et d'autres avec qui j'allais discuter pour une première fois. Tout cela a rapidement fait son chemin et est devenu un projet emballant auquel j'ai consacré beaucoup de temps.

Il y a une différence énorme entre une entrevue qu'on réalise avec une comédienne ou une chanteuse pour parler de son nouveau rôle ou d'un album à paraître, et une conversation durant souvent plus d'une heure avec une tête connue, pour parler du bonheur, de sa façon d'y accéder, de la vie en général, des beaux moments heureux vécus et de ceux auxquels elle aspire. Chacune de ces entrevues a constitué une expérience des plus enrichissantes, m'a amené à me questionner, à m'émouvoir, et surtout à tirer profit des propos recueillis auprès de la cinquantaine de personnalités qui figurent dans cet ouvrage. J'espère que ces entrevues vous seront aussi bénéfiques qu'elles l'ont été pour moi, qu'elles vous aideront à goûter plus souvent au bonheur et à mettre en pratique certains des conseils, trucs ou recettes — appelez-les comme vous le voulez — que ces gens m'ont livrés avec beaucoup de générosité, sans aucune prétention et avec le simple désir de partager leur vécu.

Ce projet n'aurait pu voir le jour sans le précieux appui, la collaboration et les encouragements de tous les instants de ma compagne, Louise Vincent, qui partage ma vie depuis plus de vingt ans. Merci également à mes proches de m'avoir appuyé durant la réalisation de ce livre et, bien sûr, à tous ceux qui ont accepté d'y participer et qui ont pris le temps de me rencontrer pour se confier et se raconter. Et enfin, un merci tout particulier à Mme Isabelle Gaston, qui a si gentiment accepté de signer la préface de ce livre. J'ai eu l'occasion de découvrir une femme courageuse et résiliente qui saura inspirer de nombreuses personnes et leur faire voir qu'il y a une vie après l'enfer, et que même lorsqu'on n'y croit plus, le bonheur se trouve souvent à notre portée.

En compagnie de quelques personnalités que l'on retrouve dans ce livre: Geneviève Borne, Pierre-Yves Lord, Justine Legault et Patricia Paquin.

Toutes les entrevues que vous retrouvez dans ce livre ont été réalisées entre mai et décembre 2016. J'ai volontairement laissé dans les textes les propos des personnalités rencontrées liées à des moments précis dans le temps, ainsi que les dates et références à leur âge, etc.

Un merci très spécial à Marie-Claude Dubuc pour sa très précieuse collaboration à titre de maquilleuse. Merci également à la direction de l'Hôtel 10 et à celle de l'Hôtel Zéro 1, ainsi qu'à Gosselin Photo.

Sophie Thibault
Zoom sur le bonheur !

Il y a deux Sophie Thibault. Tout le monde connaît la chef d'antenne, celle qui depuis 2002 livre toujours l'actualité avec aplomb et délicatesse au TVA Nouvelles de 22 h. Solide, minutieusement préparée et expérimentée, on voit qu'elle adore toujours autant son métier. Et puis il y a l'autre Sophie : la bonne vivante, celle qui médite, qui s'émerveille et qui est absolument passionnée par la photographie, un art auquel elle s'adonne avec grand bonheur.

Pleinement heureuse et comblée, Sophie ? « Je pense que la manière de voir les choses est de se demander ce qui ne va pas, ce qui me rend malheureuse et honnêtement, il n'y a pas grand-chose. C'est un peu effrayant à dire, mais sur une échelle du bonheur, de 1 à 10, je ne suis pas loin du 9 ! D'abord parce que je suis en amour depuis 13 ans, une relation unique et stimulante qui est vraiment la pierre d'assise de toute ma vie. Je suis merveilleusement bien entourée, un frère, une belle-sœur, des nièces formidables, des amis que j'aime et estime. C'est ce qui me porte vers des projets de toutes sortes, et ceux-ci ont abondé en 2016. Je pense à ce voyage en Tanzanie qui pourrait être le fait saillant d'une existence ! Il y a eu trois expositions de mes photos, plusieurs conférences, deux galeries qui offrent mes images, et ma carrière de chef d'antenne à TVA qui me nourrit. Bref, tout va bien, c'est fluide, c'est merveilleux. »

Il n'y a donc pas de surprise, en discutant avec elle, de découvrir qu'elle a une belle communion avec le bonheur et qu'elle se sent privilégiée par la vie. « Je dirais que le bonheur est dans mes gènes, c'est vraiment une nature. Je pense qu'il y avait un bon terreau. J'ai eu des parents qui m'ont adorée et ils m'ont donné confiance en la vie dès le départ. Petite, j'avais le bonheur facile, je m'extasiais devant tout et je me sens encore souvent comme la petite fille que j'étais. Elle est encore là au fond de moi, je suis une contemplative de nature et un rien m'émerveille. Quand tu es comme ça, la moindre chose peut te procurer du bonheur.

Il est clair que la pratique de la photographie t'apporte beaucoup…

Mon regard sur les choses a changé, je suis à l'affût de tout. Le fait de pouvoir s'émerveiller fait partie des ingrédients qui permettent de s'ouvrir aux autres et je pense que la photographie est la concrétisation et l'illustration de ma connexion au monde. J'apprécie la joie de figer des moments dans le temps, et celle aussi d'être de l'autre côté de la caméra pour faire changement, en somme d'être dans un autre univers. Il y a d'une part le côté technique que j'adore — j'ai vraiment beaucoup de plaisir à lire le mode d'emploi d'un nouvel appareil que j'apprends à maîtriser. Il y a aussi l'aspect créatif qui me donne l'impression d'être une artiste, et je trouve ça extraordinaire, moi qui n'ai jamais été capable de dessiner un bonhomme, un arbre ou un sapin de Noël ! Je suis tombée dans le panier de bonbons avec la photographie.

Le bonheur, c'est aussi évidemment son travail de chef d'antenne à TVA. « À un certain moment, tu penses que tu as atteint un plateau, mais c'est un métier qui est comme le bon vin : tu t'améliores en vieillissant et tu apprends sans arrêt. C'est pourquoi j'adore ce métier-là. En fait, c'est comme la photographie, où tu n'as jamais fini d'apprendre. C'est tout en subtilité, mais à chaque saison qui commence, j'essaie des choses en ondes, je fais diverses tentatives. Et sur le plan du contenu, je suis toujours en mode apprentissage parce que je lis beaucoup, j'essaie de comprendre des dossiers, de me préparer pour les entrevues. Tout ça est continuellement en mouvement. Et au cœur du métier, dans les deux cas, il y a le privilège immense de "communiquer", que ce soit des nouvelles ou des images du monde. »

Ton métier te procure plus de bonheur aujourd'hui ?

Oui, parce que je me suis un peu débarrassée du syndrome de l'imposteur qui m'a empoisonné la vie. C'est facile d'avoir cette sensation dans ce métier-là. Quand j'ai commencé en 1988, je n'avais aucune expérience en reportage télé. J'avais fait de la radio communautaire, je ne savais même pas ce qu'était un montage ou un télésouffleur ! Je pense que c'est un an ou deux après qu'on m'a offert le bulletin de 22 heures avec Jacques Moisan. C'était fou ! C'était beaucoup trop rapide et j'ai eu la sagesse de leur dire que je n'étais pas prête, que je voulais manger mes croûtes avant d'arriver là. J'étais terrorisée. J'ai encore des moments où je doute de tout, je pense que c'est dans ma nature. Et c'est correct parce que ça fait en sorte que je ne suis jamais *assise sur mon steak*. Il peut être risqué de baisser la garde, c'est à ce moment-là que les gaffes peuvent survenir.

As-tu déjà pris le temps de te demander ce dont tu avais vraiment besoin pour être heureuse ?

Oui, parce que j'ai fait pas mal d'introspection, j'ai fait des années de thérapie. J'ai suivi des cours avec

Les bonheurs à venir…

Tout doucement, parce que ce n'est quand même pas pour tout de suite, Sophie Thibault prépare son après-carrière et envisage différentes options pour les années à venir. « J'y pense, c'est certain qu'on vieillit et il ne me reste pas vingt-cinq ans de vie active. Mais en même temps, ça va venir naturellement. Je me suis toujours laissé guider dans la vie, et la vie a vraiment été bonne pour moi. Quand je vais sentir l'urgence, l'envie de faire les choses, tout va se placer, et il est certain que ma prochaine étape sera de bien vivre ma préretraite et ma retraite. Je crois que je vais découvrir beaucoup de grands et différents bonheurs à ce moment-là. Mon travail me procure une immense satisfaction, il me tient très occupée et très stimulée : je vais devoir gérer la transition dans quelques années. Je me vois très bien, comme le photographe Mathieu Dupuis, prendre la route en Westfalia, parcourir l'Amérique, aller croquer quelques aurores boréales… Liberté, beauté, lumière, le pactole, quoi ! »

Nicole Bordeleau et j'ai médité durant un certain temps. Il y a eu beaucoup de quêtes dans ma vie, je me suis questionnée, interrogée sur moi-même, autant sur mon bonheur qu'à propos de mes rapports avec les autres, et sur ma place dans l'univers. Et comme tout le monde, j'ai eu des moments plus difficiles, notamment quand ma mère a été malade. J'ai toujours vécu dans la pleine conscience que tout pouvait s'arrêter dans la seconde et, dans le métier que je fais, ce sentiment est décuplé puisqu'on baigne dans les drames et la mort presque tous les soirs. Quand mes deux parents sont morts, l'un à la suite de l'autre, il y a comme un voile qui s'est installé devant mes yeux. J'ai vraiment su ce que c'était que l'angoisse, ce que c'était que d'avoir de la peine, de traîner une lourdeur, une tristesse. Une déprime s'est installée et j'ai pensé que ça ne me quitterait jamais. Ça a duré des années après leur mort, ça a été très, très long. C'est finalement parti, ma nature profonde a refait surface. Ça a été une épreuve difficile mais, en même temps, je pense qu'on a besoin d'épreuves dans la vie, ça forge l'âme et le caractère !

> « Je crois que la pratique de la gratitude, de prendre le temps de dire merci pour tout, est très largement liée au bonheur. »

Avec le temps qui file, tu vois la vie et ton bonheur différemment ?
Quand tu arrives à la cinquantaine, tu le sens dans tes os, dans ton arthrose, et tu ressens effectivement une urgence de vivre encore plus forte. Par rapport aux voyages, entre autres, j'aimerais tout voir. Je me surprends souvent à penser que j'aimerais aller en Islande ou à Hawaï, ou que ça a donc l'air beau le parc Yellowstone ! Je partirais demain matin ! Auparavant, j'avais tendance à me dire que dans mes moments libres, je ferais un peu de rénovations, je passerais du temps au bord du lac, mais les choses ont changé : j'ai vraiment envie de partir, de voir du pays et de faire de la photo. Ce sentiment d'urgence est notamment lié au décès subit de mon collègue Jean Lapierre. Ça m'a vraiment donné un choc ultime, ça m'a secouée. L'an dernier, la concrétisation de mon rêve, mon safari en Afrique, était vraiment liée à Jean.

Par son travail à TVA et, depuis quelques années, grâce à la photographie, Sophie peut affirmer qu'elle est heureuse et qu'elle a vécu sa large part de moments heureux. «La philosophie bouddhiste me "parle" beaucoup. C'est vraiment tout à fait en rapport avec la quête du bonheur et le perfectionnement de soi. Ce qu'on appelle en sanskrit le *Soukha*, c'est le bonheur intense. Un bonheur qui nous submerge, en comparaison avec la joie qui est peut-être plus temporaire. Le *Soukha*, c'est aussi d'être capable d'écouter et d'être sensible à ce que la vie t'envoie comme messages. Le bonheur intense, je pense que je l'ai ressenti souvent. J'ai aussi beaucoup d'*Ananda* (les petites joies) mais, de façon générale, je suis remplie de *Soukha*, dit-elle avec un grand sourire. Entre autres quand je suis en ondes, quand je fais des photos, une exposition, lorsque je suis entourée de gens que j'aime ou que je partage un bon souper. Le vin en soi me procure de grands bonheurs, tout comme la gastronomie, les bons restos, les discussions et bien sûr les voyages. C'est ça la disposition au bonheur que je porte : tout me rend heureuse. Je ne tiens rien pour acquis, j'ai toujours la conscience profonde de la chance que j'ai, surtout quand je mesure l'ampleur de la misère humaine aux quatre coins du monde. »

Ton bonheur se construit donc sur toutes ces petites choses qui font tes journées et t'émerveillent ?
Oui, et la gratitude est constante dans ma vie. Le soir, je dis merci pour tout ce que j'ai, merci à ma mère, à mon père. Je me sens protégée, je pense souvent que ça ne se peut pas d'être chanceuse comme je le suis, d'être

Gros plan sur une passion

Il faut voir les yeux de Sophie Thibault s'illuminer lorsqu'elle parle de sa passion pour la photographie. Pour celle qui avait suivi des cours à l'université et qui a décidé de s'y replonger après avoir reçu un appareil numérique, on sent que cet art est arrivé à point dans sa vie.

«Ouvrir ses antennes, être capable d'écouter, être capable de voir et de se taire, et absorber tout ça en observant l'angle de la lumière, les reflets, c'est voir le monde différemment. C'est l'élément fascinant de la photographie: c'est ton regard personnel que tu poses sur les choses et sur les gens ou les animaux, et tu inscris ta vision dans des images. Chacune des étapes me plaît et quand je ne clique pas durant un mois, ça me manque. C'est organique, c'est une jouissance de prendre mon appareil photo dans mes mains, c'est complètement délirant. »

remplie de grâce comme ça. Il faut prendre le temps de dire merci pour tout, je crois que la pratique de la gratitude est très largement liée au bonheur.

Quel message veux-tu livrer aux gens qui cherchent le bonheur ?

Il me vient en tête l'histoire d'un homme qui était en prison depuis longtemps pour une histoire de drogue. Il était super malheureux et, un matin, après avoir lu un livre sur le sujet, il a commencé à méditer. Il n'avait rien à perdre. C'était difficile, il était isolé, mais la méditation a complètement changé sa vie. Il a lu des livres portant sur le bouddhisme, a commencé à aider ses compagnons de cellules et à accompagner des mourants. Il est sorti de son égo, sorti de sa misère, et il a vécu une sorte d'illumination qui a complètement changé sa vie. En résumé, je pense que tout ça part d'une certaine volonté, d'une prise de conscience de se fouetter un peu, d'arrêter de se complaire dans sa misère et de vouloir changer les choses. C'est une question d'attitude et aussi de gestion de ses émotions. Il faut se demander ce que l'on fait de ses émotions négatives, ce que l'on fait de ses émotions positives. Selon moi, il faut arrêter de repousser les choses, de remettre toujours au lendemain, de procrastiner.

En somme, il faut cesser de croire que les choses vont se placer par magie, que le bonheur va nous tomber dessus sans effort ?

C'est dans le concret qu'on arrive à être content de soi, ce n'est pas dans le rêve. Quand je fais le grand ménage de mon bureau, je suis contente lorsque c'est terminé, ça me nettoie la tête, ça me fait du bien. Ça fait partie de ces petites choses qui me rendent heureuse. Mais il faut sortir de soi aussi, être sensible aux besoins des autres… La gentillesse, l'empathie, ça semble tellement passé de mode dans ce monde où l'image, l'égo-portrait, la consommation, le paraître prennent autant d'importance.

À Silicon Valley, on a fait en sorte que notre téléphone devienne un cordon ombilical qu'on ne peut plus couper. Ainsi, on est plus seul que jamais dans ces médias dits «sociaux» et on est incapable de rester 30 secondes dans un ascenseur sans fixer nos cellulaires. Le silence et la solitude terrorisent tant de monde désormais. Et, très sincèrement, je ne dis pas que je suis immunisée contre ce genre de maladie, loin de là !

Qu'est-ce qui t'apporte un sentiment de bonheur et de paix dont tu ne pourrais te passer ?

Sans aucun doute la nature, c'est ma façon de me ressourcer. Quand je ne vais pas à la campagne, que je suis deux semaines en ville, ça ne va pas bien dans ma tête. Je suis chanceuse, j'ai une maison au bout d'une presqu'île, entourée d'eau et d'arbres, complètement isolée, sur le bord d'un lac écologique. Je peux y apprécier le silence, le calme, la beauté des huards qui reviennent chaque été sur le lac et y voir mes chiens libres et heureux !

Patrice L'Écuyer
Heureux comme un poisson dans l'eau !

Lorsqu'il parle de sa passion pour la pêche et du bonheur que cette activité lui procure depuis plus de trente ans, le visage de Patrice L'Écuyer s'illumine.

« La pêche, c'est zen, c'est mon évasion. Quand j'y vais, je suis heureux, je ne pourrais pas être mieux nulle part ailleurs dans le monde que là. Et c'est un état que je retrouve chaque fois que je vais à la pêche. Je me considère chanceux, je ne peux pas croire que j'aurais pu passer à côté de ce plaisir et de ce bonheur-là », dit-il.

Cette passion, il espère avoir l'occasion de l'inculquer ou du moins la faire découvrir à ses deux adolescentes. « Je rêve d'aller un jour à la pêche avec mes filles, si ça leur tente bien sûr. Ce n'est pas tant pour aller à la pêche que pour leur faire découvrir à quel point c'est extraordinaire, la pêche à la mouche. Je pêche le saumon et tu en prends un par jour quand ça va bien. » Mais la pêche, pour Patrice, c'est un tout : ce n'est pas seulement le plaisir de capturer des poissons, c'est avant tout le bonheur de se retrouver en pleine nature.

« On a un pays extraordinaire que personne ne connaît, et on a des coins absolument fantastiques, sauvages, que tu ne peux pas trouver nulle part ailleurs. Et on n'y va pas ! J'ai eu la chance d'avoir été initié à ça par Gaston Lepage et ensuite par d'autres amis, sur la Côte-Nord, et en Gaspésie. Il y a des endroits qui sont absolument paradisiaques, je pense entre autres à ces rivières en Gaspésie qui sont turquoises. C'est chez nous tout ça et on peut y aller. »

Patrice se souvient qu'enfant, à 7 ou 8 ans, il se rendait en vélo au bord de la rivière pour aller pêcher. La passion ne date donc pas d'hier et c'est une véritable histoire d'amour qu'il entretient avec la nature.

« J'avais participé à l'émission *Qui êtes-vous* qui retrace nos racines, et Georges-Hébert Germain disait que j'avais beaucoup de coureurs des bois dans ma famille. Je ne peux pas l'expliquer : quand je me retrouve dans le bois, à côté d'une rivière, je suis vraiment très bien. Foncièrement. »

L'un des enfants chéris du Québec, Patrice L'Écuyer est à la fois animateur et comédien en plus de verser dans l'humour. On l'a vu à maintes reprises au *Bye Bye*, sans oublier sa participation à divers galas. Comblé, Patrice ? « Je n'ai jamais été aussi heureux, c'est la plus belle période de ma vie, dit-il. Je sais que c'est un discours tellement ennuyant à entendre quand tu es jeune, mais en vieillissant, on devient plus sage, on a une plus grande perspective face à la vie. J'ai l'impression que j'arrête de courir après quelque chose qui n'existe pas. Ce n'est pas que je n'ai plus d'attentes, mais je suis conscient de ce qui m'arrive et je n'ai pas l'impression de manquer quelque chose. Quand j'étais jeune, j'ai eu des périodes où ça marchait, c'était l'enfer, et je me rends compte que je ne l'ai pas apprécié comme j'aurais du le faire, parce que je n'étais pas dans le moment présent. Je n'étais pas *groundé*. Aujourd'hui, je goûte chaque affaire qui m'arrive et je sais à quel point je suis chanceux ; ce serait vraiment malhonnête de dire que ça ne va pas bien. »

Faire le ménage autour de soi

Le bonheur, pour l'animateur, passe avant tout par la liberté de prendre des décisions, d'aller là où son instinct le conduit.

« Je suis là où je veux être dans la vie et c'est en grande partie ma blonde qui m'a appris, quand on s'est rencontrés il y a 17 ans, à faire le ménage autour de moi. Surtout, je fais des choses qui me plaisent. Pas parce qu'il faut les faire pour arriver à autre chose, mais parce que ça me tente de les faire. »

Tu ne vis évidemment pas le bonheur de la même façon que lorsque tu avais 30 ans…

Moi, à 30 ans, le bonheur, c'était le succès. Je me disais que si mes affaires marchaient, tout allait bien aller. Mais le succès, ça ne veut rien dire si tu n'en profites pas. Et si tu as l'impression que tu n'en as pas, tu n'apprécies pas tout le processus, tout le travail que ça prend pour y arriver. C'est comme un alpiniste qui aimerait seulement être au sommet de la montagne, mais qui n'aime pas la monter. Il faut que tu réalises tout ce que tu as fait pour en arriver là. Et dans ce métier-là, on dirait que c'est souvent dans ce qui s'est avéré un *flop* qu'on a mis le plus de travail. Et ce n'est pas parce que les choses fonctionnent que c'est plus facile ou moins facile. »

Toujours très discret sur sa vie personnelle et sur sa famille, Patrice est père de deux adolescentes qui ont enrichi sa vie sur différents plans. « Le fait d'avoir des enfants a changé les choses. Ça te replace, ça te voit grandir, et tu réalises que finalement, on passe tous par les mêmes choses. Jeune, tu as l'impression qu'il n'y a personne qui n'a rien compris avant toi, que tu as saisi quelque chose que les autres n'ont pas encore réalisé. Aujourd'hui, je me rends compte, en voyant aller mes enfants, qu'elles passent par les mêmes endroits où je suis passé. Je me dis qu'on fait tous le même cheminement pour comprendre. Je pense que si tu es avec des amis en train de prendre un bon repas, peu importe ce qu'est ta vie, tu ne seras pas plus heureux que le moment où tu es là. C'est ce qui fait que je suis heureux maintenant, je goûte chaque moment. Quand tu te lèves le matin et que tu as un problème, que tu peux en parler à la personne à côté de toi, ou que tu peux appeler quelqu'un, ou encore que quelqu'un peut te téléphoner parce qu'il a besoin de toi, c'est tout ça qui te fait réaliser que ça va bien dans ta vie, que tu es bien entouré.

« Les gens disent qu'il faut que tu aies des enfants pour être heureux. Ce n'est pas vrai. Tu peux très bien être heureux sans en avoir, j'en suis convaincu, comme tu peux être heureux avec des enfants. Et tu peux aussi être malheureux avec ou sans enfants. C'est bizarre ce que je vais te dire, mais ce que m'ont apporté le plus mes enfants est qu'ils m'ont permis de me rapprocher de mes parents. Ça m'a comme fait prendre conscience de tout ce que mes parents ont vécu avec moi. Comme tous les jeunes parents, nous étions bien contents quand ils venaient nous donner un coup de main à la maison, ce qui est normal, et ça leur faisait plaisir, mais on s'est mis à parler avec nos parents d'autres choses, de la vie. Entre autres de leur enfance. Ça nous a vraiment soudés ensemble. »

Le bonheur par choix

« Je pense qu'on est souvent responsable, et à divers degrés, de nos malheurs », confie Patrice lorsque je lui demande quelle est la clé du bonheur et les pièges à éviter pour y accéder.

« On rencontre des gens qui, on le sait instinctivement, ne sont pas des personnes pour nous. Et là, je parle autant en amitié qu'en amour, mais on y va pareil. On plonge. Au début, ce n'est pas grand-chose, mais ça se met à grossir et à un moment donné, tu te sens comme si tu étais dans les sables mouvants. Souvent, on n'est pas à l'écoute de ce qu'on est. Ce serait plus simple si on s'écoutait vraiment, si on se faisait confiance, mais on a peur et on fait des mauvais choix. Très très souvent. Tu ne peux pas être ami avec tout le monde, c'est une question de compatibilité. À la minute où tu commences à t'écouter, et la sagesse t'apporte ça, il y a des gens avec qui tu vas t'entendre, mais tu sais que ça n'ira pas plus loin. Moi, je voulais que tout le monde m'aime, et pas seulement lorsque j'étais sur scène. Je voulais avoir des amis, mais tu ne peux pas être ami avec tout le monde. Le simple fait d'en parler à haute voix permet de se rendre compte des erreurs que l'on fait, que l'on sait, et qu'on ne devrait pas faire. Et si on les fait, ces erreurs, et qu'on est conscient qu'on les fait, il faut les assumer. »

En somme, l'inaction est l'un des pièges à éviter et, comme Patrice a appris à le faire, il faut se questionner et se fier à son instinct. « Je pense qu'il faut que les gens s'écoutent plus et c'est le genre d'exercice qu'ils peuvent faire avec eux-mêmes. En amitié et au travail, on ne se fait pas assez confiance et c'est ce que j'essaie le plus de transmettre à mes filles, soit qu'elles aient confiance en elles. Je pense que l'insécurité est le pire ennemi du bonheur. Il faut foncer, mais il faut s'écouter. Je pense qu'on a tous cet espèce de système d'alarme là en nous, ce jugement-là, mais on ne l'écoute pas parce qu'on veut atteindre quelque chose qu'on idéalise. J'ai appris avec le temps que les choses ne sont jamais comme elles paraissent. »

Sur le plan professionnel, j'ai vécu de grands bonheurs avec mes présences sur scène, devant un public qui applaudit. Je pense aux *Bye Bye* que j'ai faits, qui ne sont pas devant public, et qui étaient extraordinaires à faire, mais ce n'est pas comme lorsque tu joues devant des spectateurs. Tu n'as pas la réponse immédiate, les réactions viennent après. Par contre, quand je fais une émission comme *Prière de ne pas envoyer de fleurs*, les gens rient beaucoup et c'est gratifiant. Je n'ai jamais pris de drogue, mais je peux dire que c'est ma drogue que de voir les réactions d'une foule. C'est quelque chose d'absolument grisant, les gens n'ont pas idée. »

« Quand je fais le gala à Québec, ils sont environ 2000 à avoir payé cher pour être là, et ils sont contents quand tu arrives sur scène. Il faut que tu sois bon et si tu es bon, tu fais leur bonheur. » Bien sûr, on ne peut pas se nourrir exclusivement de ces bonheurs d'avoir devant soi des spectateurs heureux, et se laisser submerger par la vague des applaudissements. Patrice l'a compris depuis longtemps. « Yvon Deschamps avait confié au cours d'une entrevue qu'il fallait avoir une vie équilibrée pour faire ce métier parce que lorsque tu fais un grand spectacle, et que le lendemain tu te lèves, seul, et que tes toasts sont brûlées et que tu n'as pas de lait pour ton café, la marche est haute ! Et je comprends parfaitement ce qu'il voulait dire, parce que c'est tellement grisant de recevoir cet amour-là du public. Il faut que ce soit contrebalancé, il faut que tu *trippes* autant à aller reconduire ta fille à l'école. »

Plus jeune, Patrice avoue que sa vie était centrée, et beaucoup trop, sur son travail. « Quand je n'avais plus de travail, je me sentais comme le canard qui se fait aller les pattes à toute vitesse dans l'eau… Aujourd'hui, ma vie me satisfait, le travail n'est pas le centre de ma vie. Ce qui me rend le plus heureux est d'avoir le choix de faire ce que j'aime, et j'espère toujours avoir cette liberté de choisir. Ce n'est pas tant ce que je vais choisir qui est important, mais vraiment la chance de choisir. Je vais être parfaitement heureux si ça peut durer, et quand le monde va être tanné et que je vais m'en rendre compte, je ne m'acharnerai pas. »

Guylaine Tremblay
L'importance de signer sa facture

La différence entre les deux femmes ne pourrait être plus frappante. D'une part, ce personnage en or de Marie Lamontagne dans *Unité 9*, une femme qui refoule colère et tristesse et qui, n'attendant plus rien de la vie, a tenté de mettre fin à ses jours avant de reprendre goût à la vie. Et d'autre part, cette formidable comédienne qu'est Guylaine Tremblay, une femme et mère de famille comblée, qui avoue d'emblée avoir le bonheur facile et qui se dit choyée de recevoir autant de marques d'appréciation pour son travail devant les caméras.

« J'aime encore mon métier profondément, j'ai encore beaucoup de plaisir à le faire. Jouer, c'est être avec l'autre. Dans *Unité 9,* quand j'ai une scène à jouer avec des collègues, je sais que ça va être *l'fun* parce que ce sont de bons acteurs. Je suis en admiration devant eux et d'admirer le travail des autres, ça aussi ça fait partie du bonheur. Après une scène, il va m'arriver de me dire que je suis chanceuse de jouer avec d'aussi grands acteurs. C'est comme du jazz, comme des instruments de musique qui se répondent, et ça c'est formidable, c'est un grand, grand bonheur. »

Guylaine Tremblay, sans contredit l'une des comédiennes préférées du public québécois, s'illustre tant à la télévision qu'au théâtre et au cinéma, et ce, depuis plus de vingt ans. Des rôles de femmes heureuses, malheureuses, meurtries, amoureuses, survoltées — on se souvient de Caro dans *La petite vie* ! —, elle en a joué en quantité au cours de sa carrière. Pour plusieurs d'entre elles, la quête du bonheur, l'appréciation de ces petits moments heureux qui font sourire et réconfortent, n'était pas toujours chose facile. Comme pour le commun des mortels, pourrait-on ajouter. Oublions un instant les Marie, Annie, Patricia et Sylvie qu'elle a brillamment incarnées pour laisser Guylaine Tremblay, l'âme derrière ces personnages, partager avec nous sa vision du bonheur et de la vie.

« Je crois que j'ai toujours eu le bonheur facile, j'ai toujours pensé que les choses finissent par s'arranger. Même quand j'ai eu de grandes peines, de grands désarrois, je me suis toujours dit que la seconde qui vient de passer t'éloigne de plus en plus de ta douleur. Je vois ça petit à petit, je sais qu'il n'y a pas de miracle dans la vie, mais je pense que ça finit par passer avec le temps.

Et le passé ? On dit souvent qu'il faut apprendre de ses erreurs, de ses expériences…
On ne peut pas faire abstraction de notre passé parce que c'est lui qui nous construit, qui fait qu'on est ce qu'on est présentement. Ce qui est fait est fait. Il faut que tu composes avec ce que tu es, maintenant, là où tu en es rendu sur le plan émotif, là où tu en es dans ta vie. Je me dis toujours que pour être heureux, il faut signer sa facture, c'est-à-dire qu'il faut assumer pleinement tout ce que l'on fait, les bonnes comme les moins bonnes choses. Pour moi, c'est une façon d'aspirer à un état de bonheur, parce que la pire chose qui puisse arriver à quelqu'un, c'est d'être dans le déni.

Tu n'es donc pas le genre à faire un bilan de ta vie, à penser aux belles et moins belles choses vécues ?
C'est drôle, je ne me suis jamais posé cette question-là, à savoir si j'avais été plus heureuse ou plus malheureuse, ou plus chanceuse que malchanceuse.

C'est ma vie, avec les obstacles et les réussites qui m'appartiennent. Je ne suis pas du genre à faire de bilan, je ne calcule pas ça de cette façon. Parfois, les choses qui nous arrivent et qui, sur le coup, nous semblent épouvantables se transforment en quelque chose d'inattendu et de beau. Je prends toujours l'exemple de mes enfants. Le plus grand mur que j'ai frappé, la plus grande douleur que j'ai eue, a été de m'apercevoir que je n'arriverais pas à concevoir ou à porter un enfant jusqu'à terme. Ce qui m'a amenée à m'interroger à savoir si je voulais quand même être mère, puis en arriver à l'idée de l'adoption. Donc, d'une grande souffrance, d'une grande peine, j'en suis venue à ce qui me rend le plus heureuse dans ma vie maintenant, c'est-à-dire mes deux filles.

Tu es passée d'un bonheur perdu…

… à un bonheur que j'ai construit. Moi, je crois beaucoup au bonheur par l'action. Je suis une proactive. Tu ne peux pas demeurer assise et te dire que ce serait *l'fun* que je me sente bien et que je sois heureuse. Je trouve qu'on est un agent de changement pour nous-mêmes ; si on veut quelque chose, allons-y dans l'action.

Quel serait ton message aux personnes qui ont de la difficulté à être heureuses ?

Il y a des gens qui ne sont pas heureux, et on comprend qu'ils ne le soient pas. Il y a aussi ceux qui ont des parcours difficiles, ce qui est terrible, et tu te dis qu'ils n'ont pas eu de chance, pas d'amour et qu'il leur a manqué plein de choses. Moi je trouverais ça contre-productif de leur dire : «*Let's go*, vas-y, lève-toi ! » C'est dur, il y a des gens qui sont vraiment en détresse et je pense que la première des choses pour accéder au bonheur est de nommer sa douleur. De parler, de parler à n'importe qui. Ce n'est pas tout le

monde qui a les moyens d'aller voir un psychologue ou un autre spécialiste, mais il faut essayer de trouver une autre ressource, dans un CLSC ou ailleurs, si on n'a pas l'entourage familial et les amis pour nous écouter. Je pense que lorsque tu nommes tes inconforts et tes douleurs, ça te donne déjà plus de prise sur eux. Sinon, tu risques de t'isoler dans tes problèmes. Bon, c'est ma façon à moi, et ça ne veut pas dire que c'est la même pour tout le monde. Mais moi, ma façon d'aller vers ce qui me rend heureuse est de me propulser dans l'action, de me dire que je fais quelque chose, que je vais vers ce chemin-là.

Est-ce que tu es du genre à anticiper des moments de bonheur, à les préparer ?

Non, je ne suis jamais dans l'anticipation, ou rarement. Je ne suis pas faite comme ça et la vie est plus surprenante, de toute façon, que tout ce que j'aurais pu imaginer. Et elle va m'amener dans des endroits dont je n'aurais pas soupçonné l'existence, alors ça ne me sert à rien d'anticiper. Je pense que le bonheur, et ça correspond beaucoup à l'image que je m'en fais, part surtout d'un état d'abandon. Le bonheur, ce n'est pas volontaire, ce n'est pas de penser que si j'ai une maison, si j'ai cet emploi, si j'ai cette sorte de *chum* ou de blonde, je vais être heureuse… Je pense que c'est par l'abandon et l'ouverture que les choses viennent à toi et que tu peux te sentir dans un état de bonheur. Si tu es volontaire et que tu te dis qu'il te faut absolument telle ou telle autre chose pour être heureux, tu ne peux qu'être déçu, parce que ces choses n'arriveront peut-être pas. Tu te crées ainsi des attentes, alors que si tu ne t'en crées pas, tout ce qui t'arrive de bon est un plus. Quant aux choses pas *l'fun*, tu dois te dire que tu es comme tous les autres êtres humains et que c'est normal.

> « Je pense que c'est par l'abandon et l'ouverture que les choses viennent à toi et que tu arrives à l'état de bonheur. »

En général, dans tous les aspects de ta vie, te considères-tu comme une privilégiée ?

Vraiment comme une privilégiée de tous les instants, dans ma vie, dans ma carrière ; je suis obligée de le dire et je suis reconnaissante pour tous ces instants. Mais tout ça part d'une chose essentielle : j'ai été une enfant aimée. Donc, quand tu es aimée, et je prends toujours la même image parce qu'elle correspond à ce que je pense, le solage de la maison est solide. Après, ça se peut qu'il vente, qu'il grêle, qu'il y ait des vitres qui éclatent, que la porte parte au vent, mais le solage va demeurer là. La base est là. Dès le début, j'ai eu ce privilège énorme d'être aimée et accueillie telle que j'étais. Ça te donne une solidité et une force qui te suivent toute ta vie. Après, au cours de ma vie, j'ai rencontré des gens formidables, et j'ai beaucoup aimé et j'ai été beaucoup aimée. La sensation et l'état de bonheur part beaucoup du fait d'aimer et d'être aimé.

Tu es comblée par ton métier, mais bien sûr aussi par ton rôle de mère !

C'est la plus belle chose qui me soit arrivée, et ce n'est pas la chose la plus facile. Le bonheur et la facilité, ce n'est pas nécessairement lié pour moi. Être parent, tous ceux qui le sont le savent, ce n'est pas toujours évident. C'est un métier d'essais et d'erreurs. Ma notion du bonheur va plus avec l'idée d'accomplissement, de se sentir utile, de participer à quelque chose de grand, comme d'élever un enfant. Je pense qu'il n'y a rien qui te rende plus heureux que de voir ton enfant heureux, quand tu sens qu'il est fier de lui, et qu'il arrive à quelque chose et poursuit ses buts. Ça ne se dit même pas le bonheur que ça procure.

Tu as deux grandes filles, Marie-Ange et Julianne, qui font ta fierté…

J'ai toujours dit à mes filles : vous êtes intelligentes, vous êtes des filles formidables et je vous fais confiance. Je trouve ça essentiel de dire à nos enfants qu'on fait confiance à ce qu'ils sont. Elles vont se la péter comme nous tous, il va y avoir des erreurs, mais elles savent que je leur fais confiance. Moi aussi, à mon tour, j'essaie de leur construire un solage solide.

Et le bonheur au quotidien, tu le vis comment ?

Moi, j'ai le bonheur très simple, ça ne me prend vraiment pas grand-chose. L'été, je suis heureuse tous les jours parce que c'est ma saison préférée. Alors simplement de me lever le matin et d'aller prendre mon café dehors, je n'en reviens pas, c'est extraordinaire. J'adore ça. Je me rends compte que ce sont les plus petites choses qui vont parfois m'emplir de bonheur. Rencontrer une amie que je n'ai pas vue depuis longtemps, aller acheter des fleurs, des petites choses comme ça qui me font réaliser que plus je vieillis, plus j'ai le bonheur simple. Quand j'étais plus jeune, j'avais le bonheur plus compliqué. Il fallait que ce soit vraiment de grands projets. Mais plus tu vieillis, plus tu réalises que les petites choses sont importantes : écouter une chanson que tu aimes et que tu prends le temps d'apprécier, aller voir un spectacle qui te rend heureuse, prendre un bon repas et boire un bon vin. Je ne crois pas au grand bonheur qui dure 24 heures sur 24. Il y a des moments de bonheur mais, entre ça, il faut que la joie demeure. C'est vaste, le bonheur ! Yvon Deschamps a fait un monologue extraordinaire sur le sujet, dans lequel il appelle le bonheur, lui dit que ça fait longtemps qu'il ne l'a pas vu. Moi je suis plutôt de l'école qui se dit que si le bonheur ne vient pas, on doit aller à sa rencontre…

Il faut souvent faire preuve de courage pour se relever les manches et décider de faire le ménage, décider d'aller vers le bonheur…

Dans la vie, il arrive que tu te retrouves sur un chemin de gravelle, mais il faut continuer de rouler. Churchill a dit une phrase formidable : « Si vous avez l'impression d'être en enfer, faites un pas en avant ». Et effectivement, si tu restes là, si tu ne bouges pas, tu vas y rester. Il faut faire un pas en avant, puis un autre, et encore un autre. Quand je te dis que je suis proactive! Aller vers les autres, donner, se rendre utile, servir, ça me rend aussi très, très heureuse. Il faut se décoller de soi et j'ai toujours mis ça en pratique. En vieillissant, je réalise encore plus l'importance d'aller vers les autres, celle du bénévolat. Il y a vraiment une joie qui vient avec ça.

Quand tu regardes en avant, as-tu des rêves que tu souhaites réaliser ?

Tout ce que je souhaite est de demeurer en santé et que ceux que j'aime le soient aussi. Je n'en ai pas de liste, de *bucket list*, ça ne fonctionne pas pour moi. Ça pourrait même me stresser alors que dans la vie, je suis plutôt *easy going*. Je suis toujours contente parce que je ne prévois pas les choses, j'ai toujours été comme ça et ça me rend heureuse. S'accepter tel qu'on est, être dans sa vérité avec nos faiblesses et nos forces, ne pas se faire croire qu'on est quelqu'un d'autre, c'est important pour moi. Désobéir me rend aussi heureuse; le bonheur passe également par la possibilité d'avoir le choix, l'affirmation de choses auxquelles on croit profondément.

Ton métier, on s'en doute, te procure de grands moments de bonheur. Tu les vis pendant que tu joues un personnage ou après-coup ?

Pour moi, c'est surtout en le faisant que j'ai du plaisir, que je *trippe*. Se regarder à la télé est parfois difficile, car on est le pire juge de soi-même, on se dit qu'on aurait pu faire ça autrement, on se critique.

En le faisant, en jouant une scène, c'est vraiment là que je prends mon pied. Quand je reçois un texte et que je m'entends le dire dans ma tête, c'est signe que j'ai vraiment envie de faire ça. Tu le sais, en lisant un texte, que telle scène va être le *fun* à jouer.

Et l'amour dans tout ça, est-ce que ça a été pour toi la plus grosse source de bonheur ?

Ah oui! Tout part de là : aimer et être aimé. C'est la base et tu ne peux pas seulement être aimé parce qu'il y a alors un débalancement. Il faut aimer, il faut donner, il faut sentir l'envie de rendre les gens bien et heureux. Il n'y a pas seulement l'amour de ton *chum*, de tes enfants, de ta famille, de tes amis qui compte, mais aussi l'amour des autres.

Et toi, est-ce que tu t'aimes plus aujourd'hui qu'il y a cinq ou dix ans ?

Je dirais que j'ai plus de bienveillance pour moi-même. Quand j'étais plus jeune, j'étais très sévère et exigeante envers moi-même, je ne me pardonnais pas grand-chose. Ça a eu du bon et ça a eu du mauvais, et maintenant, la vie passe et je me dis simplement que je fais de mon mieux, tout le temps.

Il y a comme une forme de lâcher-prise ici…

Oui, sûrement, parce que c'est comme si tu te rendais compte que lorsque tu as fait les choses de tout ton cœur et du mieux que tu pouvais, ça se peut que ça n'atteigne pas le résultat escompté. C'est possible que ce ne soit pas ce que tu pensais, mais il reste que tu as fait du mieux que tu pouvais. Tout ce que je fais, je le fais avec mon cœur et j'essaie d'être généreuse aussi. En somme, la satisfaction du travail accompli, des choses bien faites me procure beaucoup de bonheur.

L'amour du public en cadeau

Depuis qu'elle est connue du grand public, on pense notamment à l'époque où elle incarnait le personnage d'Annie dans le téléroman *Annie et ses hommes* et bien sûr celui de Marie Lamontagne dans *Unité 9*, Guylaine Tremblay goûte au vedettariat, à ces moments privilégiés où le public, les gens qui l'aiment, ne se gênent pas pour lui témoigner leur appréciation et leur amour, que ce soit au quotidien ou lors de la remise de trophées. « C'est sûr que je suis très reconnaissante de ça, je reçois de l'amour tous les jours. Oui, je reçois de l'amour de ma famille, de mes intimes, de mes amis, mais en plus, je sors dehors et je me fais dire qu'on m'aime! Chaque fois, c'est un cadeau qu'on me fait, c'est vraiment bon et beau de recevoir ça. Je ne dirai jamais que ça me dérange de me faire accoster dans la rue. Il y a des jours où tu ne "files" pas et quand tu sors de chez toi et que ça fait vingt fois qu'on te dit bonjour, qu'on te sourit et qu'on te dit qu'on aime ce que tu fais, ça aide à traverser la tristesse que tu pouvais ressentir le matin même. Je n'ai pas fait ce métier-là au départ parce que je voulais devenir une vedette; je voulais faire ça parce que c'était ce qui me rendait le plus heureuse. Ça le dit, j'ai choisi un métier dans lequel on parle de "jouer", alors imagine à quel point ça peut toucher au bonheur. C'est la façon la plus heureuse de communiquer mes émotions aux autres à laquelle je puisse penser. Le vedettariat est arrivé après, mais ce n'était pas le but premier. C'est venu tranquillement, ça a pris au moins dix ans, et j'étais parfaitement heureuse durant ces années, même si personne ne me reconnaissait, tout simplement parce que je faisais ce que j'aimais. »

Jean-Michel Anctil
Le rire comme source de bonheur

Converser avec Jean-Michel Anctil, c'est avoir devant soi un homme qui peut se montrer à la fois sérieux, émotif et intense, mais qui ne rate pas une occasion de faire une blague et de laisser éclater un rire franc et joyeux. Un gars heureux, mais tout de même complexe.

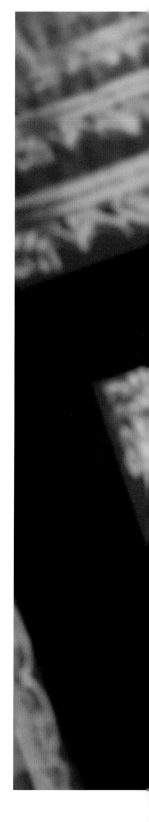

«Je pense qu'on court trop en ayant en tête le sommet de la montagne et qu'on oublie, en grimpant la montagne, qu'il y a plein d'affaires autour de soi qu'on ne voit pas.»

Converser avec Jean-Michel Anctil, c'est avoir devant soi un homme qui peut se montrer à la fois sérieux, émotif, intense, mais qui ne rate pas une occasion de faire une blague et de laisser éclater un rire franc et joyeux. Un gars heureux, mais tout de même complexe.

À la fois humoriste, comédien et animateur, Jean-Michel mène rondement sa carrière depuis plus de vingt ans. Le bonheur est omniprésent dans sa vie, qu'il lui vienne de son travail ou de sa famille, mais il avoue d'emblée qu'il demeure tout de même un grand insécure qui craint que tout s'arrête du jour au lendemain.

S'il dit avoir le bonheur facile, il aimerait bien pouvoir mettre le temps en banque. «Il me manque des heures dans une journée, je me rends compte que je n'ai pas le temps de tout faire, que je prends du retard sur certaines choses. Que ce soit mes affaires personnelles ou des choses que je n'ai pas envie de faire. Mais je n'ai pas nécessairement envie de temps pour travailler plus.»

Parce qu'il a toujours ce sentiment de manquer de temps, Jean-Michel dit régler son horaire quotidien comme un rythme de spectacle. «Tout est vraiment planifié, souvent à la minute près, et si quelque chose accroche, ça *scrappe* toute ma journée parce que je n'ai pas de plan pour l'imprévu. Toute ma journée prend alors du retard et ça me

«On cherche trop souvent à avoir le bonheur des autres plutôt que le sien. Ce qui me rend heureux n'est pas nécessairement ce qui rend quelqu'un d'autre heureux .»

frustre, mais il demeure que je trouve quand même du bonheur là-dedans. Je suis structuré comme ça, et cette façon de faire est la bonne pour moi. Quand je vais jouer au hockey — ça aussi c'est à mon horaire —, c'est ma façon de m'évader, d'être avec des *chums* et d'avoir du *fun*. Et je trouve ça difficile quand je dois rater un match en raison d'un tournage. De fait, j'essaie toujours d'organiser mon horaire en prenant soin de faire de la place au plaisir, comme celui que le hockey me procure. »

Le bonheur, Jean-Michel le saisit souvent à petites doses, au quotidien. « Ça ne me prend pas grand-chose pour faire ma journée. Pour la fête du Travail, l'an dernier, j'avais trois jours de congé et je revois ce moment : je suis assis dehors, écrasé dans une chaise avec un livre, ma blonde à mes côtés, mes filles qui lisent, le bruit de l'eau qui coule dans la fontaine. Tout était parfait, il faisait beau, j'étais heureux, c'était un moment de bonheur que j'ai savouré. »

Ce n'est que depuis peu qu'il a appris à apprécier ces moments parfaits au moment où ils se déroulent. « On réalise souvent après-coup qu'on a vécu des moments heureux en regardant des photos de vacances. Tu prends alors conscience que c'était *l'fun*. Mais quand tu es là, en vacances dans le Sud, il faut profiter du moment présent et ça, j'ai appris à le faire. Il n'y a pas si longtemps, quand je partais avec la famille, je me faisais un horaire et tout était planifié, autant la période pour déjeuner que le moment d'aller à la plage ! »

Les petits moments heureux…

Le rire, bien sûr, occupe une place importante dans sa vie. Celui des autres, qu'il parvient à provoquer, mais aussi le sien et celui des proches. « Je ne me souviens plus qui a dit ça, mais je crois qu'il est important de rire au moins une fois dans une journée. Il le faut. Si tu cherches une façon de pouvoir rire, tu peux en trouver, tu n'as qu'à aller sur le web et regarder une vidéo d'un bébé qui rit aux éclats. C'est sûr que ça va te mettre un sourire dans la face. »

La notion du bonheur de Jean-Michel est assez simple, et ses bonheurs, au quotidien, se résument souvent à des choses qui peuvent sembler banales, mais qui lui font beaucoup de bien. « On cherche trop à avoir le bonheur des autres plutôt que le sien. Ce qui me rend heureux n'est pas nécessairement ce qui rend quelqu'un d'autre heureux. Il y en a qui pensent que le bonheur, c'est d'avoir la grosse maison, le gros char, la grosse *job*, et on court après le bonheur en oubliant que ce sont des petites affaires bien simples qui l'amènent. Il suffit de prendre le temps de s'arrêter. Tu vois, par exemple, un de mes bonheurs, quand je fais des spectacles à Québec, est d'aller courir le matin sur les Plaines. En chemin, j'arrête toujours à la même place, au même banc, et je m'assois avec mon livre, face au fleuve. C'est un petit moment qui me fait du bien, que j'apprécie, et qui me met de bonne humeur. Et si en plus je ris durant ma journée, c'est génial, et encore mieux si je fais rire quelqu'un. Je pense qu'on court trop en ayant en tête le sommet de la montagne et qu'on oublie, en grimpant la montagne, qu'il y a plein d'affaires autour de soi qu'on ne voit pas. »

Sur une échelle de 1 à 10, il situe son bonheur à 9,5. Que lui manque-t-il pour être complètement heureux ? « Mais le 0,5 ! » lance-t-il en riant de bon cœur ! » Pourtant, le créateur des personnages de Priscilla et de Râteau a vu son bonheur en prendre un coup il y a quelques années, après avoir complété sa tournée intensive du spectacle *Rumeurs*. Il menait depuis quelques années une vie trépidante, ayant présenté quelque 734 spectacles et vendu plus de 532 000 billets. « Tout allait vite et quand j'ai terminé *Rumeurs*, j'ai eu l'impression que tout à coup, tout s'arrêtait en même temps et que je n'allais plus retravailler. Sérieusement, je me demandais ce que j'allais faire, et je n'avais pas en haute estime le métier que j'exerçais. Quand je voyageais, je n'inscrivais pas humoriste à la case Occupation, mais plutôt comédien, comme si j'avais honte. J'ai vraiment eu une petite période creuse ; ma blonde m'encourageait et moi, je ne voyais que du noir », confie-t-il.

Sa rencontre avec la réalisatrice Maryse Chartrand a été l'un des éléments déclencheurs pour qu'il remonte la côte. « J'ai commencé à faire de la radio et j'aimais ça, mais dans ma tête, je me disais que c'était seulement passager et que j'allais retomber dans une période difficile. Un jour, j'ai vu le documentaire *Le voyage d'une vie* (2007) qui raconte l'histoire d'un homme qui a voyagé à travers le monde avec sa femme et ses enfants durant un an, et qui s'est suicidé à son retour. J'étais dans ce *beat*-là et j'ai eu l'occasion de rencontrer la femme de cet homme, auteure de ce film. On l'a reçue à la radio et après l'entrevue, je l'ai prise dans mes bras et me suis mis à pleurer. J'étais inconsolable. Je me suis demandé ce qui se passait, je me voyais tellement avec les yeux de cet homme-là qui veut réussir, subvenir aux besoins de sa famille, qui veut être le château fort, un pilier, mais qui a une faiblesse. Je me sentais comme ça durant cette période-là, les colonnes du temple étaient ébranlées. En discutant avec ma blonde et en regardant aller mes filles, j'ai décidé de ne pas lâcher prise et j'ai commencé à remonter à la surface un peu. Les affaires se sont placées et d'autres projets intéressants se sont présentés. Le temps m'a aidé, et bien sûr ma blonde, mes amis. Je suis allé consulter, ça a aidé aussi, parce que si tu gardes tout ça en toi, tu continues de nourrir cette espèce de noirceur. »

Aujourd'hui, l'humoriste apprécie pleinement les belles choses qui se retrouvent sur sa route, mais il n'est pas du genre à entretenir de grands rêves, à avoir une liste d'objectif. « Je vis vraiment au jour le jour, je n'ai jamais pensé à me dire, par exemple, qu'à 50 ans il fallait absolument que j'aie fait telle chose. J'ai réalisé aussi que le bonheur, il faut le partager. Quand tu vis quelque chose qui est *trippant*, c'est *l'fun* d'avoir quelqu'un à tes côtés qui va également profiter de ce bonheur-là. De par mon métier, quand je suis sur scène et que les gens rient, leurs rires me procurent du bonheur. Je pense que c'est plus gratifiant dans la vie de donner du bonheur que d'en recevoir, même si c'est *l'fun* d'en recevoir de temps en temps. Mais j'ai nettement plus de *fun* à en donner aux autres. »

Et j'imagine que le père de famille en toi, qui sera peut-être grand-père un jour, voit avec beaucoup de bonheur ses filles s'épanouir ?
Oui, c'est un bonheur de voir ce qu'elles deviennent, de les voir s'accomplir. Mes filles ont trois personnalités différentes et je suis fier d'elles, de ce qu'elles sont, de ce qu'on leur a légué, de ce qu'on leur a enseigné et aussi des bonnes valeurs qu'elles ont. Ça me rend heureux et je veux qu'elles soient heureuses, qu'elles se respectent, et qu'elles soient respectées. C'est bien important pour moi qu'elles se fassent respecter. »

Qu'est-ce que tu fais quand tu veux te faire plaisir, t'octroyer un moment de bonheur ?
Je joue aux cartes. J'aime organiser un match de poker chez nous avec des amis. C'est toujours chez nous que ça a lieu, et le plaisir est autant dans le fait de les recevoir que de jouer au poker. J'ai aussi de grands moments de bonheur quand nous partons en vacances, juste notre petite *gang*, notre famille, notre cocon familial. Quand on demeure au Québec, des gens viennent souvent me voir pour me saluer — c'est bien normal et je l'apprécie —, mais mes filles trouvent ça difficile. Elles m'ont déjà dit que lorsqu'elles étaient en vacances avec moi, elles n'étaient pas vraiment en vacances. C'est pour ça que nous nous sommes dit que nous irions ailleurs, à l'extérieur du Québec. Mais cela dit, simplement être à la maison, avec la petite famille, et en prime du soleil, c'est le bonheur.

Et les grands bonheurs, ceux dont on se souvient jusqu'à la fin de ses jours, tu en as vécu plusieurs ?
Il y en a eu beaucoup. C'est un cliché, mais c'est un grand bonheur quand tu deviens parent. J'étais adolescent, et déjà j'étais certain que j'allais avoir des enfants un jour. Alors aussitôt que j'ai pris Laurie, ma première fille, dans mes bras, ça a été un grand moment de bonheur.

J'en ai un beau aussi avec ma blonde. Si tu lui poses la question à savoir quel moment de sa vie elle aimerait revivre, la réponse va être la même pour nous deux. C'était notre premier voyage en France, nous étions à

Arles, appuyés sur une fontaine, avec chacun une pâtisserie à la main. C'était comme une image d'un film de Pagnol ! Il faisait soleil, des enfants jouaient, nous étions dans un beau petit village et les pâtisseries goûtaient le ciel. Ce moment-là, pour moi, demeure une photo magique, une carte postale, un moment parfait.

Quand je faisais ma tournée du spectacle *Rumeurs*, je ne profitais pas du moment, je ne faisais que des spectacles et encore des spectacles. À un moment, j'ai participé à une émission de télévision et Luce Dufault, une amie qui était aussi l'une des invitées, m'a confié qu'elle s'en allait en Corse et que j'étais le bienvenu si je voulais y aller. Finalement, j'ai décidé de partir avec eux durant une semaine. Ça a été magique, ça s'appelle *l'Île de beauté* et ce n'est pas pour rien. Et d'être avec des amis comme Luce et Jean-Marie, ça a été extraordinaire, on a eu beaucoup de plaisir. C'est l'endroit où ma fille Laurie a commencé à faire ses premières phrases au complet et sa première a été « E t'aime beaucoup, papa ».

Quand la vie peut basculer en quelques secondes...

Le 9 septembre 2016, un camion tirant une bétonnière se renverse sur l'autoroute 20, à la hauteur de Boucherville, et cause la mort du conducteur. Ce jour-là, la vie de Jean-Michel Anctil aurait pu être bouleversée à jamais. « Ma blonde et ma fille Laurie étaient tout près, en automobile, et si ma fille avait été au téléphone ou occupée à jouer à un jeu, ma blonde et ma fille y restaient. Elle a vu le camion et a lancé : "Maman ! Fais attention au camion !". Ma blonde ne l'avait pas vu, il arrivait de côté. Elle a eu le temps de freiner et, à dix pieds d'elles, le camion a basculé. Quand elles ont vu que de l'essence se répandait, elles ont craint que ça explose. C'est sûr qu'elles ont eu peur, et moi j'ai réalisé que la vie ne tient souvent qu'à un fil, qu'il ne faut jamais rien tenir pour acquis, et qu'elles l'avaient échappé belle. Ça n'aurait pris qu'une distraction de trois secondes, que ma fille ne regarde pas sur le côté et ne voit pas le camion qui commençait à basculer et c'était fini. »

À la suite de cet accident, Jean-Michel a notamment pris conscience du fait, pour employer l'expression bien connue, « qu'on ne sait jamais ce qui nous pend au bout du nez », qu'il fallait cesser de toujours remettre les choses à demain. « Quand t'es capable de faire quelque chose qui te procure de la joie et du bonheur, fais-le ! Quand on part en vacances, j'en profite pleinement avec mes proches, pour avoir du plaisir avec les enfants. Et si on planifie, par exemple, de partir en croisière dans deux ans, eh bien, si c'est possible de le faire maintenant et que ça peut convenir à tout le monde, on le fait. »

Attendre le moment propice pour se faire plaisir et se gâter, et souvent ne plus y penser parce qu'on a attendu trop longtemps... Se sentir coupable de le faire en se disant qu'il y a des choses plus importantes ou qu'on aura bien le temps, que ce n'est vraiment pas le bon moment, c'est le lot de bien des gens, et ce, pour différentes raisons qui leur appartiennent. Jean-Michel a pour sa part réalisé que le bonheur, c'est maintenant, et qu'il ne faut pas se priver de ces moments qui peuvent nous rendre heureux.

Florence K
Les pas vers le mieux-être

En présentant au grand public sa biographie, *Buena Vida*, en octobre 2015, la chanteuse Florence K a levé le voile sur un pan difficile de sa vie. Elle a tenu à se raconter pour que son témoignage puisse aider le plus grand nombre de personnes aux prises, comme elle le dit elle-même, avec un cancer de l'esprit.

Florence, je tenais à ce que tu participes à ce livre parce que, paradoxalement, tu as toujours affirmé que tu étais heureuse. Tu dégages une grande impression de bonheur que tu répands par tes chansons et tes spectacles, mais tu as aussi traversé des moments très difficiles qui ont justement mis en danger ta joie de vivre. Aujourd'hui, comment se porte ton bonheur ?

Pour moi, le bonheur ne varie pas de jour en jour, comme la joie, le plaisir ou le niveau de contentement. Le bonheur est un état difficile à mesurer ou à palper. Si on mesurait l'échelle du bonheur pour établir comment je me sens aujourd'hui, je dirais sérieusement 10 sur 10, parce que je viens de passer des super vacances ; je repars bientôt pour une autre semaine ; je suis allée reconduire ma fille à son camp et j'ai passé du temps avec mon *chum*. Mais nous aurions pu nous rencontrer une journée où il fait -20, j'aurais été prise dans le trafic pendant deux heures, ma fille aurait eu la grippe, j'aurais été verte parce que j'aurais mal dormi et que j'aurais eu besoin de vacances ! Ça n'aurait pas affecté mon bonheur, mais mon état, parce que le bonheur est quelque chose de plus global ; c'est une vue d'ensemble, un équilibre. Le bonheur est quelque chose qui s'entretient, qui se travaille, qui se construit et qui se maintient. Parfois, on vit une période de transition, ça peut être un deuil, une peine d'amour, un divorce ou un déménagement, quelque chose qui va chambouler vraiment notre quotidien, et c'est sûr que notre bonheur est déstabilisé pendant un certain temps. Il faut laisser le temps passer, et c'est normal que ça prenne du temps avant de se rétablir.

Après avoir lu ton livre et appris ce que tu avais vécu, on a eu peur pour toi, pour ton bonheur…

Ce que j'ai vécu avec la maladie mentale ou la dépression n'a pas affecté ma notion du bonheur. Ce n'est pas une question de bonheur et il est important de le savoir. On pense que les gens qui font une dépression sont des gens qui sont malheureux, mais c'est une maladie. C'est vrai que le sentiment que tu vas ressentir en est un de malheur infini, mais auparavant je n'étais pas une personne malheureuse. Je n'ai jamais été malheureuse, c'est comme un cocktail, un enchaînement de plusieurs choses qui a mené à ça. Une partie peut être attribuable à des prédispositions, la génétique joue un rôle là-dedans, la façon dont les connexions de ton cerveau ont été façonnées à cause de ton enfance, de traumatismes qui t'ont marquée. C'est bio-psycho-social, mais c'est plus qu'une question de bonheur… en fait ce n'est pas une question de bonheur, c'est une question d'état. Parce que j'avais tout pour être heureuse.

Quel message voulais-tu transmettre avec ton livre ?

La mission que je me donnais était de partager mon histoire pour dire que c'est ok de souffrir de troubles psychiques, de dépression, d'anxiété, que ça ne veut pas dire qu'on est un *loser* et une mauvaise personne. Et ça ne veut pas dire que tu ne peux pas être malade parce que tu es une vedette. C'est ça qui est difficile à concevoir pour les gens. C'est une chose de dire que tu as un *down*, qu'un événement vraiment pas *l'fun* t'arrive, comme une séparation ou que ta maison passe au feu. Tu as un *down* pendant quelques semaines, puis le temps aidant, tu te ressaisis. Mais si tu es malade, s'il y a quelque chose dans ton cerveau qui se dérègle, si c'est trop long et que tu ne te ressaisis pas, si tes schémas de pensées t'entraînent dans un cycle de pensées autodestructrices ou négatives qui elles, à leur tour, vont avoir un impact sur ta chimie et sur la sécrétion des hormones nécessaires à ton cerveau, à ce moment-là on peut parler de dépression clinique. Les messages que j'ai reçus, au sujet de mon bouquin, les personnes qui m'ont écrit pour me dire qu'elles avaient réussi à en parler, qu'elles n'avaient plus honte et qu'elles sont allées chercher de l'aide, ça a été un beau *feeling* pour moi. Et je n'ai aucun problème à parler de ça.

Quel regard jettes-tu sur cet épisode de ta vie ?

J'ai eu cette phase de dire que je m'en étais sortie, que j'étais vraiment rendue ailleurs. D'un autre côté, je sais qu'à tout jamais il faut faire attention ; c'est comme un os qui a été fracturé, c'est une blessure vraiment grave et il faut que tu sois attentive toute ta vie. Il y a des risques élevés de rechute, mais je les vois venir. J'étais fragile les deux premières années, j'ai senti la possibilité de rechute, mais j'ai tout fait pour mettre ma santé mentale en priorité et pour en apprendre sur le sujet. Et ça n'a pas été évident, parce que je ne pouvais pas faire de thérapie à l'hôpital, alors que je ne pouvais même pas me brosser les dents ou lire mon nom ! Ce n'est pas quand tu es à l'hôpital, pendant que l'on te remet sur pied, que tu fais ta thérapie. Pendant que j'étais là, mon cerveau était affecté et tout mon système nerveux était gravement atteint, au point où je ne dormais pas une minute si je n'avais pas de somnifère. Je sursautais pour tout, je n'arrivais pas à lire, je n'avais aucune concentration. La première chose sur laquelle j'ai pu garder mon attention pendant plus de 15 minutes a été un coloriage. C'est une maladie de tout ton système nerveux, ce n'est pas seulement de dire « je ne file pas… »

Et après l'hospitalisation, il y a eu la thérapie…

Oui, la reconstruction a commencé avec la thérapie. C'est un gros travail de fond parce qu'il faut que tu attendes que ton cerveau se rétablisse parce qu'il a eu un choc. Ensuite, il faut aller voir tous les *patterns*, comment la dépression est arrivée et t'a amenée à penser telle ou telle chose, ce qui t'a envoyée là et fait poser certains gestes, et pourquoi ton système nerveux en a été atteint. C'est super long, c'est un cheminement. Je ne crois pas aux solutions miraculeuses, parce que je sais ce que c'est et combien de temps ça prend pour s'en remettre. C'est long! Les deux premières années, 2012 et 2013, j'ai commencé à étudier en psychologie parce que je voulais comprendre et ensuite, j'ai voulu continuer dans cette voie-là, aller plus loin pour me retrouver, me reconstruire une vie, parce que c'est sûr que ce que j'avais vécu était marquant.

Tu racontais dans ton livre que si tu avais été aux États-Unis et que tu avais eu un revolver dans ta table de chevet, c'en était fini... Tu l'as échappé belle!

Oui, vraiment! J'ai frôlé la mort, c'est une maladie, c'est un cancer de l'esprit. Je ne suis pas suicidaire dans ma vie de tous les jours et c'est un combat, encore une fois, de faire en sorte que les tabous soient enrayés. C'est trop facile de dire à quelqu'un : « Un suicide, c'est *loser*. » C'est beaucoup plus complexe que ça.

le sait, il comprend que j'ai besoin d'un *boost*, d'aller voir un film drôle, par exemple. Le corps est une machine incroyable et c'est comme ton auto, tu dois l'entretenir.

Aujourd'hui, où puises-tu ton bonheur?

Plein de choses m'apportent du bonheur. On dit toujours que les artistes sont plus heureux sur scène, mais on ne peut pas être sur scène tous les jours. Il faut aller chercher le bonheur ailleurs. Je me suis construit un équilibre, une vie que j'aime beaucoup et qui intègre beaucoup de scène et de musique. Je *trippe*, j'adore ça, mais il y a aussi d'autres moments qui me comblent énormément. Quand je fais beaucoup de scène, ma petite vie et mon quotidien me manquent et quand je ne fais pas assez de scène, j'ai hâte d'y retourner. C'est vraiment une question d'équilibre, je ne le dirai jamais assez.

Forcément, aujourd'hui, ton bonheur est plus palpable, plus concret qu'à cette époque?

Oui, c'est sûr, je me suis éloignée de ça et j'ai appris à me connaître. Je trouve ça dur l'hiver, je suis sensible à la dépression saisonnière, mais j'ai des moyens : j'ai ma lampe, je vais courir le matin quand il y a le gros soleil d'hiver qui se reflète sur la neige. Mon *chum*

Il y a des moments dans ta vie, personnelle ou professionnelle, où tu as vraiment eu l'impression de toucher au gros bonheur?

Ça m'arrive tous les jours! Ce sont des moments où je prends deux secondes pour me dire : « Ah, je suis bien !». Pour moi c'est ça, c'est un moment où tout est enligné, j'appelle ça des moments parfaits. Un moment parfait, tu peux ne pas l'apprécier si tu penses à ce qui te manque ou à ce que tu n'as pas fait. Mais si tu oublies tout ce qui manque au moment et que tu vis cet instant, tu peux vraiment en profiter. Un moment parfait, c'est ma fille et moi qui regardons ensemble un film, c'est un éclat de rire, et ça peut être un café avec mon chum le matin, manger un *gelato*, ou être à la plage avec ma meilleure amie. Ma vie est faite de petits bonheurs parce que le vrai bonheur avec un grand B, ça n'arrive jamais puisque rien n'est parfait. Il y a toujours un truc qui cloche quelque part. Tu peux atteindre le bonheur dans ta vie professionnelle, alors que ça ne va pas dans ta vie personnelle. Ou le contraire. C'est cliché de dire que «le bonheur c'est un éclat de rire de ton enfant, une main dans tes cheveux, etc. ». En un sens, c'est vrai, mais si je suis dans une passe où je suis perturbée, si quelque chose me tracasse, ça va être plus difficile de vivre ce moment parfait parce que je suis préoccupée. Ça a beaucoup à voir avec la concentration et l'attention.

« Ma vie est faite de petits bonheurs parce que le vrai bonheur avec un grand B, ça n'arrive jamais puisque rien n'est parfait. Il y a toujours un truc qui cloche quelque part. »

Vis-à-vis la vie de tous les jours, as-tu en tête des projets qui t'amèneraient encore plus de bonheur, des rêves que tu souhaites réaliser ?

J'en ai plein ! J'aimerais ça avoir un autre enfant. Un jour. Et si on parle de rêves, il y a plein de pays que j'aimerais visiter, j'aimerais monter sur scène à l'extérieur du pays, j'ai fait une tournée aux États-Unis, c'était *trippant* et j'aimerais en faire d'autres. Je suis en train d'écrire un autre livre, un roman, et ça m'apporte beaucoup de bonheur et j'ai hâte de l'avoir fini, de le corriger. Ce sont des projets sur lesquels je travaille actuellement.

Quels conseils donnerais-tu aux gens qui cherchent le bonheur ?

Il n'y a pas de moments sans problèmes. L'idéal est d'essayer de façonner sa vie pour qu'il y ait le moins de problèmes possible, mais il n'y a jamais rien de parfait. Il faut apprendre à vivre avec l'incertitude et l'imperfection, apprendre à se sentir bien, même si on n'a pas de filet en-dessous de nous. On aime la sécurité, l'être humain a besoin de sécurité, a besoin de structure et de se sentir soutenu. La vérité, c'est qu'il n'y a rien de certain. Jamais ! Il faut essayer le plus possible de se sentir bien malgré tout ça. Je ne vais pas me forcer à dire que c'est génial si ça ne l'est pas, ça ne sert à rien non plus de réprimer. Être *groundé*, c'est la meilleure chose possible, c'est voir la réalité pour ce qu'elle est réellement. L'anxiété, c'est de se construire la pensée de A à Z : je n'ai pas fait ça donc, et je n'ai pas fait ça donc… donc… donc… la tête n'en peut plus ! Ça m'arrive encore de temps en temps, mais je sais que c'est de l'anxiété et j'arrive à me dissocier de ça. Et j'appelle mon *chum* et je lui dis que je pense que je suis en train de faire une petite crise d'anxiété… Et il me dit alors parle-moi, et là, il va me déconstruire tout mon alphabet de A à Z. La différence maintenant, c'est que je suis capable de me dire que cette anxiété ce n'est pas moi, on n'est pas ce qu'on vit.

Est-ce qu'il y a eu des moments où tu ne te reconnaissais plus ?

Bien oui, c'est clair ! C'était une maladie, je n'étais plus ce que je suis. Mes proches ne pouvaient me reconnaître, ce n'était pas moi, ça n'avait rien à voir avec ce que je suis. C'est pour ça que je peux dire, vraiment, que c'est une maladie, ce n'est pas un état *ad vitam aeternam*.

J'imagine que ton bonheur passe aussi par ta fille ?

Oui, mais en même temps, c'est de mettre beaucoup de pression sur les épaules de l'enfant. Il y a des gens qui construisent tout leur bonheur sur leurs enfants et il est important que l'enfant sente qu'il n'a pas, justement, toute la pression du bonheur de ses parents sur ses épaules. Les parents doivent avoir un jardin intérieur, une vie intérieure aussi. Quand je sors avec mes amies, je fais garder ma fille et elle n'est pas contente. Je lui dis : « Alice, tu aimes aller jouer chez tes amies, ça te fait du bien ? Bien, maman aussi ! Tu vas voir, maman va être de bonne humeur demain, ça va être *cool*, on va passer du temps ensemble ». C'est important de cultiver ça. C'est aussi une dose d'équilibre, c'est important.

Tu es une bonne mère ?

Honnêtement, je pense que oui. Je l'élève seule, je n'ai aucune aide de son père, il n'est pas présent dans sa vie. On a une belle communication, elle et moi, on a une belle structure malgré mes horaires qui sont super compliqués. C'est important, le cadre pour un enfant, l'être humain a besoin de routine, a besoin de structures, et les enfants encore plus. Et je pense avoir la bonne dose entre la structure, l'amour, l'affection, le respect. En ce moment on est beaucoup dans les tâches ménagères pour qu'elle apprenne à se bâtir une vie d'adulte pour plus tard, quand elle partira en appartement. Ça fait partie de l'éducation, il faut leur donner le plus d'outils possible pour qu'ils puissent avoir une belle vie sans nous. On a du *fun* ensemble, on passe de belles vacances, on fait de belles activités, on joue aux cartes, on a du plaisir et on a une belle communication. Parfois, je lui dis que j'ai besoin d'une heure pour travailler sur un truc, et je lui dis d'aller dans sa chambre, de se trouver quelque chose à faire. Elle peut revenir aux 5 minutes, ne sachant pas quoi faire, mais elle finit par trouver quelque chose. Elle peut jouer de la guitare, dessiner, et c'est important parce que les enfants ont aussi besoin de ces moments-là, d'être dans leur monde intérieur, leur intimité. C'est sûr qu'il m'arrive d'avoir des moments de culpabilité, mais encore une fois, on n'est pas parfait et on ne le sera jamais.

Le bonheur, dans ton cas, ça passe avant tout par…

L'équilibre entre la famille, la santé, le travail, l'amour, l'amitié, tout cela. J'ai déjà été une *workaholic* et je n'étais pas nécessairement heureuse. Quand t'es juste heureux quand tu travailles, ou seulement quand tu es avec ton *chum* ou si t'es juste heureux avec tes enfants, il y a un déséquilibre. Même chose si t'es juste heureux quand tu fais du jogging ! On dit que si tu as la santé, tu vas être heureux, mais ce n'est pas vrai, il y a plein de monde qui sont en santé et qui ne sont pas heureux, parce que leur *job* ne vas pas bien, leur couple non plus. C'est la même chose pour l'argent, ça prend un équilibre parce que l'argent est un outil, un moyen de se sentir bien. Quand il y a des problèmes financiers dans une maison, tu le ressens dans tout parce que tu es sous tension. Tu te fais harceler pour payer tes factures et ce n'est pas évident, on pédale pour s'en sortir. C'est le *fun* de pouvoir aller à l'épicerie et d'acheter des bonnes choses, c'est le *fun* de ne pas se sentir pris à la gorge. C'est important. Ce n'est pas vrai que l'argent ne fait pas le bonheur, il le fait quand même un peu, mais il y a beaucoup de moyens d'être très heureux en n'ayant que le nécessaire, c'est tout. Il faut établir ses bases. Il y a quelques années, j'ai fait une purge matérielle, c'est à dire que j'ai vendu ma maison, j'ai déménagé dans un appartement, je me suis débarrassée d'à peu près 80 % de tous les objets que j'avais et je n'ai jamais été aussi bien. Je n'ai presque plus rien.

Ça a été une libération pour toi ?

Oui, c'était un choix. J'ai tout donné et tous les trois mois, ma fille et moi on se dit : « Qu'est-ce qui dépasse dans cette maison, qu'est-ce qu'il y a en trop ? ». L'idée n'est pas d'acheter plus de meubles pour ranger, c'est de se débarrasser de ses choses. C'est très japonais comme approche.

Tu parles beaucoup d'équilibre, tu es parvenue à équilibrer ta vie ?

Aujourd'hui, je suis vraiment très équilibrée. Il y a des périodes où tu sais que tu vas être déséquilibrée pendant un bout de temps. Exemple, je sais que j'ai huit spectacles de suite, que je dois remettre un manuscrit, que je vais être à l'extérieur de la ville, que je ne vais pas voir mon enfant ni mon *chum*, que je vais être dans le *rush*, alors je sais que je vais être déséquilibrée durant les trois prochaines semaines. Mais après ça tu te rattrapes. Mais aussi, tu trouves malgré tout un équilibre là-dedans. Supposons que je suis un mois dans le jus et que je ne peux pas aller faire le cours de gym que j'aime, eh bien, je vais aller courir à la place. Je sais aussi quoi choisir dans les restaurants parce que la nourriture a un effet sur mon état. Il y a des moments où l'équilibre n'est pas parfait, mais après, il y aura des périodes de rattrapage.

Tu t'es questionnée à savoir si ta fille pourrait être aux prises avec les mêmes problèmes que toi?

Oui, je la surveille, on en parle ouvertement et elle vient tout le temps me parler, elle me pose tout plein de questions et elle me dit tout le temps comment elle se sent. C'est ça que je veux entretenir, je veux qu'elle me parle et qu'elle continue de me parler à l'adolescence. Je lui ai dit qu'elle allait vivre beaucoup de choses à l'adolescence et que c'est correct, et qu'elle va vouloir faire des expériences. L'important est qu'elle me parle, pas parce que je vais vouloir la disputer, mais pour qu'on regarde ensemble les meilleures options et ce qu'on peut faire. Elle me dit toujours comment elle se sent et il est important qu'elle trouve les mots, les images, pour s'exprimer. C'est important de savoir verbaliser comment on se sent, ça aide à discerner la colère, la tristesse, la peur, l'inquiétude, la joie. Ces émotions ont une couleur différente et on ne peut pas toutes les mettre dans le même panier.

Que fais-tu pour te faire plaisir, quand tu veux te permettre un moment à toi?

Il y a l'entraînement au gym, parce que j'aime vraiment le sport. Après ma dépression, j'ai commencé à en faire beaucoup parce que c'est un antidépresseur naturel. Mais ça fait partie de ma routine parce que j'aime vraiment ça, ça me fait du bien, et pas juste pour le corps, mais aussi pour l'esprit et la tête. Alors quand je veux me faire plaisir, me gâter, je vais passer une heure ou deux chez Renaud-Bray. Et j'y vais souvent avec ma fille. On part chacune de notre côté et on lit, on explore, on feuillette. C'est un voyage que d'aller fouiner dans une librairie! Je regarde, je vais voir les livres de photos, ensuite les guides de voyages, les magazines. Idéalement, je vais me chercher un cappuccino au lait de soya saupoudré de cannelle chez Starbucks, et là c'est comme mon moment parfait. Ça me fait beaucoup de bien. Je fais ça régulièrement quand j'ai une heure à tuer, ça m'inspire beaucoup aussi pour la création. Je lis beaucoup, encore plus depuis que j'écris. Je n'ai pas suivi de formation en littérature, alors je veux être capable, non seulement de raconter une histoire, mais que ce soit beau.

Et si on parlait de Florence la chanteuse! Tu en as vécu en quantité, des moments inoubliables!

Il y en a eu plein, il y a vraiment eu de beaux moments où j'ai fermé les yeux en me disant: «Ah, c'est trop *cool*!» Quand j'avais 18 ans, j'ai été engagée pour jouer au Stash Café dans le Vieux-Montréal. Je jouais quatre soirs semaine pendant toute la durée de mes études à l'université. J'étais payée 50 $ par soir, je jouais du piano pendant cinq heures et c'est *cool* quand tu es étudiante, je faisais ce que je voulais. Pour moi, c'était le même *feeling* que si j'avais fait le Madison Square Garden. À chaque étape franchie, je ferme les yeux et je dis: «C'est *cool*», et je le fais aussi quand je monte sur scène, j'ai toujours un moment où je ferme les yeux et je dis merci. Mais tu sais, il y a des moments où je ne suis pas du tout sur mon X. Il n'y a pas d'absolu et, comme je te disais, je ne crois pas au bonheur absolu, mais la différence c'est d'être capable de dire pourquoi on n'est pas sur notre X. Tu sais, j'ai pensé que je perdais ma tête et j'ai toujours travaillé avec ma tête, toute ma vie. J'aime lire, j'aime écrire, j'ai fait des études et, à un moment donné, j'ai perdu la tête complètement. Pour moi, c'était tout perdre: je ne pouvais plus écouter de musique, je pouvais plus jouer et je sombrais encore plus dans la dépression. J'étais perdue, je n'étais même pas capable de m'occuper de mon enfant, ce que j'aimais le plus au monde! Et ce n'était pas une question de volonté. Une fois que tu expérimentes ça, tu te rends compte à quel point la vie est fragile et que rien n'est acquis. Rien, rien, rien. La vie, c'est une grosse insécurité.

Tu étais détruite et tu t'es reconstruite…

Ça n'a pas été facile, ça a pris du temps, mais je l'ai fait. Au début, je ne voulais pas d'aide. Je ne voulais pas aller à l'hôpital, on m'y a envoyée de force et après ça, par contre, j'ai été assidue pour la thérapie, j'ai vraiment pris ça au sérieux. J'ai eu de la chance parce qu'il y en a beaucoup qui vivent ça et s'en remettent, d'autres qui ne s'en remettent jamais complètement et d'autres qui font des rechutes. C'est aléatoire et c'est pour ça que ce n'est pas juste. La vie est complètement injuste! Moi j'ai eu la possibilité, peut-être parce que j'y étais prédisposée et bien entourée, de guérir et je l'ai fait au nom de tous ceux qui n'en sont pas capables. Le livre, c'était ça aussi: j'ai un talent pour l'écriture et je l'ai fait pour ces milliers de gens qui auraient aimé raconter leur expérience, être entendus et écoutés et qui n'en ont pas la possibilité. J'ai reçu tellement de mots de gens qui me disent comment ça leur fait du bien de savoir qu'ils ne sont pas seuls à vivre ça. Tu sais, quand on ne va pas bien, juste de savoir qu'on n'est pas seul ça aide. Pourquoi penses-tu que les magazines aux États-Unis, les trucs dégueulasses comme *National Enquirer* et autres, sont si populaires? Parce que le malheur des autres se vend bien, tu te sens moins mal quand tu vois les autres vivre la même chose. Quand j'étais super malade, une professeure de yoga est venue me visiter à l'hôpital et elle m'a fait du bien. Elle avait eu des problèmes de drogue, avait fait de la prison et s'était prostituée, et elle était rayonnante quand je l'ai rencontrée. Juste de savoir qu'elle avait réussi à surmonter tout ça m'a remontée, je me suis dit qu'on pouvait aller mieux. Tu te sens dans un cube sans issue et où il n'y a pas d'air, pas de lumière. À ça s'ajoutent la culpabilité et la honte, mais quand on sait qu'on n'est pas soi-même et qu'on peut faire

la dissociation entre ce qu'on vit, la façon dont on se sent et ce qu'on est vraiment, ça va déjà mieux.

Tu es optimiste face à l'avenir?

J'essaie de ne pas penser à l'avenir ou du moins pas beaucoup. Je pense à mes contrats, parce qu'il faut nourrir mon enfant, mais je ne veux pas penser à plus tard, parce que lorsque je pense comme ça, j'ai tendance à faire de l'anxiété et il faut que je m'éloigne de ces pensées-là, ça ne sert à rien. Je sais que si des portes s'ouvrent dans ces pensées-là, je ne vais pas y entrer parce que je vais me faire du mal. Mais il arrive parfois qu'une porte m'aspire, et je vais voir ma psy, j'appelle mon *chum* ou ma meilleure amie, et ils m'aident à fermer la porte.

Réal Béland
Le bonheur par les femmes de sa vie...

Discuter du bonheur avec l'humoriste Réal Béland, c'est faire face à un homme passionné qui voue un amour inconditionnel à sa famille. «Pour moi, le bonheur, ça se résume toujours à mes enfants. J'en ai quatre, ils sont à des âges différents et c'est quand on les réunit toute la gang que c'est le summum pour moi. J'essaie constamment de provoquer des réunions. »

Les Béland forment un clan, ils sont tricotés serré. Et son côté protecteur, il est toujours demeuré très discret au sujet de sa vie familiale. Surtout pas le genre à ouvrir les portes de sa maison et à se laisser photographier avec ses filles.

«Je leur ai toujours laissé le choix, je ne m'empêcherai pas d'aller à une première ou à des spectacles avec elles si ça les intéresse, comme *Cavalia* qu'on a vu à quelques reprises. Mais c'est sûr que je ne les exposerai pas. Juste le fait qu'elles soient les filles de leur père fait en sorte qu'elles se font écœurer à l'école. Moi, j'ai connu ça avec mon père, et je l'ai connu aussi à son décès parce qu'il a eu un regain de popularité à ce moment-là. On m'a vraiment harcelé avec ça, alors c'est sûr que je ne veux pas que ça se répète. D'autant plus qu'elles sont timides, comme moi.

Tu avais quel âge quand ton père est décédé?

Douze ans. J'étais jeune, c'est un âge pas mal critique. Tu apprends que ce n'est jamais possible de régler un deuil, ça reste avec toi pour toujours. C'est quand tu cesses de t'imaginer qu'un moment viendra où tu n'auras plus mal, que tu n'auras plus de peine, que tu réussis à passer au travers. J'ai eu des moments de bonheur intense avec mon père. Il avait 63 quand il est décédé, ce qui veut dire qu'il avait 51 ans quand je suis né. Il était aussi comme un grand-père pour moi. Il m'amenait partout: en spectacle, il venait me chercher à l'école pour dîner et on allait chez McDonald. Il était hyper présent.

Même si tu étais jeune, tu as encore ces souvenirs en tête?

Mets-en! Et j'aurais aimé pouvoir lui montrer mes enfants, qu'il les connaisse, qu'il soit témoin des moments que je passe avec eux, qu'il puisse les voir grandir. J'aurais aimé qu'il goûte un peu à ça. La seule chose que je peux faire, c'est de parler à mes filles de leur grand-père.

Quelle est ta vision, ta conception du bonheur?

J'ai 45 ans aujourd'hui et quand j'étais jeune, le bonheur, pour moi, c'était d'avoir gagné beaucoup d'argent pour être à la retraite jeune. Aujourd'hui, ce sont davantage les petites choses accessibles qui font mon bonheur. J'essaie d'être le plus proche possible de mes enfants, de partir de la maison le moins longtemps possible. Et les petits bonheurs, ça peut être un petit souper, ou d'amener une de mes filles faire des achats, simplement pour être avec elle, et qu'elle me pose 58 questions dans l'auto, qu'on jase ensemble. Ce sont ces petits moments que je retiens dans la vie et que j'ai le goût de continuer à vivre. Et avec les enfants de mes enfants aussi. Le bonheur, plus tard, je le vois avec leurs enfants.

Visiblement, le mot *bonheur* rime avec paternité dans ton cas !

Quand tu n'as pas d'enfant, tu ne peux pas t'imaginer à quel point ils peuvent te rendre heureux. Plus le temps passe et plus ça prend de l'ampleur, plus tu aimes ton enfant, plus tu découvres que c'est *l'fun* d'être un papa. Et plus tu communiques avec lui aussi. Au début, ce n'est pas un bibelot, mais pas loin (dit-il en riant). Mais le temps passe et les choses changent. Je suis vraiment très centré là-dessus.

Et le bonheur dans ton métier ?

Le plan professionnel me rend heureux, mais une fois que tu as fait ce que tu avais à faire, ça devient répétitif. C'est *l'fun* de répéter, tu aimes ça et tu le fais, mais avec les enfants, tu ne répètes pas, tu ne radotes pas, ça évolue.

Estimes-tu que tu es un bon père ?

On se remet en question constamment, je me demande si je passe assez de temps avec elles, si je leur accorde assez d'importance. J'aimerais ça qu'on joue plus souvent ensemble, mais ce n'est pas évident de nos jours parce qu'on dirait que les enfants jouent moins, ils s'amusent plutôt avec un iPad.

Et quel genre de père es-tu ?

Je suis leur père, pas leur ami. Je ne sais pas si c'est le fait d'en avoir eu quatre, mais tu n'as pas le choix, tu dois avoir une certaine discipline. Avec trois, tu as déjà une petite perte de contrôle, mais avec quatre enfants, tu le perds si tu ne fais pas attention. Avec ma grande de 21 ans, il y a une complicité d'amitié qui se crée et je pense qu'en vieillissant, avec chacune d'entre elles, ça devient différent, c'est une autre autorité qui s'installe.

Après vos deux premiers enfants, il était clair pour vous que vous alliez agrandir la famille ?

Oui, et on était prédestinés à se tourner vers l'adoption parce que Sophie avait eu deux césariennes et que ça risquait de mal tourner pour la troisième. Alors on savait qu'on s'en allait vers ça, mais ça a quand même été un deuil de ne pas en avoir d'autres. Les deux dernières ont été adoptées : Béatrice est chinoise et Emma est vietnamienne, et ça, ça a été incroyable. Tu parles ici d'un bonheur, d'un vrai. Je suis parti avec ma femme et mes deux enfants, on a passé deux semaines en Chine sans avoir de nouvelles de l'extérieur, on vivait ça en famille ; personne d'autre n'est venu déranger ce plaisir de voir les petites sœurs accueillir leur sœur. Je le referais demain matin.

L'adoption de tes deux filles a donc été une aventure heureuse ?

Oui et les deux parents sont égaux quand il y a adoption, c'est un autre *beat* complètement. Ce n'est pas du tout la même chose, tu n'as pas à te préoccuper de ta femme qui va peut-être avoir mal, qui devra avoir une épidurale ; cette préoccupation-là n'existe plus.

Le bonheur familial est donc très important à tes yeux, mais quel est ton petit bonheur à toi, les moments qui te rendent heureux ?

J'ai une passion vraiment forte pour le hockey. Vraiment, vraiment forte, même que j'aurais voulu jouer au hockey. J'étais gardien de but, je me suis rendu quand même assez loin dans les ligues organisées, mais mon drame, c'est que je ne vois pas d'un œil. C'est compliqué quand tu es gardien, j'arrive à me débrouiller parce que c'est de naissance, et encore aujourd'hui, je garde les buts trois fois semaine. C'est d'abord le jeu comme tel qui me passionne. J'aime me retrouver sur la glace comme j'aime le regarder à la télévision, écouter Ron Fournier à la radio, regarder les émissions spécialisées. Je suis vraiment un mordu du hockey, mais aussi de sport en général. Quand je vais en vacances dans le Sud, je joue au tennis chaque jour, durant une heure et demie, et j'oblige mes filles à prendre des leçons pour qu'elles bougent. J'ai toujours été un sportif

et même mes spectacles, je les vois comme du sport. Jouer au hockey ou monter sur scène, je trouve que ça se ressemble pas mal ; je vais donner tout ce que j'ai, en ayant le plus de plaisir possible.

Et laquelle de tes activités te procure le plus de bonheur ?

Ce sont les spectacles. Parce qu'au hockey, je ne suis pas à un niveau ou je pourrais être vraiment satisfait. Ça peut arriver une fois sur 100 que je sois très satisfait.

La sensation de voir un public devant toi se lever pour t'applaudir, tu la reçois comment ?

Que les gens se lèvent ou pas m'importe peu, ce sont d'abord les rires qui sont importants pour moi. Je carbure aux rires, j'ai toujours aimé faire rire les gens et c'est un bonheur pour moi. Je ne suis pas une bête de scène, je n'ai pas besoin de la scène pour être rassasié dans la vie, je pourrais m'en passer. Mais je ne pourrais pas me passer de faire rire les gens, d'imiter et de me moquer de tout le monde. C'est ma personnalité et j'adore ça, ça me rend heureux.

Et si je te demandais de mettre le doigt sur un grand moment de bonheur que tu as vécu, à quoi penses-tu ?

À un moment spécial en Chine. Ça a été compliqué là-bas parce qu'il y a eu une grosse tempête de verglas, et on a été coincés deux jours à l'aéroport, sans pouvoir mettre la main sur nos valises qui étaient à bord de l'avion. J'avais trois filles à ce moment-là, la plus jeune avait un an. C'était compliqué, on couchait par terre, il faisait froid, il y avait des gens qui se battaient. Mes deux grandes filles ont été tellement fines et ma blonde et moi on a eu le sang-froid de passer à travers ça. Quand, finalement, on a pu se rendre à l'hôtel, parce que l'avion ne pouvait décoller, on s'est tous collés les uns contre les autres, nous étions vraiment une famille unie au maximum. Nous nous sommes dit que nous avions réussi à passer à travers ça, avec la petite Béatrice qui venait d'arriver, et je vais toujours m'en souvenir, ça a été l'un des plus beaux moments de ma vie, j'étais fier d'elles.

Le temps qui passe, le fait de vieillir, est-ce que ça te fait peur ?

Oui, à cause de mes enfants. Parce que je les aime tellement que l'idée de les laisser un jour, je trouve ça difficile. Quand mon père est décédé, je ne l'ai pas pris et mon parrain est décédé six mois après, ce qui fait que j'avais comme un peu perdu confiance en la vie à ce moment-là. Et ça a duré assez longtemps, on dirait que la vie avait moins de valeur. Avec les enfants, ça a totalement changé.

Et il faut dire que la base est solide, ça fait longtemps ta compagne et toi, que vous êtes ensemble ?

Ça fait plus de vingt-trois ans, Sophie et moi. Elle est mon complément, sans elle, je ne sais pas si j'aurais accompli quoi que ce soit. Sur le plan du bonheur, tout est équilibré avec quatre enfants, et c'est ce qui me permet de faire des semaines de 70 heures. C'est elle qui a amené l'équilibre dans notre famille.

Est-ce qu'il y a des bonheurs que tu anticipes, que tu veux absolument vivre ?

Dans ma vie personnelle, il faut absolument que je voie ce que mes filles vont faire plus tard, et aussi mes petits-enfants. Ma plus vieille chante et compose, et ça me rend heureux de la voir aller. La première fois qu'elle m'a dit qu'elle chantait — elle n'a pas chanté en public pendant deux ans parce qu'elle était trop timide — et qu'elle m'a fait entendre sa voix qu'elle avait enregistrée, j'ai vraiment « pogné de quoi ». Elle a fait un spectacle dans une école de musique et quand je suis allé la voir, c'était bon, c'était beau et j'ai pleuré comme un bébé.

Pour Réal Béland, le bonheur c'est définitivement les autres, et en particulier le bonheur de ses filles. Son bonheur passe par celui de les voir grandir heureuses, en étant présent à leurs côtés. Comme s'il prenait une revanche sur la vie qui lui a enlevé son père beaucoup trop rapidement.

Joël Legendre

Le bonheur plus fort que tout...

Joël Legendre a eu un parcours très diversifié dans le milieu culturel. Que ce soit à la radio, comme animateur d'émissions, sur scène, sur disque ou même lorsqu'il a présenté des livres de recettes, Joël a toujours suivi son instinct et s'est investi dans des projets qui pouvaient lui procurer du bonheur, du plaisir, de la satisfaction.

Vous faites bon ménage, le bonheur et toi?

C'est quelque chose qui a changé avec les années. Quand j'étais un peu plus jeune, le bonheur était quelque chose en devenir. C'était pas nécessairement présent en moi, j'aspirais à plein de choses que je n'avais pas. Je ne suis pas né dans un milieu favorable au showbiz alors que je ne rêvais que de ça. Il a fallu que je mange mes croûtes et mes bas avant d'avoir accès à ce milieu-là. Le bonheur est arrivé à environ 16, 17 ans, quand je suis entré à l'École de théâtre du Cégep de Saint-Hyacinthe. J'étais enfin dans mon élément, j'avais trouvé ma voie. Ensuite, le bonheur se situait plutôt dans les choses extérieures, ce qui est probablement le cas pour beaucoup de jeunes dans la vingtaine.

Et aujourd'hui, maintenant que tu as atteint le cap de la cinquantaine?

À 50 ans, je dirais que mon bonheur est tout intérieur, n'est pas du tout dans ce que j'ai ou ce que je n'ai pas, dans le physique et le matériel. C'est vraiment dans ma tête et dans mon cœur. Je pense aussi à la famille que j'ai bâtie, et ça n'a pas été facile pour un père différent. Tout jeune, j'ai senti que ce serait difficile pour moi d'avoir des enfants, d'avoir une famille, parce qu'à l'époque, il n'y avait pas de mères porteuses, ni d'adoption pour les parents célibataires. Rien de ça n'existait, tout était à bâtir. Et je suis entré dans le bon courant, au bon moment, et j'ai aujourd'hui trois enfants. Je viens d'une famille de quatre enfants et c'est très drôle parce que mon père m'a dit il n'y a pas longtemps : « Si j'avais pensé que c'est mon fils homosexuel qui m'aurait fait le plus de petits-enfants! », comme quoi la vie est remplie de surprises. Et c'est vrai que c'est fou pareil. Arriver du travail et voir les deux petites qui me courent après en criant « papa », il n'y a pas grand-chose qui bat ça.

Atteindre la cinquantaine a été un choc pour toi?

Ça n'a pas été un choc, mais plutôt l'occasion d'un bilan. À partir de l'âge de 30 ans, j'ai eu tendance à faire des bilans à chaque décennie. C'est une remise en question de ce que j'ai accompli, de ce dont je suis fier, de ce vers quoi je veux aller, de ce que je veux changer chez moi. C'est aussi beaucoup un exercice de gratitude pour ce que j'ai eu et reçu au cours des dix ans qui viennent de passer. On dirait que, le jour de mon anniversaire, la vie s'arrête un instant et que toute la décennie à venir est à définir. Pour moi, c'est une transition importante.

Quand tu regardes en avant, tu ressens une certaine urgence de vivre ?
J'ai toujours eu cette soif de vivre, autant quand j'étais plus jeune, probablement parce que mes parents étaient très axés sur la santé. Mon père était marathonien, ma mère était dans le végétarisme et, dans notre famille, on a toujours senti que la vie n'était pas si longue et que de se donner les meilleures chances sur le plan de l'alimentation et du sport allait probablement l'allonger. Je regarde mon père qui a 73 ans, ma mère qui en a 70, et ils sont en hyper forme, en pleine santé. On a donc rapidement compris que la vie est précieuse et que si on veut profiter de plus de temps, il faut faire attention à soi.

Fonder une famille a sans doute été un grand bonheur pour toi ?
C'est drôle parce qu'être parent, j'y ai rêvé toute ma vie et quand ça arrive, dans le cas d'un enfant que tu vas chercher, c'est très étrange : tu prends l'avion avec rien et tu reviens avec un enfant dont tu as la charge. Je suis devenu père du jour au lendemain, d'autant plus que l'adoption a été très rapide, je n'ai pas vraiment eu le temps de me retourner. J'ai adoré ça, mais je dirais que, soudainement, c'est le sentiment d'être devenu pourvoyeur qui m'a envahi. Je me suis dit que pour que mon fils ne soit pas dans la rue, qu'il puisse aller à l'université, je devais mettre des sous de côté, que je devais planifier au cas où il m'arriverait quelque chose. J'ai vraiment eu ce sentiment-là, un peu comme mon père l'a eu avec nous, mes deux frères, ma sœur et moi. Mon père avait 19 ans quand il a eu ma sœur et ma mère en avait 16. C'est autre chose avec mes filles.

À 47, 48 ans, tu es plus installé dans la vie, le sentiment de devoir courir comme un fou pour subvenir à leurs besoins est moins présent. Je voulais bien m'installer comme père et j'ai pris un congé parental qui a duré près d'un an pour être avec mes petites filles et les voir grandir. Et quand je travaille, aussitôt que j'ai une heure entre deux studios, je reviens à la maison pour jouer avec elles, même si parfois ce n'est que pour quinze minutes. Ce sont vraiment des parcelles de bonheur, et je retourne travailler le cœur rempli d'amour.

Avec deux petites filles, tu es plus conscient du temps qui passe et de l'importance de profiter de chaque moment de bonheur ?
Je me suis mis à compter, à calculer quel âge j'allais avoir quand mes filles auront 20 ans, et je me suis rendu compte que je ne faisais que paniquer. Ça ne m'amusait pas du tout de penser à ça. Et j'ai arrêté complètement, pas seulement en rapport avec les filles, mais concernant tout et ma vie en général. Aussitôt que je me projette dans le futur, je vis de l'insécurité. Alors que si je regarde en arrière, ça fait trente ans que je fais ce métier-là et je n'ai jamais manqué de rien. Pourquoi est-ce que, tout à coup, je manquerais de quelque chose ? Il faut faire confiance à la vie et ne pas laisser à l'égo une place trop importante. Ton égo peut te castrer de ta capacité de bonheur et je ne veux laisser de place à personne, ni à moi-même ni à autrui, pour m'enlever le bonheur que j'ai. Tout ce que je peux contrôler ou améliorer, c'est ma personne. Pour moi, d'être en contact avec des enfants, ça me ramène toujours au moment présent.

Revenons sur ce faux pas qui a fait couler tellement d'encre en mars 2015 et qui t'a ébranlé…
Aujourd'hui, avec les médias sociaux, quand il arrive quelque chose, c'est comme une boule de feu et le lendemain ou la semaine d'après, c'est au tour de quelqu'un d'autre. Le bonheur, c'est aussi l'imperfection. Être parfait tout le temps serait un bonheur lourd à porter, factice, fabriqué. La perfection, ce n'est pas le vrai bonheur.

Des moments précieux

« Mes bonheurs au quotidien, c'est autant d'être en famille que de me retrouver seul. Le mercredi, en général, mes filles sont chez leur grand-père, mon conjoint travaille et mon fils est à l'école. Alors souvent, le mercredi après-midi, je ne mets rien à mon horaire et je profite d'un espace-temps durant lequel je peux faire ce que je veux. Ça peut être de faire des chocolats ou d'aller faire un tour de moto. Pour moi, c'est un bonheur de faire de la moto, j'ai ce sentiment de liberté que je n'ai pas en voiture. »

L'imperfection fait partie du bonheur. En tout cas, mon imperfection fait partie du mien. C'est comme ça, je suis un être humain : on trébuche, on se relève, comme tout le monde. C'est juste la quête d'une vie.

Ça a été difficile, tu as perdu des contrats, notamment le *Bye Bye* auquel tu devais participer. Quelle a été la réaction autour de toi ?

J'ai vraiment senti un appui des gens. Je me souviens entre autres d'un moment, à l'épicerie, peu de temps après avoir commencé à animer *Lip Sync Battle*. Il y a une dame de 85, 90 ans qui est venue me voir pendant que j'étais à la caisse. Elle a mis la main sur mon visage et m'a dit qu'elle était vraiment contente que je sois de retour à la télé. Une belle madame, comme Rose dans le film *Titanic*, de cette beauté-là avec ses cheveux blancs. Cette image-là, je vais la garder en tête et quand je vais tomber dans quelque chose de triste ou de négatif, je vais repenser à cette dame-là. Tu vois, pour moi, c'est une image de bonheur.

Le *Bye Bye*, ça a été un bonheur perdu ?

Quand le *Bye Bye* est parti de ma vie, ma première réaction a été la tristesse. Tu te sens abandonné. Mais rapidement, je me suis arrêté à penser que j'avais quand même fait cinq éditions du *Bye Bye*. Et ce n'était pas écrit dans le ciel que j'en ferais vingt.

Honnêtement, quand j'y repense, j'ai un talent limité en tant qu'imitateur et j'ai pas mal fait ce que j'avais à faire, et en prime, j'ai toujours eu de belles critiques. C'était la première année depuis cinq ans que j'arrivais à Noël sans être fatigué, sans avoir les yeux cernés, et sans voix pour avoir trop crié et chanté. Ça a été un Noël super relax, dans la bonne humeur, et mon conjoint m'a fait remarquer que ça faisait vraiment une différence dans notre vie personnelle, ça a été plus agréable.

Tu l'as dit, ce n'est pas un métier facile, mais quand les gens aiment quelqu'un, ils ne se gênent pas pour le faire savoir…

Oui et c'est un bonheur parce que c'est gratuit, personne n'est obligé de venir nous dire ça, de nous faire un compliment. Même que souvent les gens s'excusent de nous déranger. Pourquoi s'excuser et comment est-ce que ça pourrait me déranger que vous veniez me dire gratuitement que vous m'aimez, sans même me connaître ? Quel autre métier reçoit ce genre d'attention ? Aucun autre. Ça c'est la vraie récompense de mon métier parce que pour autant que c'est exactement ce que je voulais faire dans la vie, autant ces dernières années je me suis posé la question à savoir si je faisais un métier utile. Je ne sauve pas des vies, il y a quelque chose de très superficiel dans le métier que je fais, et j'ai eu besoin de me raccrocher à l'essence de mon travail, à ce que j'apporte concrètement à la société : le bien-être. Les gens qui sont contents de venir me voir, mais s'ils savaient que ça me fait autant de plaisir que ça peut leur en faire ! Quelle chance ! Jamais ça ne m'a dérangé et je prends ça aussi comme une confiance qu'ils m'accordent.

Le bonheur, ça se cultive chaque jour ?

Il est difficile de trouver le bonheur, ce n'est pas inné chez tout le monde et quand tu as trop de bonheur, on dirait que tu n'as pas les pieds sur terre, tu ne vois pas ce qui se passe autour de toi. Pour moi, le bonheur est un équilibre, autant dans ta vie personnelle que professionnelle. Tu es comme le funambule sur un fil qui doit conserver l'équilibre avec son bâton pour ne pas tomber d'un côté ou de l'autre. Le bonheur ce n'est pas juste de manger du gâteau, mais ce n'est pas non plus de s'en priver. Le bonheur est aussi dans la lenteur, de se permettre de prendre le temps de faire les choses et de les apprécier. Si tu manges un morceau de gâteau lentement, après une bouchée tu vas te dire que tu en as assez, mais si tu y vas en vitesse, tu vas le manger en trois secondes et, après ça, la culpabilité va t'envahir. Le bonheur n'est pas facile à trouver, il se travaille. J'ai choisi un métier qui inclut le rejet : quand tu décides d'être pigiste, combien d'auditions, combien de projets te passent sous le nez ? Et il y en a combien, 1 sur 100 qui va fonctionner ? Et si tu n'es pas prêt à accepter le rejet, que chaque petit rejet t'amène dans le malheur, tu vas le trouver où ton bonheur ? Il faut que tu te questionnes à savoir si tu as fait de ton mieux, si tu étais bien préparé. Oui ? Le reste c'est dans l'univers, c'est de croire que la vie va prendre soin de toi

Quels sont les grands bonheurs vécus que tu conserves précieusement en mémoire ?

Cinquante ans, c'est plus qu'une moitié de vie et il y a un bilan qui se fait. Et en général, un sentiment très heureux m'habite quand je pense au passé, aux étapes vécues. La première fois que je suis allé à New York a été un grand bonheur. J'avais 19 ans, je rêvais d'aller y voir une comédie musicale depuis toujours et avec mes premières paies, j'ai décidé de me payer ce *trip* à New York. C'était un rêve, mon idée, et je l'ai fait. Je repense aussi au premier spectacle que j'ai vu de ma vie, *Showtime, Dominique, Showtime*, mettant en vedette Dominique Michel. J'avais 11 ans, et j'avais *achalé* mes parents pour qu'ils achètent des billets, mais ils n'avaient pas de sous pour en payer deux. Ils en avaient donc acheté un et ma mère m'a attendu dans l'auto pendant que j'étais dans la salle. J'étais là, tout seul à voir un spectacle, et c'est là que je me suis dit que c'était sûr que c'est ce que je voulais faire dans la vie.

Bien sûr, je vais toujours me souvenir de la journée où mon fils est arrivé dans ma vie. C'était le 1er août 2004. La porte s'est ouverte, tu as la nounou qui t'amène le bébé, qui te le laisse, et puis *bye bye*, elle est partie ! Je n'oublierai jamais ça, comme la naissance de mes

Réaliser ses rêves... sucrés !

« En 2015, j'ai suivi un cours de chocolatier. J'ai toujours rêvé d'être chocolatier et il est clair que je ne serai jamais chocolatier, mais ça me tentait, c'est un cadeau que je me suis offert pour mon anniversaire. J'ai vraiment trouvé ça extraordinaire et quand je veux me faire plaisir, je m'installe chez nous et je fais du chocolat. Ça me rend terriblement heureux. Il y a une précision là-dedans, il faut que le chocolat soit à tant de degrés, et je suis vraiment dans ma bulle. »

filles. Cette femme exceptionnelle qui a porté des enfants pour nous, ça a été un bonheur incroyable.

Tu es heureux ?

Ce serait difficile de ne pas l'être aujourd'hui, malgré ma vie de famille qui n'a pas été un long fleuve tranquille. Ça n'a pas été simple, je me suis battu et j'y suis arrivé. Alors ça, pour moi, c'est le bonheur complet. C'est l'harmonie autour de moi et quand je regarde mes relations avec mes amis, ma famille, j'ai une vie harmonieuse comme je l'ai toujours souhaitée. Cinq ans avec la même personne, des enfants, c'est de cette vie-là qu'on rêvait tous les deux. J'avais besoin de ces racines familiales, et si quelque chose devait changer, je me réajusterais. Je ne tiens pas nécessairement à couler la vie que j'ai aujourd'hui dans un moule, en me disant qu'il faut que ça reste comme ça, que ça ne bouge pas. La vie c'est une mouvance, la vie n'est faite que de changements et le jour où tu penses que tu touches au bonheur, il va te glisser entre les mains. Il n'y a pas de règle, il n'y a pas de justice. C'est à nous-mêmes, à tous les jours, de *surfer* sur un bonheur pour aller en trouver un autre. Pour que notre tête soit belle, il faut aller dans ses zones les plus sombres, essayer d'y régler tout notre passé, pour que quelque chose de beau puisse émerger. On fait erreur si on pense que tout va être beau. C'est impossible, ce n'est pas ça la vie.

Patricia Paquin
Quand la santé va...

Dotée d'un bon sens de l'humour et de la capacité de remettre en perspective tout ce qui peut survenir dans sa vie, que ce soit bon ou mauvais, Patricia Paquin s'est toujours fait un devoir de sourire à la vie et de ne pas se laisser démonter par les tuiles que le destin pourrait lui envoyer sur la tête. Mère de trois enfants et mariée depuis plus de deux ans, elle est d'avis que le bonheur est d'abord et avant tout un choix que l'on fait.

« Les impôts, la mort, ainsi que la capacité de prendre des décisions, de faire des choix, sont des choses qui font partie de nos vies. Quand je parle de choix, je veux dire qu'il y a toujours une façon de voir les choses, c'est un choix que l'on fait. Dans le circuit de ma vie, je peux te dire que, pour ma part, j'ai fait des choix et que j'ai choisi le bonheur. Est-ce qu'on appelle ça de la résilience, de la naïveté ou du positivisme? Je pense que c'est tout ça en même temps. Mais à la base, il s'agit surtout de choix. Lorsque tu dois faire face à une situation X, tu as toujours le choix de te morfondre, de te plaindre et de rester dedans. Mais j'ai toujours l'instinct ou le réflexe de me demander ce que je peux faire pour améliorer la situation. Je ne reste pas là à me morfondre dans la torpeur, je suis dans l'action. Évidemment, le bonheur n'est pas toujours au beau fixe, il fluctue, et parfois pour de simples petites choses: il suffit d'être contrarié, d'avoir un petit problème de santé ou simplement de s'être levé du mauvais pied. Mais il faut savoir composer avec ces inconvénients et ne pas se laisser miner.

Qu'est-ce qu'il te faut pour que ton bonheur soit au beau fixe?

Il faut que plusieurs aspects soient en place. Si je fais un parallèle avec la radio, où tous les boutons doivent être au maximum quand on est en ondes, c'est un peu comme ça pour les éléments qui forment le bonheur. À commencer par le plus important, la santé.

C'est sûr que je pense à mes parents qui ont eu 81 ans à l'été 2016, à ma sœur Caroline qui a la sclérose en plaques. C'est sûr que ça joue dans ma tête parce que c'est mon nid, ce sont les gens qui sont autour de moi. Mes enfants, mon *chum* et moi, on va bien, mais c'est sûr que je pense à mes proches. Au niveau du travail, ça va bien, et pour ma vie de famille et de couple, « mon bouton est dans le tapis ». La base est solide et j'ai tendance à garder ça en tête.

Tu as trois enfants et, on le sait, Benjamin, l'aîné, est autiste. Comment as-tu composé avec cette situation au départ?

Benjamin est né le 2 octobre 2001 et, évidemment, on ne décèle pas ça à la naissance, ni avant, ni pendant. Après, oui, d'autant plus que mes sœurs et moi avons eu des enfants en même temps. On a pu voir Alicia, Léa et Benjamin, nos trois enfants, grandir ensemble, ils ont quelques mois de différence. Déjà, à la base, et c'est normal chez les parents, on fait des comparaisons entre les enfants. On comparait, et très rapidement j'ai arrêté de faire des comparaisons entre Benjamin et ses deux cousines, parce que ça n'allait pas du tout au même rythme. Encore là, tu peux te dire qu'il va à son rythme, que le processus d'évolution peut être différent, mais en raison de mon implication auprès d'Opération Enfant Soleil, j'avais vu des enfants autistes, et nous avions une gardienne à la maison qui a été la première à lever un drapeau en nous disant qu'il ne nous regardait pas dans les yeux. Ce drapeau-là,

ajouté à mon instinct de mère, nous a fait conclure qu'il y avait quelque chose. Quand il avait huit mois, on sentait qu'il y avait une différence, et c'est vraiment à son rendez-vous chez le pédiatre, lorsqu'il a eu un an, que le mot «autiste» a été prononcé tout en douceur. J'ai eu un médecin aussi proactif que moi, qui a nommé les choses et dit qu'il y avait possiblement un problème et que nous allions regarder de près à quel rythme Benjamin se développait.

J'imagine que ça a été un choc?
Oui, surtout quand tu as un premier enfant et que tu réalises que ce n'est pas l'enfant que tu avais imaginé, que tu avais vu dans ton scénario, dans ton film. C'est sûr qu'il y a un deuil à faire en partant. J'avais rencontré l'animatrice Sylvie Lauzon qui a un fils autiste plus vieux que Benjamin, alors je lui ai tout de suite téléphoné. Et elle m'a dit la même chose que mon pédiatre: il y a des deuils à faire. Mais après, quand tu es dans l'acceptation, que tu as compris que c'est un deuil à faire, après ce ne sont que des victoires. Benjamin, contrairement à quelqu'un qui a une maladie dégénérative, ne peut que s'améliorer. Il y a différentes formes d'autisme, il y a des enfants qui sont nonverbaux, qui ne peuvent communiquer, et le deuil doit être encore plus grand à faire. Mon fils me dit: «Je t'aime, maman», il me fait des câlins, et je reçois quand même une grosse bouffée d'amour de cet enfant-là. Par contre, c'est sûr que son cheminement sera toujours particulier, il aura toujours besoin d'encadrement, même à l'âge adulte. J'étais contente quand son petit frère Gabriel est né, et par la suite Florence, parce que je me disais que ces enfants-là, sans leur mettre du poids sur les épaules, s'ajoutaient à l'entourage de Benjamin pour l'enligner, pour l'aider. Et il y a son papa aussi, ne l'oublions pas, et ce qui a été bien avec la séparation, c'est qu'on a doublé toutes nos ressources.

Et bien sûr, les journalistes te demandaient souvent des nouvelles de ton fils, mais tu n'en parlais pas beaucoup...
Quand Benjamin a eu 3 ans, Mathieu (Gratton) et moi avons annoncé au public que notre fils était autiste. C'était important pour moi parce que chaque fois que je croisais des gens, ils lui parlaient, lui demandaient son nom, alors qu'il ne savait que quelques mots et ne pouvait en dire plus de trois de suite. J'avais comme l'impression de vivre dans le secret. Au même moment, j'ai été flouée par mon comptable, ce qui m'a fait perdre beaucoup, beaucoup d'argent, et mon contrat à l'émission *Flash* n'a pas été renouvelé. Et dans ces eaux-là, Mathieu et moi avons décidé de nous séparer. On dirait qu'il y a eu comme un acharnement, je me demandais quand tout cela allait arrêter! J'étais comme le petit canard qui pédalait sous l'eau pour garder la tête au-dessus! J'ai essayé de régler les problèmes un à un. Heureusement, je n'ai pas été obligée de vendre ma maison. Pour *Flash*, c'était la fin d'une époque et, de toute façon, mon contrat était terminé. J'ai pensé à tous ces gens qui travaillent dans des usines depuis des dizaines d'années et qui sont victimes de mises à pied. J'ai toujours un côté qui me fait penser: «Relativise, Patricia, ce n'est pas grave, ça fait partie de la vie de pigiste...»

Quand surviennent plusieurs mauvais coups du destin, disons que les solutions ne sont pas toujours évidentes et le bonheur assez loin!
Oui, et parfois, les bonnes choses n'arrivent pas tout de suite dans notre vie, tu ne vois pas la lumière. C'est à ce moment que le réseau, les amis, ta façon de voir la vie et ta confiance peuvent t'aider à remonter. Tu vas chercher dans tes ressources au fond de toi, il faut se dire qu'on est une bonne personne, j'ai un certain talent, je n'ai pas les deux pieds dans la même bottine. Il ne faut pas attendre que les choses se règlent d'elles-mêmes.

Quand tu as appris que tu étais enceinte de Gabriel, tu as eu des craintes face à l'autisme?
Non, on repartait la donne à zéro puisque j'étais enceinte d'un nouveau conjoint. J'ai été assez *namaste* dans tout ça, je me disais que tout allait bien aller. Et mon pédiatre, qui est le même pour mes trois enfants, a dû sentir dès les premiers temps le petit stress du papa, mais il nous a vite rassurés.

Qu'est-ce qui te rend heureuse, quels sont les petits plaisirs qui te font du bien?

Mon premier bonheur est vraiment de prendre mon café le matin. Je prends une première gorgée en regardant le fleuve Saint-Laurent par la fenêtre et je savoure le moment. Sinon, dans la quotidienneté des choses, il est plus dans mon plaisir enfantin, mon côté gamine, et c'est vrai que j'ai le bonheur facile. Louis-François et moi sommes dans la simplicité, on ne cherche pas les problèmes, et quand il y a des petits tracas, des soucis au quotidien, on s'entraide et c'est toujours agréable.

Tu as toujours été très sociable, tu as toujours eu un bon cercle d'amis et avec Louis-François, l'entourage compte pour beaucoup dans votre bonheur…

Louis-François accorde beaucoup d'importance à l'amitié, il aime inviter des amis, et tu sais, quand on dit à quelqu'un: «Faudrait bien se revoir!», eh bien, lui il s'organise pour que ça arrive. Téléphoner à des gens pour leur dire qu'il veut les voir, les inviter à souper, c'est tout à fait son genre. J'apprends beaucoup avec lui à ce chapitre-là. Il est rapidement devenu un élément de bonheur pour moi. Quand nous avons traversé des moments difficiles, ça a été l'une des périodes où j'ai été le plus déstabilisée.

Moi, je suis jumelle et j'ai réalisé avec le temps que je fonctionne mieux en duo ou en équipe que toute seule. Et c'est la même chose en couple. On dirait que Louis-François est devenu mon *alter ego*, j'ai besoin de cette moitié-là, d'une autre présence. Je ne suis pas dépendante, je suis capable d'être seule et je ne lui téléphone pas quinze fois par jour et ne lui envoie pas constamment des textos, mais dans ma tête et dans mon cœur, j'ai besoin de cet appui. Et le moment où j'ai été le plus déstabilisée a été quand j'ai réalisé que ça pouvait m'échapper. Et c'est la première fois que je vis ça en couple. Je sais que c'est précieux pour moi et, plus que jamais, je nourris et j'apprécie cette complicité. Après le mariage, Louis-François et moi, nous nous sommes dit qu'il fallait provoquer des moments pour se retrouver parce que c'est facile de se perdre de vue, de mener deux vies parallèles,

tout en étant dans la même maison, dans le même lit. On s'organise pour que nos chemins s'entrecroisent le plus régulièrement possible. Je n'aurais pas dit ça il y a quelques années, mais c'est la base même de mon bonheur.

Et ton bonheur, ça a été notamment d'apprendre en 2014 que tu étais enceinte d'un troisième enfant, quelques jours avant de te marier!

C'est fascinant, parce que quelques mois auparavant,

nous parlions d'avoir un enfant et je disais que j'aurais aimé me marier avant d'avoir un autre enfant. Et considérant que j'avais 45 ans et qu'il ne fallait pas non plus trop tarder… Finalement, c'est fou comme les choses se sont programmées! Je ne veux pas parler de pensée magique, c'est trop facile de dire: «Visualisez ce que vous voulez et ça va arriver…» J'ai détesté le livre *Le secret*, même sa couverture est fausse, avec son faux sceau de cire. Par contre, je suis obligée d'admettre que si tu t'imprègnes d'images positives, tu ne te nourris pas pendant ce temps de négativisme. Et si ce que tu souhaites arrive, c'est la cerise sur le *sundae*. Je fais souvent de la visualisation pour plusieurs aspects de ma vie.

Le samedi 28 juin 2014, vous vous êtes mariés, Louis-François et toi. Ça a été une journée remplie d'émotion?

Tout a déboulé très vite: on a appris cinq jours avant le mariage que j'étais enceinte. Tout était magique, c'est comme si les astres s'étaient alignées et rendaient cette célébration entre nous un événement encore plus sacré. Nous avions annoncé la nouvelle à nos parents, et quand nous avons échangé nos vœux, il y avait une étincelle dans nos yeux. Ce n'est que plus tard, pendant le *party*, que nous avons annoncé à nos invités que nous attendions un deuxième enfant. Ça a été un autre moment magique, c'était *l'fun* de voir la réaction des gens qui comprenaient à quel point c'était extraordinaire. C'est le genre de choses qu'on voit habituellement dans les films! Ce n'était pas tant la robe et tout ce qui avait été préparé pour cette journée qui comptait que les émotions ressenties avec mon *chum*, ma famille et nos amis.

Tu as du plaisir dans la vie, qu'est-ce qui te rendrait encore plus heureuse?

Je reviens à l'importance d'avoir la santé, j'aimerais que tout le monde dans ma famille soit bien. Et s'il n'y a pas la santé — je pense à ma sœur Caroline — j'aimerais tout au moins que la vie lui soit facile. Même chose pour mes parents, mon frère, ma sœur, quand ils vivent des pépins, j'aimerais que ce soit toujours beau et facile pour eux et pour les gens que j'aime. Outre ça, c'est vraiment difficile d'en demander plus parce qu'il y a toujours bien une limite! Les attentes que j'ai sont réalisables. Ce sont une foule de petits bonheurs qui m'habitent.

Tu as souvent raconté comment tu conservais de beaux souvenirs de tes voyages avec tes sœurs, tu t'emploies à faire la même chose avec tes enfants?

Mes parents nous emmenaient régulièrement à New York pour magasiner et voir des spectacles au *Radio City Music Hall*. Ce sont des images très fortes de mon enfance et c'est important pour moi de recréer ça avec mes enfants, je m'emploie donc à faire plein de choses avec eux. Comme j'aime le dire, je leur crée des souvenirs. En discutant avec mon entourage, je cherche toujours des idées pour les divertir. J'essaie de faire des singeries, de créer de la magie, du fantastique pour qu'ils aient une vie d'enfant.

Vieillir te fait peur?

Je ne voudrais pas devenir une personne âgée aigrie et amère. Tu entends parfois des gens âgés dire qu'ils se sentent comme s'ils avaient encore 20 ans dans leur tête. Évidemment, le corps a changé, et le mien va changer, mais quand je regarde une femme comme France Castel, j'aime ce qu'elle dégage, l'énergie qu'elle a, son sourire et son rire. Elle est fofolle et j'aime ce côté-là. Moi, j'essaie de ne pas trop penser au fait que je vieillis, mais ce qui est vraiment juste est que mon entourage, mon amoureux, mes amis, on vieillit tous au même rythme! Ça n'atténue pas mon bonheur et je ne suis pas dans la recherche de vouloir être «une p'tite jeune» à tout prix. N'importe quelle femme va te le dire, on voit notre corps se transformer, je le vois, mais pour l'instant, advienne que pourra.

Sébastien Benoit

Il faut avoir une propension au bonheur et... être chanceux !

À plusieurs reprises au cours de notre entretien, l'animateur Sébastien Benoit répétera qu'il se considère comme un privilégié. De façon sincère, bien sentie, parce qu'il s'estime tout bonnement chanceux d'être aussi heureux.

« J'ai une blonde fantastique et un enfant qui font mon bonheur, en plus d'avoir des parents en santé et un bon noyau d'amis, alors ce serait vraiment difficile pour moi de me plaindre. Pour moi, le passage actuel des années est *l'fun* : je gagne ma vie à la radio et la télé, c'est juste du beau bonus. Je suis chanceux et j'en suis conscient. »

Voilà plus de vingt ans que Sébastien Benoit fait de la radio et de la télévision et il a toujours projeté cette image d'homme heureux, dynamique, et qui profite pleinement de la vie. Une image qui colle tout à fait à la réalité. « Je pense que j'ai le bonheur facile, je suis généralement assez *Roger Bontemps*, un bon vivant. C'est tellement cliché ce que je vais te dire, mais le bonheur est là tous les jours dans ma vie, dans les petites choses. C'est dans les gens que je rencontre, dans une découverte culinaire qui me fait *tripper*, et aussi ce simple sentiment que je me sens bien. Le bonheur, c'était tantôt, alors que je suis allé courir 12 kilomètres avec ma blonde. De passer du temps avec elle, de courir et d'échanger, pour moi ce sont des petites affaires qui contribuent à mon bonheur. Pour moi, le bonheur n'est pas une destination, c'est plutôt comme les petits arrêts qu'on a en route, dans le chemin de la vie. »

Il a le bonheur facile, Sébastien, mais disons que lorsqu'on a une attitude positive face à la vie et qu'on a l'habitude de voir les bons côtés des choses, le pourcentage de chances d'accumuler les moments heureux augmente considérablement. « Bien des personnes ont tendance à dire : Ah, je vais être heureux quand je vais avoir une promotion au travail, ou encore : Je vais être heureux quand je vais rencontrer la bonne fille… Je ne veux pas te faire croire que toute ma vie est parfaite, on a tous nos tracas et nos inquiétudes, mais je pense que le bonheur, c'est entre autres de savoir bien s'entourer et de reconnaître et d'apprécier les petits plaisirs de la vie qui peuvent paraître insignifiants. »

On entend souvent que le bonheur, c'est avant tout d'être en santé, tout le monde est bien d'accord là-dessus. Mais dirais-tu que le bonheur passe aussi par l'argent ?

Je ne dirais pas que l'argent rend heureux, mais de savoir que tu en as et que tu n'en manques pas, c'est sûr que c'est un stress de moins. Et en même temps, ça te permet de réaliser certaines choses. Au fond, le bonheur, ce n'est pas d'avoir de l'argent, c'est de savoir que tu en as pour ne pas t'inquiéter. Je dirais que c'est plus ça. Pas sûr que je serais plus heureux si j'avais 170 $ millions en banque. Tu finis peut-être par t'habituer, je ne sais pas. Je sais que j'ai la chance de ne pas avoir à trop calculer mes affaires et de pouvoir gâter mon entourage, et me permettre de me faire plaisir. Être en santé contribue évidemment

beaucoup au bonheur, c'est bien sûr la plus grande richesse. Ce qui est arrivé à Josée Boudreault (victime d'un AVC le 1er juillet 2016), ça m'a fait peur et ça m'a touché parce que c'est une fille que je connais depuis longtemps. On fait le même travail, et c'est là que tu réalises que d'avoir la santé est une richesse inestimable. Parfois, je pense qu'on le tient trop pour acquis. On est dans une société qui vit à 100 milles à l'heure, on a le cerveau qui est sollicité de tous bords tous côtés, alors si tu as la santé, si t'as assez d'argent pour ne pas t'inquiéter, à ce moment-là il y a une forme d'apaisement qui fait en sorte que tu es peut-être plus en mesure de recevoir les choses positivement et dans le bonheur. Mais pour moi, avant tout, ce sont les petites choses, la gratitude que les gens peuvent avoir qui me touchent. On peut être parfois cynique face à notre monde, mais quand je vois quelqu'un faire quelque chose de gentil ou un acte de bravoure, ça vient toujours me chercher.

Comment expliquer que certaines personnes luttent toute leur vie pour trouver le bonheur, et que pour d'autres ce soit aussi facile d'être heureux ?
Je pense qu'il faut avoir une propension au bonheur, Je dirais que je l'ai, mais je suis aussi hyper chanceux.

Profiter de tous les instants

« J'aimerais simplement, au cours des prochaines années, continuer à faire le métier que j'aime. C'est un métier un peu volatile, on ne sait jamais ce qui peut se produire, et tu peux te faire tirer le tapis sous les pieds. Je veux être capable de continuer à évoluer professionnellement en ne négligeant pas ma famille et mon fils, c'est une question de trouver le juste milieu. Je voudrais aussi faire d'autres voyages avec mes parents avant qu'ils ne soient plus là. Je pense constamment à ça : ils sont en santé, mais les deux ont 76 ans au moment où l'on se parle, et c'est une préoccupation pour moi. »

Il n'y a pas eu d'énorme maladie dans ma vie, j'ai vécu dans un milieu où je n'ai manqué de rien avec des parents qui sont encore ensemble et qui m'ont donné les meilleures opportunités, alors c'est sûr que c'est facile pour moi de dire que je suis bon au bonheur. Je le répète : je sais que je suis chanceux, et même qu'il m'est arrivé de me dire qu'il va y avoir un retour d'équilibre à un moment donné, et que je vais recevoir une claque sur la gueule, qu'il va y avoir quelque chose de vraiment grave. Est-ce que je vais être capable d'affronter ça si ça se présente ? Je présume que oui, on a des ressources insoupçonnées chez nous, mais je suis conscient que ma propension au bonheur est là aussi, alors c'est facile pour moi d'être positif.

L'arrivée d'un enfant dans ta vie a sans doute été l'un de tes grands bonheurs ?
Mon fils, je l'ai aimé à partir du jour un, ça a été comme une illumination. Il est né le 12 décembre 2012, une césarienne était déjà prévue. Moi, je suis du genre qui pourrait s'évanouir facilement à la vue du sang, et je redoutais que ce soit une boucherie… Je me rappelle très bien de la façon dont on a procédé : ma blonde était couchée, ils avaient positionné un genre de drap, et c'est moi qui devais regarder et annoncer à ma blonde si c'était un gars ou une fille. À ce jour, je ne peux pas te dire combien de personnes travaillaient de l'autre côté du drap, je ne peux pas non plus dire s'il y avait un peu, moyennement ou beaucoup de sang. Il y a un bébé qui est arrivé et, c'est un peu ésotérique, on dirait vraiment qu'il y a eu un espèce de rayon de lumière à ce moment-là. Et en le voyant, j'ai su que ma vie était transformée à jamais, il y a quelque chose de puissant qui s'est passé à ce moment-là. Je le regardais, il était plein de sang et je le trouvais beau, je me disais : Wow, attends, c'est nous qui avons fait ça ! Ils ont pris une première photo de notre fils et il a l'air de sourire. Je n'arrêtais pas de niaiser en disant qu'il était comme son père, parce qu'il était conscient de la présence de la caméra…

Un autre moment heureux en tête ?

Sur le plan professionnel, en 1995, quand la productrice Marleen Beaulieu m'a engagé pour travailler à temps plein à l'émission *Flash*. Je capotais. J'avais fait mon droit, j'ai décidé d'aller passer une audition et vraiment, je ne pensais pas avoir l'emploi. Puis ils m'ont appelé et on m'a annoncé que j'allais travailler cinq jours semaine et que j'aurais un salaire à temps plein. Je me rappelle que je *trippais* comme un malade, je n'en revenais pas : je me disais qu'ils allaient me payer pour aller rencontrer des artistes, je capotais.

Tu te considères comme choyé ?

Oui, j'ai mon noyau autour de moi, une belle famille, une bonne belle-famille, et j'ai des bons amis que j'aime et que j'estime. J'ai vraiment un bel entourage. En plus, ça va bien au travail. C'est sûr que dans la vie on se fixe des buts et plus jeune, je voulais travailler à la radio, puis la télé est venue par hasard et je suis bien heureux de tout ça.

On parle souvent de l'importance de se garder des petits bonheurs pour soi, qu'est-ce que tu fais quand tu veux te faire plaisir ?

Jouer au hockey est un grand bonheur et ce que j'aime du hockey, c'est que pendant une heure et demie chaque semaine, je ne pense à rien d'autre que de mettre la petite rondelle derrière la ligne et d'aider mes coéquipiers à faire ça et à gagner un match. C'est *l'fun* parce que tu fais de l'exercice et tu te sens bien, tu sues les mauvaises énergies et pendant tout ce temps-là, tu n'as pas pensé à grand-chose. Et pour demeurer dans le sport, je dirais qu'assister à un événement sportif est aussi un grand bonheur.

Étienne Boulay
Il y a une vie après l'enfer...

Il a connu les victoires et les échecs, de grandes et petites joies, des moments plus sombres et de découragement comme, aussi de grands bonheurs. Une route parsemée d'embûches qui est le lot de tous. Étienne Boulay a vécu beaucoup de choses depuis une dizaine d'années, un chemin qui a parfois été difficile, mais qui l'a amené à mieux se connaître et, surtout, à profiter de tous les bonheurs qui se présentent à lui.

Ex-joueur professionnel de football, Étienne a connu ses heures de gloire dans l'uniforme des Alouettes de Montréal, de la Ligue canadienne de football. Après avoir passé sept saisons dans la LCF et dix-huit ans dans le monde du football, il a pris sa retraite en 2013, à l'âge de 30 ans.

Parmi ses faits d'arme, il a gagné la coupe Grey en 2009 et 2010 avec les Alouettes de Montréal, et une troisième fois en 2012 avec les Argonauts de Toronto. Une carrière qui a aussi été ponctuée d'une commotion cérébrale subie en juillet 2011, lors d'un match contre l'équipe de la Saskatchewan. Une blessure qui a eu un impact majeur sur sa vie, et qui l'a amené ultimement à changer sa vision des choses et son comportement, non sans avoir mis les pieds dans un gouffre. Des excès d'alcool, une dépression, des problèmes avec son ex-compagne pour avoir la possibilité de voir son fils, Étienne ne l'a pas eue facile.

« Je peux dire que je suis un gars heureux parce qu'aujourd'hui, je suis bien dans ma peau. Et pour ça, il fallait que je me connaisse, avec mes qualités et mes défauts. Et si je ne m'étais pas accepté comme je suis, ça n'aurait pas fonctionné. Je me suis battu longtemps avec la frustration de me dire que je ne pourrais plus jamais faire le party comme je l'ai déjà fait, et il y a encore des journées où ça me fait suer. Je vois des amis qui partent une fin de semaine à Vegas, qui sortent sur Saint-Laurent, et ils ont du *fun* et ils *trippent*. La nature humaine, la mienne, fait en sorte que j'ai une mémoire sélective et que lorsque je pense à ça, je ne me souviens que de mes bonnes soirées. Je ne me souviens pas de mes mauvaises soirées, des lendemains de veille et de la honte qui venait parfois avec les décisions que je prenais. Je me bats avec ça, mais la plupart du temps, je suis en paix, parce que je passe du temps en famille, je vais au gym une fois de temps en temps, je vois les *boys* pour jouer aux cartes, je m'arrange pour faire d'autres activités. Je me suis battu longtemps avec le fait que je suis un excessif. Je suis un passionné, et avec ça viennent les hauts et les bas. Mes hauts sont

plus hauts que tout le monde, et mes bas sont plus bas que tout le monde aussi. Longtemps, je me suis dit qu'il fallait que je sois plus équilibré, alors j'essaie d'être plus calme, mais c'est impossible. Je ne peux pas changer qui je suis, alors plutôt que d'être excessif en faisant le party, je vais l'être en faisant quatorze *jobs*! »

Tu le disais, c'est une question d'équilibre pour que tu sois bien dans ta vie de tous les jours?
Il faut essayer de doser. Je me suis arrangé pour être bien à la maison. Dans mon relation précédente, je n'étais pas bien, c'était malsain, et j'avais mes torts. Ce qui faisait que toutes les excuses étaient bonnes pour que je ne sois pas à la maison. Tandis que là, je suis bien à la maison, et quand j'y suis, je n'ai pas le goût de partir. Et quand je n'y suis pas, j'ai hâte d'y revenir le soir, je m'ennuie de ma gang. En somme, depuis que je me suis trouvé, j'ai appris à m'accepter comme je suis. Je sais que je suis parfois impulsif dans mes décisions, mais je suis bien dans ma peau, je me trouve tranquillement pas vite. Je me suis longtemps demandé ce que j'allais faire, moi qui aime faire des niaiseries et faire rire les autres. Je pense que je suis un bon vivant.

Ta famille t'a apporté une stabilité que tu n'avais pas?
J'aime tout l'aspect familial, je me suis redécouvert là-dedans, à travers Maika et ma petite famille reconstituée. Avec mon ex, j'avais honte de ne pas triper sur ma famille, je tripais sur mon fils avant tout. Ma petite fille est très espiègle et elle aime faire fait des trucs pour nous faire rire. Je suis complètement en amour avec elle, on a une relation père-fille qui est exceptionnelle. Des amis me l'avait dit: tu vas voir, quand tu as une petite fille, c'est bien spécial. Et ce l'est, je remercie la vie. Maika, elle, m'impressionne beaucoup dans tout ce qu'elle fait. Dans l'immobilier ça prend du monde honnête, et elle fait ça pour les bonnes raisons; elle aime les gens et les maisons, et elle veut que tout le monde soit heureux dans une transaction.
Note: Maika Desnoyers est la compagne d'Étienne depuis 2013 et le couple est parent d'une petite fille née en 2014.

J'imagine que tu gardes en tête plusieurs moments heureux vécus durant ta carrière de joueur de football ?

Oui ! J'ai retrouvé récemment une photo de Mathieu Proulx et moi, après avoir remporté la coupe Grey en 2009 avec les Alouettes. Je suis sur le dos et je pleure, et Matt est par-dessus de moi, en train de crier, dans ce moment d'euphorie. J'en parle et j'en ai des frissons ! Cette sensation-là n'est pas partie encore, de se dire qu'on avait travaillé tellement fort pour en arriver là. Ce moment, cette victoire de la coupe Grey, a été parmi les plus grands que j'ai vécus. Le défilé qu'il y avait eu sur la rue Sainte-Catherine, où il y avait plus de 200 000 personnes qui criaient, dansaient, et faisaient le *party* avec nous, c'était malade !

Quand tu repenses à toute ta carrière, tous les efforts faits depuis ton adolescence, les entraînements, les blessures, est-ce que tu te dis que ça en valait la peine pour vivre ces moments de bonheur ?

Ah oui, je ne regretterai jamais ça. Je pense que chaque fois que tu travailles fort et que tu as des doutes et que tu continues quand même ; quand tu te sacrifies et que tu finis par atteindre ton objectif, c'est encore plus incroyable à ce moment-là. Et ça peut s'appliquer à n'importe quel autre domaine.

Et maintenant, tu es en paix avec toi-même ?

Je suis fier des changements que j'ai réussi à apporter dans ma vie, et il y a eu un temps où je ne pensais pas que je serais capable. Je ne suis pas parfait et je ne le suis pas dans mes comportements, mais il reste que j'ai changé en *tabarnouche*. Dès que tu fais des sacrifices, que tu vis aussi le côté le moins *l'fun* des choses, ça te fait ensuite apprécier encore plus ce que tu as. Par exemple, juste ce moment quand j'arrive à la maison et que la petite se met à courir vers moi en criant « papa ! », même si j'ai eu une mauvaise journée, ce petit moment vient tout effacer. Comme tout le monde, je dois parfois manquer des petits moments de bonheur, ou bien parce que je suis trop dans ma tête, ou au téléphone, mais j'essaie de les remarquer plus, d'y

porter attention. Là aussi j'ai eu un cheminement à faire parce que lorsque tu ne vas pas bien, on dirait que tous ces petits moments, les belles choses, que ce soit d'apprécier la nature, un oiseau, tu ne les vois pas. Et quand je vais bien, c'est le genre de choses que je remarque et que j'aime.

QUAND LA VIE PREND LE DESSUS

Étienne ne s'en cache pas: il a traversé une période difficile et il avait perdu ses repères, au point où il a songé à commettre l'irréparable.

T'est-il arrivé de penser que le bonheur n'était pas fait pour toi, que tu n'y avais pas droit?

Oui, et c'est pour ça que j'ai essayé de *tirer la plogue* à un moment donné. J'étais malheureux, je n'étais pas bien. Et pendant un moment, je me suis vendu l'idée que ma petite famille et que tout le monde dans mon entourage serait mieux sans moi. Ça aurait pu être fatal, mais la vie a choisi autrement. Il faut que je regarde en avant et quand je repense à ce moment-là, je suis capable de regarder ça objectivement et de me dire que j'aurais passé sans bon sens à côté de bien des choses. Ma petite fille aurait grandi sans papa et je me dis que ça n'a pas de sens que j'aie pensé que c'était une solution.

Étienne a réagi et a fait en sorte de mieux équilibrer les choses dans sa vie, de se reprendre en main sans négliger personne, avec comme résultat que les jours meilleurs se sont pointés. Aujourd'hui, les moments de bonheur, il les vit avant tout en famille. «Et nul besoin de faire une grosse activité, simplement d'être avec la famille à écouter un film ensemble, par exemple, est un beau moment de bonheur pour moi. Avec mes *chums*, ce sont mes petites parties de poker le vendredi soir, une fois de temps en temps, qui me procurent du bonheur», raconte-t-il.

Les fous rires et beaux moments de complicité passés avec sa compagne, le plaisir de faire de la télé, de travailler en équipe, de s'attaquer à de nouveaux projets, tout cela contribue à faire d'Étienne un homme heureux. «Je ne te dis pas que j'ai toujours des bonnes journées, il y en a qui sont plus difficiles que d'autres, mais quand ça m'arrive, que j'en arrache un peu plus, que j'ai un souci, je téléphone à un ami.

«Simplement pour discuter, demander conseil, ce que je ne faisais pas avant. J'ai aussi appris à lâcher prise. On essaie parfois de s'accrocher à nos mentalités, tu veux forcer certaines décisions, et même si je le fais encore par moments, j'essaie d'avoir confiance que les choses vont se placer. Je vais toujours être proactif pour ma carrière, je vais toujours avoir des objectifs et une stratégie claire. Je suis un passionné, mais je suis aussi méthodique. Je sais où je veux m'en aller et ce que je désire, et je compte profiter des opportunités qui se présentent. Je pense que la vie, c'est du essai-erreur: tu essaies des choses, ça marche ou ça ne marche pas. Et je dirais, jusqu'à un certain point, que lorsque tu te plantes, ça te permet ensuite d'avancer. Ça ne veut pas dire que tu ne peux pas être frustré par la vie, mais aujourd'hui, je pense que j'ai atteint un équilibre.»

André Robitaille

Casser les habitudes et aller vers la simplicité

Chacun a sa perception du bonheur, sa façon de voir la vie, avec ses priorités, ses joies et ses rêves. Pour André Robitaille, le bonheur est dans l'essentiel et la simplicité.

« J'ai le bonheur facile, je m'organise pour être heureux, et ça tient à la santé, à la famille, à être bien entouré. Pour moi, c'est essentiel. Il fut un temps, en début de carrière, où le travail était au-dessus de tout. Ça a changé avec la parentalité, et avec la carrière qui, par chance, s'est installée avec les années. La carrière a perdu de sa priorité dans ma liste de ce qui est essentiel pour arriver au bonheur. Ma priorité maintenant, c'est ma blonde, mes enfants, et la famille élargie. Mon père est décédé, mais il y a mon frère, ma sœur et ma mère qui restent très importants pour moi. Après ça vient la carrière. »

Donc, tu essaies de consacrer le plus de temps possible aux gens qui te sont précieux ?

J'entends souvent : « Oh ! André, tu ne dois pas voir ton monde souvent ! ». Parce que les gens me voient à la télé et c'est vrai que je travaille beaucoup, mais je suis organisé. J'enlève mon micro, je me démaquille et je suis à la maison pour le souper. Les week-ends sont précieux, j'essaie de ne pas travailler, j'essaie de réserver des moments. On a vraiment un bon lien familial. Mon fils vit en appartement, mais on conserve un lien très fort. On dirait, et ça aussi c'est classique, que du moment qu'il est parti en appartement, nous

Quel conseil donnerais-tu aux gens qui sont en quête de petits et grands bonheurs ?

J'ai envie de dire au monde que ce n'est pas compliqué, que ce n'est pas difficile : il faut seulement garder sa flamme allumée. Si on s'écrase, on s'éteint et on va se perdre. Se faire un bouillon de poulet maison en écoutant de la musique avec un verre de blanc, moi je suis dans le bonheur. Aller faire du sport avec des *chums*, travailler dans le sourire, acheter un gadget qui ne coûte presque rien et dont on a envie, ce sont tous des petits bonheurs bien simples. Il faut se garder vivant, arrêtons de penser que c'est difficile et inaccessible. Il faut casser les habitudes dans le quotidien, aller vers des choses plus simples. L'eau qui ne bouge pas, ça pue, alors moi je pense qu'il est important qu'il y ait du mouvement.

nous sommes rapprochés, et il s'est aussi rapproché de sa sœur. Ils ont quand même huit ans de différence. Le quatuor est devenu un trio à la maison et les rendez-vous sont plus chaleureux, moins anodins, ça fait moins colocs. Mon fils vient souper à la maison, on *trippe*, et les liens électroniques nous permettent de conserver ces rapports. J'ai l'impression que le quatuor entre ma blonde, mes deux enfants et moi-même est très serré. Bref, je suis assez content de la façon dont j'organise mes flûtes pour garder le contact avec mes proches. Pour ma famille élargie, ils sont à Québec et, physiquement, c'est plus compliqué, c'est plus la distance qui rend ça difficile, ce n'est pas le lien. On se voit quand même beaucoup, on essaie de garder le contact.

Tu n'as pas l'impression, en regardant autour de toi, que tout le monde court après le bonheur ?

Sais-tu ce que j'ai à dire là-dessus ? Tant mieux ! Tant mieux si c'est une priorité pour les gens de courir après le bonheur, et j'espère qu'ils vont l'atteindre, chacun à sa façon ! Pour moi, c'est positif de chercher le bonheur, c'est plutôt l'indifférence qui m'inquiète. Je dirais que je suis plus intransigeant envers les gens qui ne font rien. Ça, ça m'inquiète.

Au quotidien, comment s'inscrit le bonheur dans ta vie ?

Je m'amuse à bousculer, à surprendre, à changer mon horaire. J'ai un flash ? Une idée ? Je la mets à exécution. C'est assez banal, mais pour moi, acheter une boîte de croissants et l'apporter au bureau pour mon équipe, je trouve ça *l'fun*. C'est une question de chan-

ger les habitudes et le quotidien. Ce n'est pas tout le temps le *party*, je ne suis pas toujours en mode clown, mais j'aime créer des petits moments. C'est peut-être de par ma situation — et je ne veux surtout pas paraître prétentieux —, mais j'ai une position de leader à peu près partout où je suis. À *Entrée principale*, aux *Enfants de la télé*, que ce soit mon rôle d'animateur ou de metteur en scène au théâtre, je suis toujours en position de leader et je pense que ce sont les leaders qui allument la flamme. Dans les groupes de travail, ça ne tient pas qu'à moi d'accrocher des sourires et de créer des petits bonheurs, mais je pense que celui qui est en position d'influence a une certaine responsabilité sur ce plan. J'ai du bonheur à travailler, à être en interaction avec les gens autour de moi, et je pense que de petites pensées peuvent suffire, d'une certaine façon, à répandre le bonheur autour de soi.

Et quand tu veux te faire plaisir, que tu veux te gâter ?

Je joue au hockey. Si je n'ai pas de sport dans ma vie, je capote. Ma blonde me met à la porte si ça fait trop longtemps que je n'ai pas fait de sport ! C'est peut-être à cause du dosage d'énergie que j'ai dans les pattes ! J'avais 5 ans et je jouais déjà au hockey. Ce n'est pas l'aspect compétitif de la chose, même si j'ai mon orgueil, c'est plus le fait de jouer, de retrouver les autres joueurs, et de sortir du milieu des communications. On parle du métier, mais c'est autre chose. Courir sur un tapis, ça m'ennuie, le vélo m'ennuie, mais compter des points, gagner ou perdre en équipe, j'aime ça. Fais-toi plaisir, André ? C'est pas mal ça, le hockey est au sommet de ma liste.

Le bonheur, c'est aussi d'être à la maison, de souper avec des amis, d'accueillir du monde chez nous où la porte est toujours ouverte. Je trouve ça beau quand mes enfants ont le réflexe d'inviter leurs amis à la maison. Je les vois grandir et mon fils a les mêmes amis qu'à la maternelle. D'ailleurs, faut que je te raconte… Une fois par année, depuis environ 10 ans, mon fils se rend avec des amis dans un chalet. Toujours le même, et ils font la fête. Quand ils étaient plus petits, les propriétaires du chalet les accompagnaient,

mais depuis quelques années, ils y vont tout seuls. Ce chalet est loin, tu dois faire quatre kilomètres dans le bois, mais quand tu arrives là, c'est le paradis. Cette année, pour la première fois, ils ont invité les parents. Et j'y suis allé, avec les sept gars, de 21, 22 ans, et nous étions cinq papas. Nous nous connaissions à peine, nous nous étions vus lorsque les enfants étaient petits, au soccer, à l'école, mais c'est à peu près tout. Hé qu'on a eu du plaisir! Ça c'était beau, c'était le bonheur aussi! On s'est fait des soupers, on a refait le monde, on s'est baignés, on a regardé les étoiles. Bref, pour moi, c'est ça le bonheur. Le hockey et ces rencontres familiales là et avec les amis, c'est du gros bonheur.

Ce n'est pas un secret : les voyages occupent une place importante dans ta vie !

Oui, j'aime beaucoup voyager. Je suis allé en Italie à l'été 2016 avec Martine (Martine Francke, sa com-pagne de longue date) et un mois après être revenus, nous nous sommes dits : quand est-ce qu'on y retourne? Les voyages font partie de moi, ça me fait du bien de voir mes photos, de me rappeler des souvenirs. J'ai aussi eu la chance de faire des voyages en solo avec mes enfants, chacun leur tour. Ça aussi c'est le bonheur! Ça a été de beaux voyages : au Pérou avec ma fille, en Bolivie avec mon gars. Martine et moi nous nous sommes dit un jour : c'est *l'fun* d'être encore ensemble, mais le défaut de ne pas être séparés, c'est que nous n'avons jamais nos enfants seuls! Ma fille avait 5 ans quand je suis allé avec elle à Disney World. Et mon fils avait 13 ou 14 ans, il était un peu blasé, et je lui ai dit que je voulais l'entendre dire «Wow!»: je l'ai amené à Manhattan. Et il est arrivé à Times Square un soir et il a dit: «Wow!»

Des moments qui demeurent à jamais gravés dans ta mémoire!

Oui, et on n'est pas obligé d'aller à l'étranger non plus pour être ensemble et faire des activités. Mon fils habite en face d'un parc où l'on peut jouer à la pétanque et au ping-pong. Et pour moi, l'important, c'est de se donner des rendez-vous. Oui, le bonheur ça peut être gros, ça peut être l'Italie, mais ça peut être aussi de jouer au ping-pong avec un verre de vin, posé au sol à côté.

Angèle Dubeau

Plus sensible aux petits bonheurs de la vie

Par son talent et ses réalisations, Angèle Dubeau a marqué la scène musicale québécoise. Au cours de sa carrière, la sympathique violoniste a réussi à rendre la musique classique accessible à un large public, offrant des spectacles au Québec, au Canada et à l'étranger, ainsi qu'au moins 40 albums. Mais comme bien d'autres, son bonheur a été ébranlé lorsqu'elle a appris, en 2013, qu'elle était atteinte d'un cancer du sein. Elle a livré la dure bataille qui s'imposait pour finalement annoncer qu'elle était en rémission et présenter, un an après avoir entamé sa lutte contre la maladie, le superbe album Blanc, empreint d'émotion et couleur d'espoir et de guérison.

D'abord, Angèle, comment vas-tu, comment va ton bonheur ?

Je suis une femme comblée, une femme heureuse. Le bonheur, c'est quand on a des malheurs qu'on peut l'apprécier. En 2013, j'ai eu un gros malheur, mon épisode de cancer, et ça, ça te secoue, ça te met à terre. Tu te dis : « *Oh my God*, comment c'est arrivé, qu'est-ce qui se passe ? Moi qui ai une vie parfaite et tout… La raison est assez simple, je pense qu'il y avait un peu de surmenage et il devait y avoir quelque chose dans mon système qui a causé ça. Je n'ai pas l'intention d'en parler longtemps parce que c'est chose du passé. J'ai été chanceuse, ça a été dépisté au début, mais je veux juste dire que quand un gros malheur comme ça te frappe, tu apprends ensuite à vivre ton quotidien et à le regarder positivement. Le temps passe toujours aussi vite et il m'en manque toujours, mais c'est peut-être pour cette raison que mon bonheur n'est pas parfait : il me faudrait un peu plus de temps pour moi. Bien honnêtement, c'est la seule chose qui me manque. Sinon, la santé est là et le gros bonheur, pour moi, c'est plein de petits bonheurs accumulés. Je suis plus sensible qu'avant aux petits bonheurs, beaucoup plus.

Tu as toujours donné l'image d'une femme déterminée qui goûte pleinement à la vie…

J'ai toujours été d'une nature positive et je pense que de voir la vie positivement aide à construire le bonheur. Tu sais, il y a des gens qui sont négatifs tout le temps. Pour eux, ça doit être difficile d'être heureux, difficile d'avoir du bonheur quand tu te gruges et que tu broies du noir. Moi, j'ai toujours eu cette nature-là. Tant mieux, et je l'exploite encore plus maintenant. Le choc que j'ai eu m'a fait réaliser que je n'étais pas invincible, que je peux me rendre au fond du baril, chose que je ne croyais pas possible. Et aussi que la vie est un cumul de moments, qu'il faut les voir, les apprécier et essayer d'en trouver le côté positif, parce que même dans tous les malheurs, on peut presque toujours trouver un côté positif. Je pense que ça aide d'avoir une vision plus florissante du bonheur et de la vie.

Quel message voudrais-tu livrer à tous ceux qui cherchent le bonheur ?

J'aimerais qu'ils pensent d'abord que le bonheur, on doit y participer activement. Dans mon cas, il y a une autre leçon qui m'a fait voir la vie positivement. J'ai habité en Roumanie de 1981 à 1984, sous le régime barbare de Ceausescu et c'était difficile. Ils ont des hivers, ils ont de la neige, et à Bucarest, je dormais sans chauffage avec un manteau, une tuque et des mitaines. J'étais là pour étudier avec le professeur de violon Stefan Gheorghiu, c'était complètement fou d'aller là. On manquait de bouffe, j'ai vécu ça *rough* sur le plan des conditions de vie, physiquement et psychologiquement. Il y avait un étudiant sur trois qui travaillait pour la *Securitate*, mais tu ne savais pas qui, tu te sentais toujours épié. Par contre, j'avais un professeur de violon extraordinaire qui avait beaucoup de disponibilité parce que personne ne voulait aller étudier là-bas. J'ai étudié avec lui pendant trois ans et je me suis aperçue d'une chose : il n'y avait pas lieu de se plaindre parce que j'avais une chose que tous mes collègues roumains n'avaient pas : je pouvais rêver d'en sortir. Quand tu éteins l'être humain au point qu'il ne sait plus ce que c'est que de rêver, d'avoir un espoir, tu entres dans une zone gris foncé. J'avais 19, 20 ans, c'était le début de ma vingtaine et c'était une école de vie extraordinaire pour moi. J'ai appris que je devais apprécier ce que j'avais, que j'avais cette liberté de rêver, parce que le bonheur c'est aussi la liberté de plein de choses, dont celle de pouvoir se sortir d'une situation. Et j'étais libre de me dire : « J'aimerais faire ça et je vais tout faire pour y arriver. » L'être humain qui est éteint n'est même plus capable de rêver de bonheur. Je pense aussi que trouver son propre équilibre dans la vie fait partie du bonheur. Dans toute situation que nous vivons, dans tout événement qui survient, différents sentiments sont engendrés et il faut trouver un équilibre dans tout ça. Et quand on a un équilibre, normalement ça procure du bonheur.

J'imagine que ton bonheur passe aussi beaucoup par ton entourage ?

Pour moi, le bonheur est une accumulation de plein d'éléments. J'ai la chance d'être bien entourée, mon *chum* Mario (Labbé) et moi sommes ensemble depuis plus de 30 ans. Ça, c'est du bonheur solide, c'est du bien gros bonheur. Nous sommes toujours amoureux et ça, c'est extraordinaire. Nous avons une fille, Marie, 24 ans qui est un rayon de soleil, et nous sommes tricotés serré, tu ne peux pas être plus serré que ça. Mais il y a aussi dans mon jardin de bonheur beaucoup d'amis qui me sont très chers, et je me considère chanceuse parce que je sais que c'est une grande richesse. Ce sont des gens sur qui je peux compter, à qui je donne autant que je peux recevoir d'eux. Et dans mon bonheur, il y a bien sûr la musique.

> « Dans tous les malheurs, on peut presque toujours trouver un côté positif. Je pense que ça aide d'avoir une vision plus florissante du bonheur et de la vie. »

Raconte-moi ce que tu ressens quand tu t'apprêtes à jouer…

Le violon, j'en joue depuis l'âge de 4 ans et déjà c'était le bonheur pour moi. À 4 ans, j'ai mis les poupées de côté et, dans le petit lit de poupée, c'est mon violon que je couchais. Je lui mettais une petite couverture, je lui donnais des becs, lui disais : « Bonsoir, bonne nuit », et j'allais me coucher. Mon violon a remplacé mes poupées et il est devenu mon ami. J'ai appris à en jouer et j'ai appris à m'exprimer avec lui. Là, je te parle en mots, mais si je prends mon violon, je vais te parler tout autant, et ça c'est quelque chose qui me définit vraiment. Enlève-moi la musique sous n'importe quelle forme et je vais trouver ça *rough*.

C'est un grand besoin et, avec mon violon, je suis capable d'exprimer toute la gamme des émotions humaines; d'aller dans la joie ou dans la peine. À 13 ou 14 ans, quand j'ai eu ma première peine d'amour, mon premier réflexe a été de me tourner vers mon violon, j'ai pleuré sur mon violon en jouant. À la naissance de ma fille, j'avais tellement hâte de sortir de l'hôpital et d'arriver à la maison; on l'a installée dans une petite chaise, j'ai pris mon violon et j'en ai joué. Ma fille pleurait et elle s'est calmée, ça faisait quand même pas mal longtemps qu'elle entendait le son de mon violon !

Quand j'ai eu mon épisode de cancer, la violoniste a été aphone pendant près de trois mois. Quand j'ai repris mon violon, j'étais seule, je me suis mise à jouer, et je pleurais du violon, je pleurais physiquement. J'avais un surplus d'émotions et c'était la meilleure soupape à émotions. Et j'ai vu, lors de cette période qui a été la plus difficile de ma vie jusqu'à maintenant, à quel point la soupape qui avait été fermée m'avait manqué. J'ai écouté beaucoup de musique, mais j'avais besoin d'en jouer. Et quand tu me parles de musique, ça fait vraiment partie de ma vie d'aussi loin que je me souvienne. Ça a toujours été pour moi une façon de m'exprimer.

Quels sont les moments qui t'ont rendue vraiment très heureuse, où tu as touché au bonheur ?
C'est évident que je vais toujours te nommer mon *chum* et ma fille comme mes premières sources de bonheur. Il y a des moments de bonheur reliés à la musique, et je me souviens de certains concerts, entre autres des duos avec Alain Marion, un grand ami flûtiste, malheureusement décédé. On a fait un disque, des concerts; toute la période au cours de laquelle j'ai travaillé avec Alain était tellement agréable, ça coulait de source. Parfois, avec *La Pietà*, il y a des moments extraordinaires, un échange que tu ne peux pas mettre en mots, tu ne peux pas le préparer, c'est juste là ! C'est un *moment* magique qui se passes qui s'établit : moi qui joue, les musiciennes autour, le public qui est là à nous écouter. Il y a des salles où j'avais toujours rêvé d'aller jouer et quand je m'y suis retrouvée, ça a été de gros moments de bonheur. Il y a eu les bonheurs des rencontres aussi. J'ai joué pour Nelson Mandela et je l'ai rencontré aussi, et ça c'est dans mon grand livre. J'ai rencontré le président de la Chine à deux reprises, le maire de Shanghai, le prince de Thaïlande. Il y a des gens que tu rencontres et qui te font te dire : ok, c'est un moment de bonheur, parce que c'est quand même un grand moment que je vis. La première fois que je suis allée en Asie, c'était à Tokyo, j'avais été invitée par le Tokyo Philarmonic Orchestra; j'avais 20 ans et c'était un beau moment de bonheur, je me réalisais. Parce qu'aussi, dans le bonheur, tu as la réalisation de toi-même. C'est sûr que j'ai touché, atteint de grands moments de bonheur, mais l'ultime, avec mon *chum*, c'est ma fille Marie. La naissance de ma fille a été ma plus grande réalisation. L'ultime, c'est ça, la naissance d'un enfant.

Quelle est ta relation avec ta fille ?
Je suis sa mère, mais elle est aussi mon amie. Elle est allée un an en Australie pour des études et, en 2015, elle a étudié à Londres au London Business School pour y faire une maîtrise. Elle est revenue au Québec l'an dernier. Quand elle nous a dit qu'elle revenait,

nous étions très contents. Marie fait partie de nos vies, et le rôle de Marie dans ma vie, c'est d'être mon rayon de soleil. On s'entend très bien, on parle, on est très ouvertes. Je sais très bien qu'elle aime voyager, elle a passé des années complètes à l'extérieur et je sais qu'elle va repartir, alors je profite des moments où je suis avec elle, ils sont importants.

Par ta musique, tu procures aussi beaucoup de bonheur autour de toi, tu génères beaucoup d'émotions chez les gens !

Le public est ma raison d'être en tant qu'artiste. C'est la source même de ma motivation de continuer. Je le fais aussi pour moi-même parce que j'aime ce que je fais, mais si je n'avais pas le public… Oui, il y a des prix, il y a des reconnaissances, mais encore là… Pas plus tard que dimanche dernier, une dame m'interpelle : «Madame Dubeau, il faut que je vous dise une chose…» Et là, les yeux plein d'eau, elle me dit : «Je viens de traverser une période très importante de ma vie, un cancer du cerveau, et je dois vous dire que votre musique m'a aidée à passer au travers. Je voulais juste vous dire merci.» Des commentaires comme celui-là, et d'autres que je reçois par écrit, ce sont des choses qui me vont profondément au cœur parce que l'ultime bonheur, en tant que violoniste, est de savoir que ma musique accompagne les gens dans leur quotidien, pour les bons comme pour les mauvais moments. Je ne peux demander plus que ça. Oui, il y a des disques, il y a des succès, entre autres douze millions de *streams* sur le dernier album mais, à la base, ce qui me touche profondément, c'est un couple qui m'écrit et qui me dit qu'ils se marient cet été et ont décidé d'utiliser telle ou telle pièce de ma musique. C'est des gens aussi qui me disent que leur mère est décédée et que, dans ses derniers moments, c'est ma musique qu'elle voulait écouter. Des moments heureux, malheureux, intenses et ma

> «À 13 ou 14 ans, quand j'ai eu ma première peine d'amour, mon premier réflexe a été de me tourner vers mon violon, j'ai pleuré sur mon violon en jouant.»

musique était là pour les accompagner. C'est le plus grand bonheur.

Tu travailles avec ton conjoint, est-ce que vous arrivez bien à départager votre vie professionnelle de votre vie de couple ?

Dans la vie, il faut être capable de trouver des moments à soi, entre autres pour notre relation de couple. À un moment donné, c'est la *business*, parce que Mario est mon agent depuis toujours, on travaille ensemble depuis toujours. Il est mon producteur de disques et à partir de là, on délimite nos réunions, on se donne une heure précise, un temps précis parce que sinon, on n'en sortirait pas et ce serait pas mal moins équilibré. Il faut qu'il y ait un équilibre qui soit respecté entre nos moments de couple et ceux reliés au travail qui font aussi partie de réalisations importantes et partie prenante de notre bonheur.

Est-ce que tu as des rêves, des moments de bonheur que tu veux réaliser à court ou à long terme ?

Autant je te disais que le bonheur, ce sont des petites choses, eh bien, ma *bucket list* est faite de petites choses. Notamment des voyages, je ne suis jamais allée en Inde. J'aimerais suivre un cours de cuisine asiatique, un cours de danse ; il me semble que j'aimerais ça, la danse, pour m'entraîner. Je suis comblée, je suis heureuse de ce que je suis aujourd'hui et je regarde vers demain aussi. Et c'est évident que je me vois faire autre chose dans la vie. Je me vois aussi prendre une retraite et avoir du temps pour moi, c'est une chose que je n'ai pas, je ne connais pas ça. Il faut que je travaille là-dessus.

Bruny Surin
Les rêves porteurs...

Les exploits de Bruny Surin ont marqué l'histoire de l'athlétisme canadien. Natif d'Haïti, c'est à l'âge de 8 ans qu'il est arrivé au Québec. Très tôt, il s'est mis en tête des objectifs qui l'ont propulsé plus loin et en ont fait un homme déterminé, du genre à ne pas abandonner malgré les obstacles. Le moment de bonheur absolu auquel il s'est longtemps accroché, celui de faire mieux sur la piste que son idole, le sprinter Carl Lewis, a fini par se réaliser. C'est chez lui, à Laval, que j'ai rencontré Bruny. À l'écouter parler et raconter avec moult détails les moments intenses qu'il a vécus comme athlète, ou témoigner de la grande importance qu'occupent sa femme et ses filles dans sa vie, on réalise rapidement qu'on a devant soi un passionné qui a toujours choisi de créer ses moments de bonheur et de réussite.

Tu as eu une brillante carrière dans le monde de l'athlétisme, ton après-carrière va très bien, quel est ton secret pour être heureux?

Pour moi, la vision du bonheur est que j'ai toujours voulu avoir une vie balancée et équilibrée, même quand j'étais actif dans l'univers de l'athlétisme. Lorsque je me suis marié, certains me disaient: «Ne fais pas ça, ça va te déranger, ça va nuire à ta concentration.» Et le jour où j'ai voulu avoir des enfants et que ma femme est tombée enceinte, on m'a dit: «Non, non, ne fais pas ça!»

Ces personnes-là ne pensaient qu'à l'athlète et à ses performances?

Oui, et je ne comprenais pas trop parce que pour moi, le mariage et la famille me semblaient nécessaires à mon équilibre, j'en avais besoin pour être heureux.

Ce n'est pas juste le sport, le sport et encore le sport, ça prend un équilibre quelque part. Je connais des gens pour qui le sport était tout et qui, maintenant, n'ont pas atteint l'équilibre dans leur vie. Ils sont passés à côté de quelque chose.

Tu avais établi des priorités auxquelles tu tenais vraiment?

Quand j'étais trop dans mon élément et que la famille me manquait beaucoup, je disais à mon agent que je voulais retourner chez moi. Il me répondait que je ne pouvais pas, qu'on avait un contrat, et que c'était beaucoup d'argent. Mes *chums* aussi me disaient que j'étais malade de vouloir partir. C'est vrai qu'il y a de l'argent, c'est vrai que tu essaies de sécuriser quelque chose mais, en même temps, si ça me rend tellement malheureux et qu'il manque quelque chose à ma vie, eh bien, je vais essayer de retrouver mon équilibre. Alors finalement, mon *manager* changeait mon billet d'avion et je revenais à la maison.

Tu es un homme heureux?

Aujourd'hui, mon bonheur se situe à 10 sur 10 parce que j'ai une belle famille en santé, mes deux filles sont épanouies, ma femme va super bien et elle a un *job* qu'elle adore. En plus, notre vie de couple va à merveille, j'ai des projets qui avancent bien, j'aime ce que je fais et chaque jour des choses très intéressantes se présentent à moi. C'est sûr qu'il y a beaucoup de travail, mais quand tu aimes ce que tu fais, tu ne comptes pas les heures. Il m'arrive souvent de regarder ma vie et de me dire que c'est un conte de fées.

Tu as vécu de grands moments à titre d'athlète, quels sont les plus beaux souvenirs que tu conserves?

Premièrement en 1996, aux Jeux olympiques d'Atlanta, quand on a gagné la médaille d'or au 4 X 100 mètres. On était quatre gars sur le podium avec l'uniforme du Canada, et tout ce monde debout devant nous; l'hymne national qui jouait; le drapeau du Canada… L'émotion que tu ressens, tu ne peux pas demander mieux, c'était fou! Je flottais sur un nuage. Le deuxième grand moment de bonheur, c'est lorsque j'ai couru le 100 mètres en 9,84 secondes. J'ai terminé deuxième au Championnat du monde à Séville en 1999, et c'est deux heures après cette performance-là que j'ai réalisé que j'avais atteint mon rêve ultime qui était de courir plus vite que mon idole Carl Lewis.

Pourquoi dis-tu que tu as mis deux heures à le réaliser?

C'est comme si tu étais dans une autre dimension, dans un autre monde. Tu es tellement dans ta bulle, t'es comme ailleurs. Et le 100 mètres aussi ça va vite! À 9,84 secondes, tu vas vite, mais en même temps, en le faisant, tu as des *flashbacks* de tes entraînements: comment tu te sentais à 10 mètres, la position dans laquelle doit être ton corps. Les informations vont vite et, en même temps, on dirait que c'est comme en *slow motion*. J'étais en avance sur Maurice Green à 20 mètres, à 30 mètres, et j'ai senti et vu qu'il me dépassait vers la fin. Je regarde alors le tableau indicateur: *Great*, je finis deuxième, je gagne la médaille d'argent. C'est *l'fun*, je suis deuxième au monde. Tout de suite après, on a des entrevues avec les journalistes, on me félicite mais je n'étais pas là, j'étais happé par tout ce qui se passait. Ensuite est venue la cérémonie des médailles; tout le monde est content, j'ai ma médaille. Ce n'est qu'après, alors que j'attendais pour subir un test, comme tous les médaillés doivent le faire automatiquement, que j'ai eu une prise de conscience. J'étais assis, j'attendais mon tour avec Bianelle à mes côtés quand, tout à coup, c'est comme si je venais de redescendre sur terre. Je te jure! Là, j'ai dit à Bianelle: « Aïe! J'ai couru en 9,84 secondes! » Elle m'a regardé et m'a dit: « Bien oui! » Imagine, ça faisait comme deux heures et c'est là, à partir de ce moment-là, que j'ai eu plein de *flashbacks*. Je me revoyais ti-cul, au secondaire, après l'école, alors que je regardais les Jeux olympiques à la télé. Je regardais Carl Lewis, mon idole, puis je disais à tout le monde que je voulais être comme lui, et courir plus vite que lui, et tout le monde riait de moi. Je revoyais les visages des gens qui riaient de moi quand j'ai commencé à faire de l'athlétisme, je revoyais les gens qui me fermaient la porte, puis à la fin je revoyais le visage de mon entraîneur qui me disait : « Écoute, si tu as le potentiel, si tu veux vraiment, tu peux le faire. » Le *flashback* s'est terminé sur cette image-là et je me suis dit : « Tabarnouche… dans les livres, Bruny Surin est en avance de Carl Lewis ! » Je te jure, c'est venu me chercher, c'était l'enfer l'émotion que j'ai ressentie, ce moment magique va me rester en tête pour la vie.

Comment a réagi ta femme ?

Elle a vu la transformation chez moi, elle a vu qu'il se passait quelque chose. Sur le coup, elle pensait que je niaisais, mais j'étais vraiment dans un état particulier. Je lui ai parlé de ce qui s'était passé, de ce que je venais de ressentir. Tout ça est encore clair dans ma mémoire et c'était spécial de vivre ce moment-là avec elle.

C'est lors d'un moment comme celui-là que tu réalises tout le chemin que tu as parcouru !

Oui, et je remercie beaucoup Daniel Saint-Hilaire, mon premier entraîneur que je revois d'ailleurs encore souvent. Quand j'ai commencé le *sprint*, il y avait toute l'histoire de Ben Johnson en 1988 qui faisait beaucoup de bruit. Les gens disaient que les Canadiens étaient des tricheurs et que si on voulait réussir comme Ben Johnson et être les *tops* au monde, il fallait prendre de la drogue, parce que sinon c'était impossible. Premièrement, avec l'éducation que j'ai reçue de mes parents, je n'aurais jamais choisi cette voie. Deuxièmement, il y avait mon premier entraîneur, Daniel Saint-Hilaire. On dit souvent qu'un entraîneur peut avoir beaucoup plus d'influence que ses propres parents et ça, je l'ai réalisé avec mes filles dans le sport. Daniel, lui, c'était plutôt le côté extrême, il me disait : « Oublie la drogue, tu as le potentiel, et fais de la visualisation, essaie de trouver quelque chose pour te motiver. »

Il m'a donné plein de trucs, c'était incroyable. J'habitais chez mes parents et j'avais un *poster* de Carl Lewis, au-dessus de mon lit, et quand j'allais me coucher, je regardais ce *poster* en me disant : « Un jour je vais l'avoir, un jour je vais l'avoir. » Et tout le monde riait de moi, mais je me le répétais et j'étais déterminé. J'ai réalisé mon record à l'âge de 32 ans, après 15 ans d'efforts. Boum : ça c'est fait !

Tu parles de visualisation, est-ce que tu es du genre à anticiper tes moments de bonheur ?

J'ai fait de l'anticipation dès que j'ai commencé à faire du sport, et j'ai continué dans cet esprit-là. Dans le sport, on s'entraînait et on avait toujours un objectif comme la fin de la saison, par exemple, le Championnat du monde. J'anticipais, je faisais de la visualisation, je voyais le Championnat du monde et mon objectif était d'être parmi les cinq meilleurs ou de gagner. J'essayais de me mettre en tête que j'allais atteindre mon objectif.

Quand tu as quelque chose en tête…

Oui, et je raconte une autre histoire : depuis que je suis petit, j'ai toujours adoré la mode. Ma mère était couturière et ma mère me disait toujours de bien m'habiller quand j'allais à l'école, il fallait que mes vêtements soient bien repassés. J'ai grandi avec ça. Je préparais mes vêtements le soir pour le lendemain, c'était toujours comme ça. Puis est venu le moment où j'ai voulu avoir ma propre collection de vêtements de sport et 90 % des gens, que ce soit par méchanceté ou parce qu'ils n'y croyaient pas, me disaient de ne pas le faire, qu'il n'y avait pas d'argent à faire avec ça, que j'allais en perdre parce que je n'avais pas d'expérience. Mais moi, j'avais ce rêve-là en tête. En 1999, après ma course de 9,84 secondes, alors que j'étais commandité par Nike à titre de deuxième *sprinter* de tous les temps, que les contrats étaient nombreux et que je me sentais comme le King, le téléphone a sonné. C'était les gens de Nike qui me contactaient pour me dire que, si j'étais intéressé, je pouvais dessiner la chaussure de sport que je voulais

visualisation, je me voyais comme si j'étais avec mon équipe et que je leur parlais de tissus, on faisait nos trucs, et je me voyais me promener dans la rue, et voir du monde porter du Surin. Plus je faisais cet exercice-là, plus je me le mettais dans la tête et plus j'y croyais. Les années ont passé et aujourd'hui, ça s'est concrétisé, il y a des gens qui portent du Surin !

Le bonheur se trouve donc dans la réalisation de ses rêves, ou du moins de faire les efforts pour y parvenir ?

Mon bonheur, je l'ai créé. C'est peut-être prétentieux de dire ça, mais enfin disons plutôt que le Bon Dieu ou un être suprême — appelons-ça comme on veut — m'a donné le cadeau que je voulais. Je voulais être le meilleur au monde et m'entraîner pour y parvenir, mais en même temps je voulais retourner chez moi où ma conjointe et mes enfants m'attendaient. Souvent, les gens se laissent guider par les dictats de la société et par ceux qui leur disent quoi faire. Et ils exécutent plutôt que de prendre le contrôle de leur vie. Il suffit que quelqu'un dans ton entourage t'influence pour que tu laisses tomber ton rêve, et ça c'est très dommage. Ça arrive tellement souvent et quand je fais des conférences, les gens viennent me voir après ou m'écrivent et me disent : « J'ai eu un rêve et je l'ai laissé tomber pour telle ou telle raison. » Dans mon cas, si j'avais écouté les gens autour de moi, je n'aurais pas fait de sport, je ne me serais pas marié, je n'aurais pas eu d'enfants, pas conçu ma collection de vêtements et je n'aurais pas ma Fondation ! Qu'est-ce que j'aurais fait ? Il faut vraiment écouter son cœur, se demander ce qu'il nous faut pour être heureux, ce qui ferait notre bonheur, puis travailler là-dessus. Le gens me disent que ce n'est pas si simple et je ne veux pas avoir l'air d'avoir réponse à tout, mais oui c'est simple ! Il faut y croire et y mettre les efforts nécessaires.

Tu te permets souvent des petits plaisirs, des moments de bonheur ?

J'aime aller faire un tour à Tremblant, pour une journée ou une fin de semaine, seul ou avec Bianelle.

et qu'ils allaient produire mes propres chaussures personnalisées. On m'a invité à la maison mère, à Beaverton, en Oregon. *Oh my God !* Avec les spécifications de Nike, j'ai commencé à dessiner ma chaussure chez moi, puis je suis allé en Oregon où j'ai rencontré les *top* designers de Nike. Par la suite, je suis allé aux laboratoires assister à la confection des chaussures. J'ai tellement adoré cette expérience-là que je me suis dit, en 1999, qu'à ma retraite, il fallait que j'aie une collection de vêtements. J'ai fait de la

Dernièrement, j'ai loué une Audi R8 décapotable, juste pour me faire plaisir, parce qu'il faisait beau. Ça a été un petit moment de bonheur. Le week-end, les soupers avec la famille, passer du temps avec ma femme et mes filles, ce sont aussi des moments heureux et faciles à réaliser. Et ça n'a pas besoin d'être compliqué. Quand j'ai commencé, j'avais ma petite voiture et j'allais reconduire Bianelle au travail, et il fallait qu'elle passe de mon côté pour sortir parce que sa porte n'ouvrait pas. On n'avait pas grand-chose, mais nous étions tellement heureux! Tout le monde peut avoir ce bonheur-là.

Depuis combien de temps êtes-vous ensemble, ta femme et toi?

Ça a fait 25 ans, nous nous sommes mariés en 1991. Et nous avons deux filles. L'aînée est graduée de l'Université de Pennsylvanie en production et communications, et ma plus jeune étudie à l'Université du Connecticut. Les deux font du sport. L'aînée a eu une bourse sport-études en tennis. La plus jeune a eu une bourse d'études en athlétisme, les deux en sports de haut niveau. Quand elles étaient petites, je les ai obligées à faire du sport récréatif. Après, quand elles ont grandi, ce sont elles qui ont voulu faire du sport de compétition. Ma plus vieille s'est dirigée vers le tennis et la plus jeune, dès l'âge de 5 ans, voulait faire de l'athlétisme. Je lui disais qu'elle était un peu jeune, que nous allions attendre qu'elle ait 14 ans pour prendre une décision. Elle a alors fait du soccer, du tennis et, à 14 ans, alors qu'elle était dans l'équipe nationale de tennis, elle a tout laissé pour faire de l'athlétisme. C'est ce qu'elle aime, nous allons la soutenir.

Le moment de la retraite a été difficile à vivre?

J'ai préparé ma retraite pendant au moins deux ans, ça paraît que je suis un gars qui anticipe! J'ai commencé à y penser, je me demandais ce que j'avais envie de faire, et j'écrivais sur papier ce qui m'intéressait le plus, ce qui me tenait vraiment à cœur. C'est sûr qu'il y a eu de l'émotion à la dernière compétition, je me disais que c'était la dernière fois que j'allais porter le chandail du Canada comme compétiteur, la dernière fois que j'allais me rendre au stade. Quand ça a été fini, c'est sûr que j'ai pleuré, mais je suis aussi un gars capable de tourner la page assez rapidement et assez facilement. Je me suis dit: «Ok, c'est fait, j'ai eu tous ces moments de plaisir, de bons moments, de mauvais moments, il s'est passé beaucoup de choses, et maintenant on passe à la vie normale.» Nous habitions alors Rosemère et j'avais acheté un terrain à Blainville. J'ai commencé à bâtir ma maison, je suis parti en *business* en même temps, j'avais un bureau de consultation en entraînement physique. Bref, la transition s'est faite en douceur et je n'ai eu aucun moment, aucune journée, où je me suis dit que la compétition me manquait. Jamais.

C'est sûr, parce que tu t'étais bien préparé à ce moment?

Oui, je pense que c'est peut-être parce que j'étais sensible à ça. J'ai entendu d'anciens athlètes raconter à quel point le retour à la vie normale était difficile, qu'ils souffraient de dépression. Je faisais encore de la compétition et la première fois que j'ai entendu une histoire semblable, je me suis dit que c'était n'importe quoi. La deuxième fois, ça a piqué ma curiosité, et après avoir entendu trois ou quatre histoires, j'ai posé des questions et j'ai compris qu'ils ne s'étaient pas préparés à cette transition. C'est là que je me suis dit que ça ne m'arriverait pas.

Qu'est-ce qui manque à ton bonheur? Tu as des rêves?

Il ne manque rien à mon bonheur. Si tous mes objectifs se concrétisent comme je le veux, je verrai ça comme des bonus.

Benoît Gagnon
Une soif insatiable de plaisirs et de bonheurs

Au cours de notre conversation, Benoît Gagnon est revenu à maintes reprises sur sa *gang*, comme il l'appelle : sa compagne et ses trois enfants. Le bonheur des siens occupe toutes les pensées de celui qui est devenu papa pour la troisième fois en novembre 2015. L'animateur a toujours projeté l'image d'un homme qui croquait dans la vie à pleines dents et qui vivait à 100 milles à l'heure, une image tout à fait conforme à la réalité pour celui qui fait rimer le mot plaisir avec bien-être.

« Ma vie a toujours été comme ça, je suis toujours en quête de bonheur, en quête de bien-être, autant pour ma *gang* que pour moi. Je suis de ceux qui créent les occasions pour être bien, qui ne se refusent rien et qui s'amusent. Ma propension au bonheur est inébranlable et ça remonte probablement — en fait, j'en suis pas mal sûr — au décès de mon père à 57 ans. J'avais sûrement cette tendance avant qu'il ne parte, mais elle est beaucoup plus forte, plus urgente aujourd'hui. Jusqu'à preuve du contraire, on n'a qu'une vie à vivre et je ne veux juste pas passer à côté. À 45 ans aujourd'hui, je suis dans une bonne période, je suis heureux. J'ai une bonne vie, je travaille fort et je suis fatigué, mais je suis heureux. »

Le bonheur, c'est notamment le privilège de faire ce que l'on aime dans la vie ?

Tout à fait. J'ai beaucoup de *chums* qui se lèvent le matin et qui vont travailler de reculons. Ils n'aiment pas leur travail et ne s'y réalisent pas personnellement, mais ils ont des responsabilités familiales et une hypothèque à payer. Je réalise la chance que j'ai. J'ai commencé à travailler à l'âge de 19 ans et c'est la musique qui m'a d'abord amené à la radio. J'ai *trippé* comme un fou et le reste a suivi, mais je n'ai jamais rien tenu pour acquis. Ça fait 27 ans que je fais de la radio et de la télé, c'est fou ! J'ai toujours été impressionné, par exemple, d'aller au gala Artis et de voir Michel Côté que j'admire, et qu'il me salue. Je suis un *fan*, j'aime les artistes, et j'ai parfois l'impression d'être un imposteur dans ce milieu-là. Je me trouve chanceux d'en faire partie en raison de mon travail et d'assister, par exemple, à des événements où l'on me traite mieux que le commun des mortels. Mon frère, qui travaille bien plus fort que moi dans la vie, n'a pas ce privilège.

Et la famille dans tout ça ?

Pour être heureux à la maison, j'ai inventé il y a quelques années une formule qui s'applique à ma famille. C'est le 5-2-1 et c'est bien simple. Nous sommes cinq à la maison et pour être heureux, on doit faire des activités tous ensemble et avoir du plaisir. Avant d'être cinq, nous étions deux, Jenna et moi. Et pour être bien dans notre cinq, il faut se rappeler cette période où nous étions deux, et retrouver ces moments-là, en allant au restaurant ou au cinéma, en allant voir un spectacle, en sortant avec des amis. Et avant d'être deux, nous étions un, chacun de notre côté, et moi j'ai besoin de voir mes *chums*, d'aller à

un match du Canadien avec eux, puis qu'on se retrouve dans un restaurant à dire des niaiseries. Si je ne suis pas heureux dans mon un, je ne serai pas heureux dans mon deux ni dans mon cinq. On a eu une vie avant la famille aussi, et il ne faut pas l'oublier. Même si je suis un gars de famille, j'ai besoin de mes moments et de mes activités à moi, et je veux que ma blonde fasse aussi la même chose de son côté. Il faut profiter de ce qu'on a et de ce que la vie nous offre, ça va tellement vite !

Le bonheur, pour toi, passe donc par une foule de choses et de moments que tu crées ?

Oui, j'ai besoin de tout. Quand j'étais petit, l'heure du souper était le moment où nous nous retrouvions tout le monde et c'était important. Et si quelqu'un téléphonait chez nous à ce moment-là, ma mère répondait toujours : « L'heure du souper ! Bonsoir ! » Mes *chums* raccrochaient, ils savaient que ce n'était pas le temps de téléphoner. Nous étions donc les quatre à table : mon père, ma mère, mon frère et moi, et nous nous racontions notre journée. Je reproduis ça à la maison, pour moi c'est le moment le plus important dans une journée, lorsqu'on se retrouve tous à table. Quand j'entends rire tout le monde, c'est le bonheur ! J'ai le droit de me tromper dans bien des choses, mais s'il y a un endroit où je me donne le moins de marge de manœuvre, c'est à la maison, avec ma famille. La place où je veux être le meilleur, avoir les bons mots quand vient le temps de régler quelque chose, les bons mots pour consoler, pour conseiller, c'est chez nous avec les miens. C'est dans ce rôle-là que je m'accomplis le plus, et je me trouve bon, je pense que je suis un bon père. Et ce rôle-là, il s'apprend tous les jours. Il n'y a rien de parfait dans la vie, mais si tout le monde autour de moi va bien, que tout le monde est en santé, c'est ça le bonheur pour moi.

Tu parlais de ton père, sa présence te manque beaucoup ?

Tous les jours. Il était mon superhéros, c'était la rock star de la famille. Puisque j'étais l'aîné, j'ai voyagé beaucoup avec lui le matin, parce que je partais avec lui pour l'école ou pour le travail. On a fait de la route et passé beaucoup de temps ensemble. Ce qui me manque le plus, ce sont les choses que je n'ai jamais pu faire avec lui. Je n'ai jamais voyagé avec mon père, sauf pour aller à Cape May et à Old Orchard en auto, lors de nos voyages en famille. Je n'ai jamais pris l'avion avec mon père, j'aurais aimé ça aller à Paris prendre une bière avec lui, en Italie manger une pizza sur une terrasse. Ce sont les choses que je regrette le plus, il me manque beaucoup. Ça fait déjà quatorze ans qu'il n'est plus là.

C'est encore plus difficile de penser à toutes ces choses quand on est très près de son père comme tu l'étais…

Oui et dès qu'il m'arrivait quelque chose *le fun*, mon premier réflexe était de lui téléphoner. Sonia, mon ex-conjointe, était enceinte de Sophie quand mon père est décédé. C'était en février, et ma fille est née en juillet. On ne savait pas si nous attendions un garçon ou une fille, et il a mis sa main sur le ventre de Sonia et a dit : « Ah, une première fille dans la famille ! » Et il est mort deux jours après. J'aurais aimé qu'il rencontre Sophie, elle est exceptionnelle et elle aurait eu du plaisir à le connaître. Et mon père, qui était garde du corps de René Lévesque et hyper souverainiste, *tripperait* solide que ma blonde soit anglophone…

Ta façon de voir la vie a changé avec le temps ?

Avant, je n'étais pas du genre à planifier, mais je le fais plus maintenant. Pour tout dire, avant je m'en fichais ! Je faisais mes affaires et peu importe ce qui arrivait, je me disais qu'il y aurait toujours autre chose, que s'il n'y avait plus d'argent ou d'emploi ici, il y en aurait ailleurs. Je brûlais beaucoup de temps sans trop m'en soucier, je faisais plein de choses et j'étais bien là-dedans. Aujourd'hui, on dirait que je suis plus posé, plus relax, je savoure davantage ce que je vis. Pas que je ne le faisais pas avant, mais je le fais de façon différente aujourd'hui. J'avais toujours le goût de défoncer des portes et j'ai encore cette *drive*-là aujourd'hui, mais c'est plus structuré et plus réfléchi.

Et si tu avais un conseil à donner, la façon selon toi d'accéder au bonheur ?

Le conseil n'est pas très compliqué : il faut créer son propre bonheur. Le bonheur, ça part de soi-même. Je pense qu'on cherche trop à regarder le bonheur des autres, à se frustrer de ne pas être dans une relation de couple ou de ne plus l'être, ou de ne pas avoir eu d'enfant, de ne pas avoir voyagé. La liste peut être longue… J'ai beaucoup de *chums* qui ne se sont jamais réalisés personnellement ; je les vois et ils sont gris et aigris, parce qu'ils sont constamment frustrés. Ils comparent ce qu'ont les autres avec ce qu'ils ont, ils sont toujours en train de regarder le bonheur des autres. Je pense qu'il faut définir ce dont on a envie. Qu'est-ce que tu aimes dans la vie ? La bouffe ? Prends un cours de cuisine, va jaser avec des chefs dans un restaurant, va à New York et essaie six restaurants en un week-end ! Crée ton bonheur et tu vas te nourrir de ce que tu aimes dans la vie. Moi, j'ai des *chums* qui gagnent de gros montants d'argent chaque année, qui ont des grosses maisons, des autos, des bateaux, et ils sont malheureux comme les pierres. On pense souvent que le bonheur passe par l'argent… Mais bon, j'ai aussi d'autres amis aussi qui sont pleins aux as et qui sont très heureux ! J'en ai qui ont décidé qu'ils allaient avoir du *fun* dans la vie, et j'en ai d'autres qui ne sont jamais contents, qui chialent sur tout. Si tu as tous les outils du monde pour être heureux et que tu ne l'es pas, c'est que tu as choisi de ne pas l'être.

Et toi, ton bonheur ?

Mon bonheur passe par le bonheur de ma *gang*. S'ils vont bien, je vais bien. Je me souhaite de bien vieillir et en santé, de vivre le plus longtemps possible pour voir Mathieu, Sophie et Charles grandir, se réaliser, avoir quelqu'un dans leur vie, avoir des succès et des échecs, connaître leurs enfants, et être là pour vivre ça avec eux.

Mélanie Maynard
Trouver un sens au bonheur et à la réussite

Animatrice et comédienne, Mélanie Maynard avoue que la recherche du bonheur a toujours été une quête qui l'a habitée. «À un moment donné, ta quête ça peut être d'avoir une grosse maison, du succès, d'être reconnue et d'avoir le plus grand nombre de "J'aime" sur tes pages de réseaux sociaux, puis vient un moment où tout ça fout le camp. Ça a toujours été tellement important pour moi de bâtir mon identité dans le regard des autres, alors que maintenant, au contraire, j'essaie vraiment de me défaire de ça. Ça ne dicte plus ma vie.»

«Ma notion du bonheur a beaucoup changé au cours des années. Jacques Languirand a déjà écrit qu'on passe les premières quarante années à construire son égo, et les quarante dernières à le déconstruire. Je te dirais que c'est exactement ça dans mon cas. La tranche de la quarantaine a été franchie, j'ai pris conscience que je ne veux plus que ce soit le regard des autres qui me définisse et que, même si j'adore mon travail, je ne veux plus y investir toute ma vie. J'ai vraiment l'impression que c'est lorsqu'on arrive à la moitié de sa vie que la recherche de l'équilibre prend tout son sens», confie Mélanie Maynard.

Ton parcours professionnel t'a en quelque sorte amenée à changer ta vision du bonheur?

J'ai voulu être comédienne au tout départ parce que j'étais mal dans ma peau et que j'avais envie de me faire oublier. Mais c'est la carrière d'animatrice qui est venue me chercher. Et il n'y a rien de plus gratifiant pour l'égo que d'être animatrice, parce que tu te fais aimer pour ta personnalité, tu te fais aimer pour ce que tu es. Je pense que ça a été salvateur parce que je n'avais pas beaucoup d'estime de moi. Mais

j'aurais envie de revenir au jeu pour aller ailleurs, pour découvrir d'autres zones. Mon bonheur était de jouer, c'était ma passion première, et malheureusement, j'ai été happée par l'argent. On va se le dire: au Québec, c'est bien plus payant d'être animatrice que d'être comédienne. J'ai complètement mis de côté ma passion pour pouvoir me payer le luxe de me dire: «Je vais être capable d'acheter telle ou telle chose…» J'ai constaté que le bonheur vient par étapes, et à 20 ans, ce qui te rend totalement heureuse, c'est de te réaliser, de te faire voir et d'avoir du succès. Puis, à une autre étape de ta vie, ton bonheur se situe davantage dans la recherche d'un équilibre familial, mais je pense que la vie est bien faite, on s'en va vers un tout.

Et ton bonheur, il se situe où aujourd'hui?

Mon bonheur est vraiment au quotidien, à tous les jours, en ayant en tête de ne plus me faire suer. J'ai la chance d'avoir travaillé beaucoup, alors je pense que j'ai maintenant une certaine liberté dans mes choix. J'ai envie de trouver un sens à ce que je fais, je ne veux pas *bourrer* du temps d'antenne juste pour *bourrer*

Deux bonheurs sur pattes

« Les chiens me rendent profondément heureuse, je ne savais pas que j'aimais tant les animaux. De voir mes chiens tellement contents quand je vais marcher avec eux, de me retrouver à un endroit où je peux les laisser courir est devenu un plaisir obligé. Je palpe leur bonheur. Et ça me fait du bien aussi, car il n'y a rien qui ne me permette de méditer mieux que la marche. L'amour que j'ai pour ces animaux-là a fait en sorte que je suis devenue végétarienne. C'est un grand bonheur quotidien d'avoir dans ma vie mon goldendoodle et mon berger australien que je suis allée chercher dans un refuge. Un grand, grand bonheur quotidien. »

du temps d'antenne, pour qu'on voie ma face et pour que mon nom ne disparaisse pas de la marquise. Le bonheur, ce n'est vraiment pas l'argent. Je viens d'un milieu modeste où il fallait jouer un peu du coude pour faire sa place. J'ai eu la grosse maison, le gros chalet, le bateau et vraiment, ce n'était pas là le bonheur. Plus ta maison est grande, plus tu as besoin de choses pour la remplir, et pas seulement sur le plan matériel. Et si tu ne la remplis pas autrement que matériellement, il y flotte une espèce de vide. En tout cas, moi, ça résonnait vide dans ma vie. Et puis toute la mentalité qui allait avec ça, à l'effet que l'argent pousse dans les arbres, qu'on n'a pas d'efforts à faire parce qu'on sait que, de toute façon, on ira en Italie et en Espagne trois fois par année, ce n'était plus pour moi. J'ai beaucoup remis mes valeurs en question et j'ai l'impression d'être revenue à ce que j'étais vraiment au fond, à ce que j'étais adolescente.

Dirais-tu que ces dernières années, tu as renoué avec une Mélanie plus authentique ?

Oui, même si je pense avoir toujours fait preuve d'une grande authenticité à toutes les étapes de ma vie. Quelque chose en moi est revenu vers ses racines, vers le petit village d'où je viens, ma région, ma grosse famille. C'est drôle parce qu'au moment où ma quête, c'était d'avoir la grosse maison et de me dire que j'avais un chalet aussi gros qu'untel, je continuais d'admirer ceux qui avaient des carrières de fond, les acteurs qui travaillent depuis longtemps et qu'on ne se fatigue pas de voir. Pour moi, ils avaient bien joué leurs billes. J'ai donc eu l'impression de toucher à ce bonheur factice auquel les gens aspirent et j'ai seulement envie de leur dire que ce n'est vraiment pas ça. Je reviens souvent avec l'image de ma boîte. Mon père a habité la même maison pendant quarante-cinq ans et, quelque temps avant sa mort, il en a été réduit à une seule chambre. Il a dû choisir des objets, dans toute sa grande maison, qui pouvaient tenir dans une seule boîte. Et dans sa boîte, il a mis des souvenirs qui comptaient pour lui, des photos des gens qui avaient été importants dans sa vie. Pour moi, vivre à 100 milles à l'heure, avoir 12 emplois en même temps et vouloir avoir le plus gros *gazebo*, la plus grosse piscine et les nouveaux meubles tendance, ça ne me donne vraiment rien.

Et si tu avais un bilan à faire des grands bonheurs de ta vie ?

Ils ont des noms, ces bonheurs-là, ce sont mes enfants, Rosalie et Louis-Thomas. Et il y a mes belles-filles aussi, que je vois encore et qui ont été tellement importantes dans ma vie et qui m'ont menée à l'étape où je suis arrivée aujourd'hui, parce que j'ai l'impression d'être devenue adulte à 40 ans. Pour moi, l'âge adulte, c'est de s'assumer, d'être en accord avec ses valeurs et ses choix. Et ça, selon moi, c'est plus difficile à atteindre avant 40 ans. Mes grands bonheurs, ce sont toutes mes amours, je suis vraiment une amoureuse dans la vie. Il y a les trois hommes qui ont partagé ma vie, les deux pères de mes enfants et mon amoureux actuel, ce sont vraiment des hommes de qui j'ai beaucoup appris. Pour moi, l'amour, c'est vraiment quelque chose de primordial. Et l'amour inconditionnel que je vis avec mes enfants, je me dis que ce serait génial si on arrivait à tasser assez son égo pour aimer tout le monde autour de soi comme ça. Pour moi, cet amour universel est une clé parce que ça apporte tellement d'apaisement ! Tu dors mieux, tu as tellement moins d'anxiété et tu prends les choses beaucoup moins personnellement.

Tu as vraiment développé ton côté zen !

Oui, et je pense que ça va vraiment avec la déconstruction de l'égo. Il n'y en a plus de batailles, au moment où tu acceptes que l'autre est comme ça, et que l'autre a ça, et que toi tu as ça… Il y a comme un apaisement intense qui survient, j'ai vraiment travaillé fort là-dessus,

sur l'acceptation. Alors que quand tu construis, tu as juste hâte de voir les travaux finis : tu as beau avoir installé ton nouveau comptoir, tant que le reste n'est pas fait autour dans ta cuisine, tu n'en profites pas. Je te dirais que j'ai passé une bonne partie de mes quarante premières années à me construire, et j'ai eu de beaux moments parce que j'ai l'incroyable capacité de m'ancrer profondément dans le moment présent. C'est comme ça que j'ai survécu à mes agendas surchargés. Je vivais chaque jour, chaque contrat, comme s'il n'y avait pas de lendemain. J'utilise encore un agenda papier et je ne regarde pas ce que j'ai à l'horaire pour le lendemain, je n'ai plus envie de m'en faire. Par contre, j'ai toujours ce besoin de vibrer dans mon métier, sinon je serais morte là, ma carrière aurait duré encore moins longtemps. J'ai toujours refusé de m'éteindre et je n'ai jamais eu de plan de carrière, sinon que d'essayer de trouver le

plus de bonheur possible dans chaque projet. La nouveauté et la créativité me stimulent beaucoup.

Est-ce qu'il y a eu un élément déclencheur de toute cette remise en question ?

Je dirais que mes parents ont joué un rôle dans tout ça, quand ils ont commencé à avoir des problèmes de santé. Jusqu'à ce qu'il arrive quelque chose à nos parents, on ne se voit pas nécessairement comme le prochain qui va débarquer de la chaîne. Ma mère a eu un accident, elle s'est cogné la tête et a dû réapprendre à marcher, à manger ; et quand mon père nous a quittés soudainement, en trois mois à peine, ça a remis beaucoup de choses en question.

Tu savoures pleinement les doux moments que tu vis ?

Complètement ! Tous les soirs de printemps, sur ma petite terrasse avec ma vieille moustiquaire pleine de trous, j'ai un rayon de soleil qui, pendant environ un mois et demi, arrive toujours à la même place sur mon verre de vin. C'est ma place et c'est un petit moment de bonheur. Et je suis très émotive quand j'aime quelque chose. En 2015, j'ai fait le tour de la Gaspésie et j'ai été éblouie par les paysages, les larmes me coulaient toutes seules. J'ai tendance à m'émerveiller facilement, ce qui me ramène vite à un bon état d'esprit quand j'ai des petits soucis. Tu sais, l'expression « être sur son x », je pensais que c'était seulement professionnel, dans le sens d'être à la bonne place, quand toutes tes compétences sont utilisées au maximum. Maintenant, plus ça va, plus mon x grandit, je comprends maintenant qu'il suffit que tu aies exactement la bonne source de lumière, à la bonne place, pour que tout soit magnifié. Comme dans l'œil d'un photographe. J'ai envie du beau, de cette étincelle-là. Et je suis contente parce que les gens me disent souvent que je les mets de bonne humeur, que je leur fais du bien quand ils m'entendent. Avec ce genre de commentaires, je vois un sens à ce que j'ai fait et pourquoi je suis peut-être présente dans ce métier. Si tu acceptes que ces commentaires te rendent heureux, avec les réseaux sociaux surtout, il faut que tu donnes aussi de l'importance aux commentaires négatifs qui pleuvent partout. Heureusement, j'ai été chanceuse, je n'attire pas ce genre de commentaires, je joue assez *safe* pour ne pas les attirer. Je me souviens à quel point j'avais peu confiance en moi quand j'ai débuté à *Deux filles le matin*. Je lisais chaque courriel, chaque commentaire — il y en avait environ 325 chaque jour — et il y en avait même que j'imprimais pour les conserver. D'ailleurs, depuis le début de ma carrière, j'ai gardé beaucoup de papiers, des entrevues, comme si c'était un privilège pour moi de faire ce travail et que, chaque année, ça risquait de

Un petit bonheur qui rappelle l'enfance…

Ce sont souvent des choses toutes simples qui nous procurent du bonheur, des plaisirs que nous nous permettons de savourer. « Quand j'étais petite, la seule folie que l'on pouvait avoir, c'était la crème glacée. J'ai toujours aimé ça et tu sais, ce moment où ta crème glacée est dans ton bol depuis environ 10 minutes, qu'elle commence à fondre et qu'il y a une espèce de soupe crémeuse qui se crée tout autour ? Écoute, ce moment-là, c'est un petit bonheur en soi pour moi. »

s'arrêter. Je suis encore impressionnée de voir que ça fait plus de vingt ans que je fais ça, j'ai gardé en moi ce sentiment de privilégiée.

Est-ce qu'il y a des endroits où tu aimes te retrouver et qui te font du bien ?
Quand je me suis séparée, quand j'étais au cœur d'une tempête, d'un tsunami, parce que ce n'était pas quelque chose de réfléchi et pensé longtemps à l'avance, j'ai commencé à aller me promener dans le bois dans des sentiers balisés. Quelqu'un m'avait dit : quand tu penses que ta tête va trop loin, va-t'en dans la nature. La nature est une force et c'est sûr qu'au début, la tête m'allait de tous les bords et je pleurais en pensant à ce que je vivais, mais au bout de quarante-cinq minutes, quelque chose de plus fort que toi t'envahit. Les arbres qui bougent, le vent dans les feuilles, il y a quelque chose qui se passe, c'est comme la terre qui te rappelle. C'est presque une expérience mystique, ça a été vraiment ma thérapie parce que je pense qu'on a toutes les réponses qu'on cherche en soi.

Et tu as des rêves, des bonheurs auxquels tu aspires ?
Je veux créer des moments pour amener ceux qui me sont précieux dans mon bonheur à moi. On a chacun notre vie, mes enfants vieillissent, mais j'ai souvent une petite larme quand j'ai autour de moi les personnes importantes dans ma vie et que je me rends compte qu'elles ont cessé de faire ce qu'elles faisaient pour être au même *beat* que moi. Aussi, je rêve d'une maison de campagne avec un grand jardin, un endroit où je ne passerais pas que des vacances. J'aimerais avoir la possibilité de passer trois jours en ville pour m'énerver, et le reste du temps à la campagne pour me calmer.

Somme toute, tu peux affirmer que tu es heureuse ?
Oui, parce que je suis là où je veux être à 44 ans. Tout le monde me dit que je suis belle en vieillissant, et quand on dit que la beauté part de l'intérieur, je pense qu'il n'y a rien de plus vrai.

P-A Méthot

Le bonheur dans la simplicité

Pour P-A, humoriste bipolaire et atteint de TDA, le bonheur doit être le plus simple possible. « J'ai toujours pensé que je méritais d'être heureux parce que j'ai été assez malheureux… »

P-A Méthot est un personnage en soi. L'humoriste originaire de Chandler est intarissable en entrevue et peut passer, en se racontant, d'une série de gags extravagants aux confessions les plus touchantes. C'est sa vie, son parcours et ses expériences qu'il raconte lorsqu'il est question du bonheur.

« Ma notion du bonheur est que ça doit être le plus simple possible. Je suis capable maintenant de dire que je suis heureux, j'en ai longtemps été incapable. Pas parce que je ne l'étais pas, plutôt parce que je ne savais pas ce que c'était. Ce n'est pas le bonheur que je cherchais, c'était la bonne définition. Et pourtant, j'avais tout ce qu'il fallait, mais je ne savais pas comment gérer ça. Tout me stressait, tout devenait compliqué, et même les choses simples qui font du bien devenaient un fardeau parce que je voulais que tout soit bien fait. J'avais fait des lectures sur le "lâcher prise" et j'y croyais plus ou moins, mais je me suis rendu compte que ça marche ! Je n'ai rien changé à ma vie tant que ça, elle fait juste continuer : je suis encore un papa, un conjoint, un fils, sauf que j'ai décidé d'arrêter de me stresser avec des choses que je ne contrôle pas. Et aussi de ne plus m'en faire avec celles dans lesquelles je sais que je suis bon et que je vais réussir si j'y mets l'effort. Il est temps que je me mette à croire davantage en moi, plutôt que de pratiquement prier pour l'impossible. On dirait qu'à force de te dire que tu ne seras pas capable de faire quelque chose, tu mets tout en place pour ne pas y arriver. À partir du moment où j'ai commencé à relaxer un peu plus, à être plus calme, à respirer, je me suis aperçu que j'avais le droit d'être heureux, et qu'en fait je l'étais, mais je ne savais tout simplement pas comment tout mettre ça en perspective. »

Est-ce que des gens dans ton entourage te disaient, justement, d'arrêter de t'en faire pour tout ?
Oui, ma blonde, et ma mère aussi me disait d'arrêter de me stresser inutilement. Je pouvais passer des nuits debout, à penser à toutes sortes de choses. Je suis bipolaire et j'ai aussi un TDAH, alors quand j'ai une idée en tête… Les gens autour de moi me disaient souvent que je pensais trop, que j'étais négatif. Je ne suis pas un pessimiste, mais j'aime trop voir les deux côtés de la médaille. Autant je regarde les bons côtés, le positif, autant je m'attarde aux points négatifs. Pour moi, c'est important de soupeser tout ça.

Et tu as encore tendance à penser beaucoup, à remettre les choses en question ?

Oui, et c'est dans le char que ça se passe souvent. Je fais souvent la route Montréal-Québec et c'est salutaire pour moi, parce que c'est là que je règle tous mes problèmes. Je ne mets pas de musique durant le trajet, je ne fais que penser. Quand j'arrive à Québec, je suis un peu fatigué, j'ai réglé toutes mes affaires en chemin et je peux aller me coucher. Le lendemain matin, je peux être en mode conjoint et en mode papa, pas en mode artiste. Ça me convient bien cette façon de faire.

Les gens autour de toi te facilitent la vie ?

Oui, heureusement que j'ai un excellent gérant, une blonde (Véronique) et une fille extraordinaires parce qu'ils me ramènent sur terre. Ça fait plus de neuf ans que nous sommes ensemble elle et moi, et notre fille Zoé a 5 ans. Elles sont plus que la moitié de ma vie, je ferais tout pour elles. Quand je fais quelque chose pour ma blonde ou pour ma fille, pendant que je le fais, je suis « accoté dans le bonheur ».

Aujourd'hui, tu peux dire que tu es heureux ?

Oui et je n'ai pas besoin de grand-chose pour l'être. Moi je n'ai pas la fibre de star, je ne me suis jamais dit que je méritais d'être connu. Mais le bonheur, oui, j'ai toujours pensé que je méritais d'être heureux parce que j'ai été assez malheureux. On peut dire que mes classes en malheurs, je les ai faites !

Qu'est-ce qu'il manque à ton bonheur ?

Mon père. Il y a une partie de mon bonheur qui lui appartient et que j'aimerais lui donner, qu'il la voie, qu'il la vive. Ça fait quatre ans qu'il n'est plus là et j'aime le garder vivant, je lui parle comme je parle à un *chum*. Je viens d'une famille très pieuse, j'ai servi la messe durant toute mon enfance et même si très peu de gens l'ont gardée, je fais encore partie de ceux qui ont la foi. Ma foi, c'est de penser qu'il y a de quoi après et qu'il y a quelque chose de plus haut que nous. Avant un *show*, je fais une prière et je parle à mon père, et j'ai l'habitude de cogner trois fois sur le mur, comme quand je rentrais chez nous, en Gaspésie, pour qu'il sache que

j'arrivais. Et quand je vais chez ma mère — mon père dormait au sous-sol —, je lance toujours en direction du sous-sol un « Salut, p'pa ». Je fais ça tout le temps. J'ai besoin de ça, c'est bien important pour moi, j'ai besoin de le garder vivant. Quand mon père a vu ma fille la première fois, il a dit qu'il ne pouvait pas croire que c'était son sang. C'est exactement ça : je suis le sang de mon père, et plus je vieillis, plus je m'aperçois que je ressemble à mon père. Ça n'avait aucun sens la fierté qu'il avait dans les yeux, cet homme-là. C'était une image claire, il n'avait pas besoin de parler. Quant à ma mère, on est les meilleurs *chums* du monde, elle est *trippante*, on se parle tous les jours.

Il y a des choses qui t'empêchent d'être heureux ?

J'aimerais me débarrasser de l'angoisse de perdre… de perdre ma blonde, de perdre ma mère. Quand je me mets à penser au moment où ma mère ne sera plus là, ça m'angoisse. Je n'arrive pas à lâcher prise là-dessus même si je ne vis pas la situation ; j'ai beaucoup de difficultés avec la séparation et la perte. Je vais te donner un exemple : quand je m'en vais, quand je quitte la maison par exemple, je ne me retourne jamais. Je veux toujours garder ma dernière image en tête. Et si ma blonde me redit salut, je vais lui répondre sans me retourner. Ma blonde trouve ça *tough* par moments. Mon père était comme ça aussi.

Tu dis que ton bonheur passe par les autres, mais est-ce qu'il t'arrive de penser qu'il faut d'abord que tu prennes soin de toi ?

Ben oui ! J'essaie d'y penser, j'ai longtemps été malheureux parce que je ne pouvais faire quelque chose que je voulais, que je ne pouvais pas aller à un certain endroit, ou manger ce que je désirais… C'est sûr que je sais qu'il faudrait que je fasse de l'exercice, que je mange mieux, mais je suis tellement heureux comme ça.

Le bonheur, ça passe aussi par les rêves, quels sont les tiens ?

J'aimerais voyager avec ma fille et ma blonde. Mon but ultime est de pouvoir *tirer la plogue* à l'âge de 55 ans. Peu importe les moyens que j'aurai à ce moment-là, on vendra la maison s'il le faut, mais j'aimerais voyager avec ma fille et ma blonde pour faire un beau tour du monde. J'aime les voyages et dans mon cas, il y a le plaisir de me retrouver ailleurs et de passer incognito, de pouvoir me promener dans la rue, d'aller dans des boutiques. Mais j'aime aussi me faire reconnaître, j'en ai besoin, ça fait du bien. Parmi les voyages que je voudrais faire, j'aimerais aller voir la fabrique de guitares Finder en Californie et faire de la plongée dans une grotte au Brésil où l'eau, dit-on, est d'une pureté incroyable.

Et si toi, tu avais des conseils à donner à ceux qui cherchent le bonheur?

Ma grand-mère avait l'habitude de dire: «Quand t'es ben, reste ben, casse-toi pas la tête avec ça!» Je dirais qu'il faut arrêter de se stresser et s'arranger pour ne pas se mettre dans la merde. Le moment d'accalmie que tu vis, reste dedans le plus longtemps possible parce que ce moment-là va t'être bénéfique, si ça commence à être difficile un peu plus tard; tu vas être content de l'avoir vécu. Mon grand-père, lui, disait toujours qu'il fallait faire ce qu'on aime dans la vie. Il ne faut pas que ce soit l'argent ou la popularité qui nous attire vers quelque chose.»

Et que penses-tu de ceux qui répètent qu'il est important de vivre le moment présent?

Ça, ça me fatigue, ça me tanne! Tu ne peux pas avoir de moment présent parce que le moment présent, c'est la résultante d'un cheminement. Ce n'est pas un moment présent, c'est un aboutissement. Pourquoi vivre le moment présent? Si je suis endetté pardessus la tête et qu'en plus ma blonde vient de me laisser, le moment présent, il est plutôt moche. Pour moi, l'important est l'état dans lequel tu es. Sois bien avec toi d'abord, pas cette histoire de moment présent! De toute façon, tu ne pourras pas t'arrêter pour te dire «Oh wow! C'est beau!» si la tête te trotte… L'important dans mon cas est que j'aille bien, et c'est moi qui en suis responsable, je connais maintenant le processus et la mécanique. Chaque moment devient alors un beau moment, qu'il soit présent ou passé.

P-A, tu es bipolaire et tu es atteint du TDA, comment composes-tu avec cette situation?

Je connais excessivement bien ma maladie et je travaille beaucoup avec l'Institut de recherche en maladie mentale, j'en suis d'ailleurs le porte-parole. Je suis bien médicamenté, je connais bien le cycle de ma maladie et j'ai un bon médecin. Je sais, par exemple, que l'été j'ai plus chaud et que je transpire plus, alors je dois boire beaucoup, beaucoup d'eau sinon j'ai des étourdissements et des nausées. Quand au TDA (trouble déficitaire de l'attention), je suis habitué de composer avec ça. Quand tu es bipolaire, quand tu es dans un down et que tu n'es pas médicamenté, tu es dans un méga-down. Tu vires la vie à l'envers, tout est négatif, tu te fais toutes sortes d'idées, tu penses que tout le monde te déteste, ça ne finit plus. Tout ça demeure quand même pour ta tête un exercice, c'est comme apprendre à compter les cartes au blackjack. Quand tu commences à bien aller, cette dynamique-là devient pratique parce qu'elle devient productive et aussi créative. Ça a l'air niaiseux à dire, mais le fait que je sois allé bien bas m'aide aujourd'hui à demeurer bien haut. Pourquoi? Parce que je suis fait comme ça, ma tête est faite pour penser, pour construire des histoires, pour faire des liens qui ont ou n'ont pas de bon sens. J'ai cette mécanique de pensée qui me permet de faire ce métier que je fais, mais il faut avant tout que j'aille bien.

Chantal Machabée
Une passion et une détermination à toute épreuve

Chantal Machabée a deux passions dans la vie. Ses enfants, ses deux fils avec qui elle entretient des liens étroits et dont elle parle avec beaucoup de tendresse, et bien sûr le sport et son travail à RDS. Chantal a tracé la voie pour quantité de femmes dans le domaine du journalisme sportif et demeure toujours aujourd'hui, dans ce domaine, un exemple à suivre en termes de professionnalisme, de rigueur et de bon usage de la langue française. Pour celle qui couvre les activités des Canadiens de Montréal, le bonheur se vit au quotidien.

« Ma recette du bonheur est de vivre le moment présent, de profiter de tout ce qui m'entoure. C'est aussi de ne plus regarder en arrière et de ne pas projeter trop loin non plus. Ça ne m'empêche pas de planifier, mais le bonheur s'apprivoise et je trouve important de vivre le moment présent. Et mon bonheur, à prime abord, ce sont mes enfants. »

Donc, le bonheur est bien présent dans ta vie ?
Oui, je me considère comme une personne très heureuse. Je ne le cherche pas le bonheur, il est là. Je le trouve dans toutes sortes de choses, autant quand je soupe avec mes enfants que lorsque je regarde la télé et que mon chat est collé contre moi. Ce sont des petites joies, mais c'est elles qui font le bonheur. C'est quoi le bonheur avec un grand B ? Au fond, c'est des accumulations de petites choses. Tu peux être une personne heureuse et avoir une sale journée ! Les accumulations de petits malheurs ne gâchent pas le fait que tu demeures une personne heureuse.

Ça implique beaucoup de choses, le bonheur, selon toi ?
Oui, et je dirais que le bonheur est avant tout un état d'âme. C'est d'abord de s'aimer, d'être bien avec soi-même, de se respecter, et de recevoir cet amour et ce respect en retour. Quand tu as ça en ton âme et conscience, tu veux non seulement être heureux, mais rendre

Un moment privilégié à Rio

Les moments de pur bonheur peuvent parfois se trouver loin et dans des circonstances pour le moins spéciales. Dans le cadre de son travail et à l'occasion des Jeux olympiques, Chantal Machabée était à Rio à l'été 2016, et elle y a vécu un moment de bonheur très émouvant. «Je venais de finir de travailler, et je suis allée souper dans un petit restaurant brésilien à côté de l'hôtel, pour regarder le match de soccer pour la médaille d'or entre l'équipe du Brésil et l'équipe d'Allemagne. Le restaurant était bondé, il y avait des écrans géants partout. Le Brésil a finalement gagné en tirs de barrage et l'ambiance était incroyable, ils étaient fous de joie. Tout le monde s'est levé dans le resto, on m'a fait des câlins, les gens sont sortis dans la rue, ça klaxonnait, ça dansait, ça pleurait. Les Brésiliens sont exubérants, ils aiment danser, ils aiment chanter, c'était fou et moi, j'étais émue aux larmes. Le serveur brésilien est venu me voir et m'a dit: "Tu n'as pas idée à quel point cette victoire est un gros bonheur pour nous, qu'elle nous donne espoir de s'en sortir parce que c'est dur de vivre à Rio. Il n'y a rien de facile ici, l'économie est pauvre, on est pauvres, mais cette victoire vient tellement mettre un baume sur nos blessures. De savoir que nous sommes les meilleurs au monde dans une discipline, ça nous rend très, très fiers." Et il me disait ça en pleurant. C'est l'une des raisons pour lesquelles je *trippe* sur le monde du sport, parce que ce n'est pas que du sport, il y a des histoires vraiment extraordinaires. Je pense que c'est le sens des Jeux olympiques: une victoire qui donne espoir à un peuple qui en arrache, je trouve ça extraordinaire. Ça a été un moment extrêmement émouvant.

les gens heureux autour de toi. Tu te fixes aussi des objectifs, qu'ils soient professionnels, personnels ou financiers. Si tu veux avoir une maison et que tu travailles fort pour l'avoir, c'est un bonheur à court ou à long terme, mais c'est un bonheur pareil. De se sentir bien avec soi-même est à la base et le reste s'ensuit.

Tu as été pionnière à ton époque du journalisme sportif, j'imagine que tu ressens toujours un grand bonheur face à ce fait d'armes?

Oui et j'aime tellement mon travail, il me procure une joie immense. Et c'est important parce qu'apparemment, il n'y a que 4 % de la population qui aiment leur travail. Quand je me lève le matin, je suis contente et j'ai le goût d'aller travailler, de voir mes collègues, d'aller voir les joueurs. Outre mes enfants qui sont la raison première de mon grand bonheur, il y a mon travail qui me comble. Quand tu es presque déçue d'avoir une journée de congé, et je ne te niaise même pas, tu sais que tu aimes ton travail et qu'il occupe une place importante dans ta vie.

On pourrait dire que tu as construit ton bonheur parce que, toute jeune, tu rêvais de faire ce métier et tu as mis tous les efforts pour y parvenir?

C'est une passion que j'avais depuis que j'étais toute petite et ça n'a pas été facile de réussir à percer dans ce milieu, ça n'a pas toujours été du gros bonheur. Dans le fond, j'ai toujours *trippé* là-dedans, même s'il y a eu des jours où j'en pleurais, parce que c'était très difficile et qu'on me mettait des bâtons dans les roues. Je me disais qu'ils ne m'auraient pas, que c'était ce que je voulais faire, c'était ça qui me rendait heureuse. J'ai toujours vu la vie comme une suite d'obstacles à franchir et ce n'était qu'un obstacle de plus. Ça ne venait pas m'enlever mon bonheur.

Il y a eu des moments où tu as vraiment eu l'impression de toucher au bonheur?

Sur le plan professionnel, ça a été Guy Lafleur, qui a été mon idole de jeunesse. La première fois que j'ai fait une entrevue avec lui, j'étais extrêmement touchée et je dis toujours que Guy Lafleur est la raison pour laquelle je fais ce métier-là. C'est lui qui m'a donné la passion du hockey et des autres sports aussi. En le regardant jouer, je suis devenue une *fan* du hockey, et de lui en particulier. Puis j'ai commencé à suivre les autres sports et j'ai découvert que j'adorais ça, ce qui m'a amenée à vouloir devenir journaliste sportive. Ce n'est qu'en 1998 que j'ai eu l'occasion de rencontrer Guy, même s'il était mon idole depuis toujours. Ça a été un grand moment pour moi. Mais je reviens à mes enfants : il n'y a rien qui égale le bonheur d'être mère de famille. Il n'y a rien de

plus puissant, de plus extraordinaire, de plus merveilleux que d'être une maman. Et je suis vraiment bénie d'avoir deux bons garçons ! Mes amies de filles me disent souvent que la relation que j'ai avec eux est incroyable, que c'est *l'fun*, et je le sais que c'est particulier. Ils sont fins, ils sont ultra protecteurs, et j'ai toujours été extrêmement proche d'eux et c'est encore le cas aujourd'hui, même si ce sont des adultes.

Et sur le plan amoureux ?

Dans ma vie, ce côté-là a été difficile. J'ai réussi sous plein d'aspects, mais l'aspect amoureux a été ardu. La vie amoureuse m'a apporté beaucoup de déceptions et beaucoup de peines. Mais je suis très sereine, je ne cherche pas, et j'ai mes enfants, de bons amis et un travail que j'adore. Ce n'est pas parce que je n'ai pas d'amoureux que je ne suis pas heureuse. Au contraire, je suis super heureuse, je suis bien et super zen et en paix avec mon âme. Et quand tu as traversé des moments très difficiles, ça vaut de l'or, c'est bien

important. Tant mieux si à un moment donné je rencontre quelqu'un, je suis très ouverte à ça. La vie va peut-être mettre quelqu'un sur mon chemin. Et puis je ne suis pas enfermée à la maison, je travaille, je voyage. Mais ce n'est pas quelque chose qui manque à mon bonheur. Si ça arrive, ce sera un complément à mon bonheur, un ajout, un bonheur de plus dans ma vie.

La gratitude est présente dans ta vie ?

Absolument ! Et je fais souvent des prières ; tous les jours je remercie la vie de ce que j'ai. Je suis privilégiée, je le sais, et je pense que c'est important de le faire. J'ai bûché pour en arriver là, il n'y a rien qui m'est tombé du ciel, mais je remercie la vie d'avoir pu le faire, d'avoir eu la force et la santé de le faire. C'est un privilège de vieillir en santé et quand tu réalises que tu as progressé dans ta vie vers la direction où tu voulais aller, c'est extraordinaire. Peu importe à qui s'adressent les prières, il faut que tu remercies, que tu sois conscient que tout est en place pour t'aider. Il faut avoir beaucoup de gratitude.

As-tu l'impression qu'en remerciant la vie, en envoyant des pensées dans l'univers, on attire à soi de bonnes choses ?

La vie n'est pas faite que de bonnes choses, mais tu sais — et ça m'a pris quelques années avant de le réaliser — qu'il y a moyen de sortir des éléments positifs des moments difficiles. Après ça, tu regardes ta vie avec un recul et tu te dis que telle ou telle chose a été difficile, mais que grâce à ça, regarde ce qui est arrivé, où ça t'a menée… Tu peux prendre un événement que tu pensais catastrophique et, finalement, en faisant confiance à la vie et en se disant qu'on va essayer d'en tirer le positif, on se rend compte que ce n'était peut-être pas si catastrophique que ça. Il ne faut pas avoir peur des changements. Il faut avoir foi en ce qu'on croit et avoir confiance en nous. C'est sûr que parfois, il y a des malheurs qui te tombent dessus, que ce soit une maladie grave, un cancer, le décès d'un proche, ce n'est pas évident de voir le positif là-dedans. Il y a des choses que tu subis et tu dois bien t'entourer pour passer au travers, j'en suis très consciente. Mais je pense qu'il y a moyen de tirer du positif de la plupart des circonstances.

Le bonheur par le rire

Plusieurs des personnes rencontrées pour ce livre m'ont confié que la propension au bonheur vient souvent de l'enfance, de la façon dont on a été élevé et de ce qui nous est enseigné. Les parents, les proches, ont une influence déterminante selon leur vision de la vie, leur façon de penser, leurs agissements. Chez Chantal, c'était la joie de vivre et la bonne humeur qui étaient au rendez-vous.

« Mes parents étaient de joyeux lurons, on commençait la journée à 7 heures le matin en riant. On se réveillait avec la musique à fond dans la maison, ça riait. Même mon père, à l'hôpital, juste avant qu'il ne tombe dans le coma, nous faisait tellement rire que nous étions littéralement crampés. Un infirmier est venu nous voir pour nous dire qu'il n'en revenait pas, de nous voir tous crampés aux soins palliatifs, avec notre père qui était en train de mourir. "Je n'ai jamais vu ça de ma carrière !" a-t-il dit. Mon père savait qu'il mourait, il était résigné, et on revenait sur sa vie. Écoute, on riait aux larmes, c'était drôle. Ça a toujours été comme ça chez nous, on a toujours beaucoup ri. Mes parents ont toujours été des gens très positifs, j'ai été élevée comme ça, alors c'est sûr que j'ai tendance à voir le côté positif des choses. »

« Il n'y a rien de plus puissant, de plus extraordinaire, de plus merveilleux que d'être une maman. Et je suis vraiment bénie d'avoir deux bons garçons ! »

Stéphane Bellavance
La famille avant tout

Stéphane Bellavance est un homme occupé, et heureux. Il est comblé par son métier, mais aussi par sa vie familiale qui constitue sa pierre d'ancrage, la fondation de son bonheur. Père de deux garçons et marié depuis un peu plus de deux ans, Stéphane est l'exemple type de celui qui apprécie toutes les bonnes choses que la vie lui apporte.

Sur une échelle de 1 à 10, ton bonheur se situe à quel endroit au moment où l'on se parle ?

Je te dirais 8 sur 10, c'est une bonne période. Et quand j'avais 80 % à l'école, j'étais fier en chien, alors c'est une excellente note. Ça va bien avec ma blonde, avec mes gars, avec les petites difficultés du quotidien, mais j'ai des p'tits bonhommes en santé, pleins de vie, de vigueur, et la carrière va bien. Vraiment, je suis choyé, le bonheur me colle aux fesses. Et tant mieux !

Quelle est ta notion du bonheur ?

Pour moi, le bonheur, c'est bien simple, mais en même temps, c'est d'une simplicité complexe. Tu vois, nous sommes assis à cette table dans la salle à manger, cette même table où nous mangeons le soir, ma blonde et les enfants. Nous sommes les quatre ensemble, dans la simplicité de raconter notre journée, ou de jouer à un jeu, peu importe, et je te dirais qu'il n'y a pas beaucoup de voyages en Europe ou dans le Sud qui accotent ça. Mais, même si c'est bien simple, c'est quand même tout un exploit d'arriver à s'asseoir les quatre ensemble à la table le soir. De s'asseoir et de vouloir simplement jaser ensemble, de ne pas être dans le *rush* du lendemain et dans le stress. Quand ça marche, c'est bien simple. Et le bonheur simple, c'est une *job* de tous les jours.

J'imagine que l'un de tes grands bonheurs à ce jour a été de devenir père?

Oui, et c'est aussi clairement la plus grosse tâche à laquelle j'aie eu faire face dans ma vie. Autant c'est extraordinaire des enfants, autant c'est beaucoup de stress, d'insomnie, d'inquiétudes. Ça vient avec un lot de difficultés, mais en même temps, ça prend une demi-seconde pour effacer tout ça, quand ils sont heureux, quand ils sont contents, ou lorsqu'ils te ramènent quelque chose de l'école. Je vais me rappeler toute ma vie de l'arrivée du premier. J'étais là, j'ai assisté à l'accouchement. Pour un père, ce n'est pas évident. La grossesse, c'est un peu abstrait cette affaire-là; tu lis des livres, tu te racontes des affaire, mais tant qu'il n'est pas arrivé, tu ne sais pas ce que c'est. Et là, de te dire: j'vais rencontrer quelqu'un, moi là! C'est une rencontre qui va se passer entre moi et lui, et ce n'est pas n'importe qui, c'est mon fils! C'est quand même capoté! Je me rappelle à quatre mois, il a fait une espèce de laryngite. Et quand tu fais une laryngite à quatre mois c'est grave, parce que les voies respiratoires peuvent se bloquer à cause de l'infection, de l'enflure. Ma blonde et moi nous étions *virés à l'envers*! Je me rappelle l'ambulance et de le voir *plogué* de partout… Ça a pris vingt-quatre heures et c'était réglé, ça a été une grande chance, mais c'était la première fois de ma vie que je m'inquiétais autant et que j'étais aussi bouleversé pour quelqu'un que je connaissais depuis quatre mois. J'ai pensé: s'il s'en va, ce p'tit pit-là, ma vie tombe! Ce n'est pas banal comme lien, et plus le temps passe, plus le lien est fort. Être père, ça chambarde tout: il n'y a plus une décision qui se prend de la même manière, on pense en troupe, en gang.

L'individualité a moins sa place à ce moment-là…

La carrière que je fais a un peu quelque chose d'individualiste, dans le sens que tu dois avancer, continuer. Mais, en même temps, quand tu as des enfants à nourrir, à loger, à protéger, tu penses à eux et à leur avenir avant de prendre une décision, avant d'accepter ou pas une proposition. Ils font maintenant partie de toutes les décisions.

Est-ce que tu prends le temps d'apprécier les bonheurs que tu vis, que ce soit en famille, au travail ou dans d'autres circonstances ?

Moi, je suis vraiment un expert du moment présent, même qu'il faudrait que je pense un peu plus à l'avenir ! Si j'ai une lacune dans la vie, c'est bien ça. Je vis ce que j'ai à vivre à l'instant, et ce qui est prévu dans une heure, je me dis que je vais le vivre dans une heure. Mais, en même temps, c'est *l'fun* de planifier des choses. Quand tu planifies un voyage, j'aime mieux le préparer à l'avance. Quand tu sais que tu vas partir dans trois mois, tu vas acheter un guide de la ville que tu vas visiter, tu vas sur des sites internet, tu fais un appel à tous sur Facebook pour savoir ce qu'il faut voir, etc. Je trouve que le voyage commence là. Au prix que ça coûte, je me dis que je l'investis sur trois mois !

Le bonheur dans le moment présent, c'est parfois inattendu, mais ça se planifie aussi ?

Oui, le bonheur au présent c'est bien, mais d'avoir des attentes, d'étirer l'élastique un peu, je *n'haïs* pas ça non plus. C'est comme de cuisiner : souvent tu manges moins longtemps que le temps que tu as mis à préparer le repas. Mais le *kick* de faire à manger, le plaisir de le faire, c'est l'attente de manger ce que tu prépares. Alors oui, le moment présent, mais je trouve qu'on met beaucoup d'accent là-dessus et j'ai l'impression qu'on peut facilement se sentir coupable. On vit tellement dans un monde de culpabilité, à se dire qu'on ne mange pas assez bien, qu'on ne dort pas assez, qu'on est trop stressé… peu importe. On culpabilise beaucoup sur l'instant présent, en se demandant si on en profite assez. Attendre quelque chose avec bonheur, c'est aussi du gros bonheur et ça ne coûte rien. On le voit avec les enfants, avec leur calendrier de l'Avent et ses petits chocolats. Noël ne dure qu'une journée, mais on le fait *toffer* durant un mois avec ça ! On fait le sapin, ensuite les cadeaux arrivent, grand-maman vient passer une semaine à la maison, tout ça c'est la fête au complet. Pour répondre à ta question, je dirais oui au moment présent, mais le bonheur n'est pas juste là-dedans, il est aussi dans l'attente.

Tu vis beaucoup de choses en famille mais toi, qu'est-ce que tu fais quand tu veux te faire plaisir ?

Je fais un peu de photo. Si j'ai une petite heure à tuer, je vais au centre-ville avec mon appareil et je fais de la photo. Ça peut être en pleine ville ou dans la nature. J'ai déjà passé une heure en-dessous d'un sapin à faire des photos de branches de sapin, juste pour le plaisir. C'est *l'fun* avec le numérique maintenant parce que tu vois tout de suite ce que tu as fait. Quand je suis seul avec mon appareil photo, il n'y a rien d'autre, je coupe les ponts. C'est pour moi un vrai bonheur, un vide-cerveau que je fais à l'année. Le plaisir, c'est vraiment d'avoir l'appareil entre les mains, d'être concentré et d'appuyer sur le bouton, beaucoup plus que de voir les photos par la suite et de les retravailler. C'est plus l'expédition avec l'appareil, que ce soit sur la rue Sainte-Catherine ou en pleine forêt, que j'apprécie. Ou ça peut être les moments que je passe avec mes gars. Ce sont des moments de réelle évasion, je trouve ça vraiment passionnant.

À tous ceux qui ne vont pas bien, qui sont malheureux, qui ne croient plus au bonheur, que dirais-tu ? Est-ce qu'il y a une recette pour accéder au bonheur ?

Tu me dis ça et la première chose à laquelle je pense est que j'aurais envie de serrer ces gens-là fort dans mes bras et de leur dire que ça va aller. C'est mon premier réflexe. Il n'y en a pas de recette, autrement je serais millionnaire. On court tous après le bonheur. J'aurais envie de dire qu'il n'est sûrement pas loin, le bonheur, et on passe peut-être à côté en cherchant parfois à la mauvaise place. On tape parfois sur le même clou durant des années et je me dis qu'en tournant seulement un peu la tête, on va voir autre chose. Il y a plusieurs sortes de bonheur. Je me souviens, quand mon beau-père était à l'hôpital, quelques jours avant qu'il ne meure, j'ai eu un moment seul avec lui entre deux visites de ses filles qui venaient le veiller. Il était de moins en moins conscient de ce qui se passait, de son environnement. Ce n'était pas un moment de bonheur pour lui, d'être aux soins intensifs, branché de partout, et d'avoir peur de la mort. J'arrivais de la radio, j'avais mes écouteurs avec moi, et comme je savais qu'il *trippait* sur Leonard Cohen, je lui ai mis les écouteurs sur les oreilles pour qu'il écoute sa chanson préférée, *Hallelujah*. Je vais me rappeler de ce moment-là toute ma vie. Il a juste reculé la tête en souriant, et il était vraiment heureux. Il n'y a pas grand-chose qui accote ce moment-là, autant pour lui que pour moi puisque, dans ces circonstances-là, je lui ai donné un deux minutes de bonheur. J'étais fier de moi. Alors je me dis que parfois, dans les pires situations… On est à la recherche du grand bonheur, de la plénitude, et parfois ça peut être simplement un album à

« On passe peut-être à côté du bonheur en cherchant parfois à la mauvaise place. »

écouter ou un film à revoir, un téléphone à faire, une vidéo de chats à regarder, peu importe! Si tu n'as pas le gros bonheur, si tu t'en ramasses plein de petits, tu vas peut-être en faire un gros avec ça. Ça peut être de faire un saut à la boulangerie qui n'est pas loin pour l'éclair au chocolat que tu ne te permets jamais! Tu comprends, c'est souvent tout simple, il faut se faire plaisir. En même temps, peut-être que certains vont dire que c'est facile pour moi de dire ça. Et c'est vrai parce que ma vie va bien. Il y a des petites embûches, tout le monde en a mais, règle générale, ça va bien avec ma blonde, avec mes enfants, et je fais le métier que j'ai rêvé de faire. Mais pour quiconque, je suis convaincu qu'il y a toujours un petit bonheur qui traîne quelque part, pas loin. On attire ce qu'on aime et ce qu'on est dans la vie, et si tu te sens bien, je pense qu'il y a plus de chances que tu t'attires du bonheur. C'est nous qui avons le contrôle là-dessus, de décider, par exemple de la paire de lunettes que l'on met: celles qui me permettent de voir les choses de façon positive ou négative? Le bonheur est aussi une façon de voir les choses: tu vois les problèmes ou tu vois les solutions? C'est un choix qu'il faut faire et ce n'est pas toujours évident quand tu as la poisse collée aux fesses. Ce n'est pas si compliqué, mais ce n'est pas si simple non plus.

Tu as eu l'impression, à certains moments, de vraiment toucher à de grands bonheurs?
Le moment des moments, qui dépasse les moments professionnels heureux, a été quand on s'est mariés, ma blonde et moi. Il y a deux ans, on est partis se marier seuls, pas de famille, pas d'enfants, parce qu'on s'est dit qu'avant tout ça, il y avait nous deux. C'était un peu ça l'idée. Et pour que tout ça tienne — on travaille ensemble, on a des enfants —, il faut que nous deux on tienne. C'est en voyage, à Venise, qu'on s'est mariés; il n'y avait personne, nous avions écrit chacun un mot qu'on s'est lus, C'était une espèce de communion entre nous, un moment qui a été fort, intense et émouvant. On a braillé comme des enfants, on a eu de la misère à se lire nos textes. Je pense qu'on réalisait la force de notre couple et la force de la décision qu'on venait de prendre. Ça a été le *top moment* pour moi. Le béton a vraiment *pogné* là, pourtant ça faisait 10 ans que nous étions ensemble, il était déjà pris avant, mais c'était une façon de sceller tout ça. J'imagine que ce qui va accoter ça un jour sera quand ça fera 10 ans que nous serons mariés, et que, si nous en avons les moyens, nous retournerons à Venise avec nos enfants. Peut-être que ce sera un autre moment incroyable à vivre.

Quels sont les bonheurs auxquels tu rêves pour les années à venir?
La première chose qui me vient en tête est de penser à Josée Boudreault. Quand elle est montée sur scène au gala des Gémeaux et qu'elle a dit qu'elle avait réalisé, avec ce qu'elle a vécu, que l'important c'était son *chum* et ses enfants. Nous nous sommes regardés, ma blonde et moi, et nous étions bien d'accord avec ce qu'elle venait de dire. On travaille fort, on a plein de projets, la vie va bien mais, en bout de ligne, ce qui compte le plus est qu'on se retrouve à souper les quatre ensemble. La *bucket list* est presque complète. Il y a toujours des choses qui s'ajoutent, des projets

de voyages entre autres, mais tout ça c'est pour rien si ces petits soupers-là avec mes enfants n'ont pas lieu. Si un jour, je me retrouve à être grand-père, avec ma blonde heureuse, mes deux enfants et moi heureux, parce qu'on va être contents du parcours qu'on aura fait, et qu'on va être restés ensemble dans tout ça, ce sera l'élément le plus important de la *bucket list*, ce sera le *bucket* au complet finalement ! Je vois l'adolescence qui commence à poindre son nez, ce ne sera peut-être pas facile, mais malgré toutes les difficultés que la vie pourrait nous apporter, je vois dans les yeux de ma blonde et de mes gars que nous sommes ensemble, peu importe ce qui va arriver. Mais je souhaite surtout qu'il n'y ait pas de maladie, ou de problèmes financiers ou extérieurs à nous qui pourraient poser des embûches à ce bonheur-là, le rendre plus difficile. J'espère juste qu'on va bien vieillir parce qu'à 42 ans, on se sent un peu à mi-chemin, il y a un bout de fait dans la vie professionnelle et il en reste un bon bout encore à faire, mais avec le métier que je fais, il n'y a rien de certain.

Roseline Filion
Le bonheur dans le plaisir et l'accomplissement

« Fondamentalement, c'est toujours l'amour de mon sport qui a dominé et qui m'a donné le goût de continuer. » Autant la plongeuse Roseline Filion se dit du genre à apprécier les petits moments joyeux du quotidien, des petits bonheurs qu'elle provoque ou qui surviennent à l'impromptu, autant l'athlète en elle a-t-elle savouré l'immense bonheur de monter sur un podium aux Jeux olympiques.

C'est deux fois plutôt qu'une que Roseline Filion a « touché » au bonheur, aux côtés de son amie et plongeuse Meaghan Benfeito. La première fois aux Jeux olympiques de Londres en 2012, puis aux Jeux de Rio à l'été 2016. Dans les deux cas, elles ont remporté la médaille de bronze au 10 m synchronisé.

« Je ne sais pas si je vais revivre un jour quelque chose d'aussi intense, un aussi grand bonheur, c'était mon objectif depuis l'âge de 5 ans environ. Ça procure nettement beaucoup de satisfaction et de fierté quand on monte sur un podium, quand on reçoit une médaille olympique. C'est immense le bonheur qui t'habite à ce moment-là, parce que tu réalises un vieux rêve. Et j'ai eu la chance de monter sur le podium à deux reprises. Maintenant, il faut que je me trouve un autre objectif, quelque chose qui va m'allumer

« Cette blessure a remis les choses en perspective, dit-elle. Je n'ai pas toujours été triste et de mauvaise humeur pendant que j'étais blessée et loin de la piscine. Il y a eu plein de moments où je souriais, parce que les gens qui m'entouraient étaient extraordinaires. Et ça me rendait heureuse de voir que les gens prenaient soin de moi, sans que j'aie à le leur demander. C'est dans ces moments-là qu'on réalise quelles personnes dans ton entourage sont précieuses, lesquelles sont là pour toi. J'ai aussi pris un recul face à la pression que je me mettais à l'entraînement. J'aime penser que rien n'arrive pour rien. Si un échec se produit, je me dis que la réussite, cette fois, n'était pas pour moi. »

Cela dit, Roseline s'est rétablie et, le 10 avril, elle remportait l'or à la finale du 10 mètres au Grand Prix de la Coupe Canada tenu à Gatineau. Malgré tout, elle ne tenait rien pour acquis.

« Avec les Jeux de Rio qui approchaient, surtout dans les dernières semaines avant de partir, le bonheur était loin, mais il était là. Le stress faisait en sorte que je voyais toujours un peu les choses en noir, comme une montagne difficile à gravir. Une fois arrivée là-bas, l'environnement m'a allumée. C'est *niaiseux*, mais de simplement recevoir mes vêtements de l'équipe canadienne a été pour moi un grand bonheur, tout comme de faire partie de l'équipe, d'être là avec tout le monde. J'étais stressée depuis longtemps et je voulais bien performer. »

Tu trouves le moyen d'être heureuse dans des moments comme ceux-là ?

Le jour de la compétition, et pendant la compétition, j'ai réalisé que je ne contrôlais rien à part moi-même. Je me suis dit que j'étais contente d'être là, que j'avais tout fait pour que ça fonctionne et qu'au moins, j'allais en profiter, j'allais avoir du *fun* et être heureuse là-dedans. Et ça a vraiment été ça pendant que je plongeais : j'étais vraiment contente d'être là, et j'étais fière de moi et de mon parcours des quatre dernières années. C'est surtout avec le recul que je réalise que c'était le gros bonheur.

tout autant. Ça peut être de retourner aux Jeux olympiques, ça peut être plein de choses. Je pense qu'il n'y a pas de limite au bonheur, peut-être que je vais vivre un jour quelque chose de beaucoup plus gros que ça, je ne le sais pas. Ça a été ça mon gros bonheur et je sais qu'il y en aura d'autres, peut-être aussi gros, peut-être moins. Ce n'est pas ce qui importe, du moment qu'il y en a dans ma vie, c'est parfait. »

Revenons sur sa participation aux Jeux olympiques de Rio en août 2016. Moins de huit mois avant son départ pour Rio, Roseline s'était fracturé la cheville droite lors d'un entraînement. Une blessure qui survenait à un bien mauvais moment, sa première grosse blessure en 20 ans de carrière. Sa propension à voir le bon côté des choses, à toujours sourire, ne s'est pas démentie durant ces moments difficiles.

Parle-moi de la finale individuelle de plongeon où ton amie Meaghan a remporté la médaille de bronze…

J'ai raté mon quatrième plongeon, celui que je réussis habituellement les yeux fermés. Plutôt que de me fâcher, je me suis dit que ce que je pouvais faire était de renverser la donne et de me laisser l'occasion de finir sur une note positive. Le dernier plongeon que j'ai fait a été le plus beau de ma carrière. Je ne pouvais pas sortir de là et être malheureuse. J'avais un peu mal au cœur parce que j'aurais tant voulu réussir mon quatrième plongeon, mais j'étais vraiment en paix parce que tout le processus avait été fait de façon à ce que je n'aie aucun regret. (Roseline a finalement terminé au 6ᵉ rang de la compétition.)

On t'a vue en larmes, aux côtés de Meaghan Benfeito qui a remporté la médaille de bronze à cette compétition. Tout le monde a aimé ta réaction, on t'a trouvée émouvante…

Ça fait toujours plaisir d'entendre les bons commentaires et après ma performance au niveau individuel, je n'en ai eu que de bons, même si je n'ai pas gagné de médaille. Je pense que c'est la première fois que j'ai plus d'éloges à la suite d'un échec que d'un succès! Et quand je dis échec, ce n'est pas un échec, parce que même si j'ai commis une petite erreur, j'ai quand même fait une très bonne performance. Mais en même temps, on dirait que j'ai reçu plus d'amour à la suite de cette performance, et ça a fait vraiment une différence, ça m'a aidée à passer au travers de la tristesse que je ressentais.

Tu es consciente que pour plusieurs enfants qui font du plongeon, qui rêvent des Jeux olympiques, tu es un exemple, un modèle à suivre?

Oui, on passe à la télévision, mais il est difficile de saisir qu'on peut avoir un impact sur la vie de quelqu'un. On dirait que ça ne me rentre pas dans la tête cet aspect-là, même si j'ai reçu des messages de jeunes filles qui m'ont dit que je suis leur idole et qu'elles voulaient suivre mes traces et faire du plongeon un jour parce qu'elles m'ont vue à la télé.

Le bonheur passe-t-il par la reconnaissance et par la satisfaction que tu peux ressentir à la suite de ton travail à la piscine?

Je ne me suis jamais dit: «*Oh my God*, que je suis bonne!», je n'ai jamais pensé ça. Pour moi, il est important de bien garder les deux pieds sur terre, de ne pas trop s'envoyer de fleurs et de ne pas tenir son succès pour acquis. C'est extrêmement difficile d'arriver à ce niveau-là, mais c'est encore plus difficile d'y rester. Je pense que si on est humble et qu'on ne tient rien pour acquis, on peut rester à ce niveau pour plusieurs années. Et ça c'est important, parce que lorsqu'on se perd et qu'on commence à penser qu'on est bon, c'est à ce moment qu'on devient un peu paresseux et que le niveau des performances baisse naturellement.

Pour t'entraîner aussi fort et durant aussi longtemps, on ne peut qu'en conclure que ta carrière de plongeuse te procure beaucoup de bonheurs.

Oui, je fais du plongeon depuis vingt ans parce qu'à la base, j'aime ça. Ce n'est pas nécessairement parce que j'ai gagné des médailles que je continue de le faire, c'est parce que fondamentalement j'aime le sport, j'aime bouger, j'aime tourner dans les airs. Les Olympiques et les grandes compétitions sont arrivées dans mon cheminement, et il n'y a jamais personne qui m'a forcée à faire ça, c'est toujours venu de moi. Il y a des moments où j'ai voulu arrêter parce que j'étais *tannée*, que je trouvais ça difficile, mais ça n'a été qu'une période. À ce moment-là, j'ai dû remettre en place mes idées et perspectives, et voir comment je pouvais me sortir de cet état. J'y suis arrivée avec l'aide des gens qui m'entourent, de ma famille, lesquels ne m'ont jamais poussée à faire des choses que je ne voulais pas faire. Fondamentalement, c'est toujours l'amour de mon sport qui a dominé et m'a donné le goût de continuer. Ce n'est pas tout le monde qui va aller aux Jeux olympiques, ce n'est pas tout le monde qui va se retrouver dans la Ligue nationale de hockey, mais il faut aimer ça et principalement laisser les entraîneurs faire leur travail.

Comment composes-tu avec les épreuves qui peuvent parfois ternir ton bonheur?

Il m'arrive de traverser des périodes difficiles, et je vais être de mauvaise humeur, chialeuse, mais à un moment donné, il y a un déclic qui se fait à l'intérieur de moi et j'en ai assez d'être dans cet état-là. Je n'aime évidemment pas être de mauvaise humeur ou malheureuse et je veux toujours tourner la page d'un événement ou d'une situation le plus vite possible. C'est vraiment difficile, mais la vie continue et il faut trouver les moyens de se sortir de cette situation et de rendre le quotidien plus agréable, même si on vit quelque chose qui nous affecte. La solution passe souvent par l'entourage, mais comme j'ai tendance à ne pas vouloir fatiguer les autres avec mes problèmes, je garde ça pour moi, ce qui n'est pas une bonne idée en soi parce que ça fait boule de neige. Heureusement, j'ai toujours des personnes près de moi à qui je peux parler de n'importe quoi et qui vont m'aider à passer au travers.

De quoi as-tu besoin pour être heureuse?

Ça ne me prend pas grand-chose, j'aime me concentrer sur de tout petits bonheurs. On pense tout le temps « Ah, si telle chose m'arrive ça va être le gros bonheur! », mais moi j'aime mieux le ramener à plus petite échelle. Le bonheur, c'est de s'asseoir avec des amis et de discuter, passer une journée avec ma famille. Ou encore aller au spa, se faire faire une manucure, et ça peut être aussi de m'asseoir avec une amie devant une bouteille de vin, après une longue journée. Je ne fais pas ça souvent, mais quand ça arrive, c'est vraiment *l'fun*. Au fond, il y a plein de petites choses qui me comblent.

Lors de notre entretien pour ce livre au début de l'automne 2016, Roseline Filion était encore en réflexion à savoir si elle allait poursuivre sa carrière de plongeuse. Sa décision a été rendue le 22 janvier 2017, alors qu'elle a publié le message suivant sur son fil Twitter : « C'est avec beaucoup d'émotion qu'après 20 ans de plongeon, j'accroche mon maillot. Merci de m'avoir encouragé toutes ces années. »

Philippe Laprise

Prendre les décisions qui s'imposent

« Le bonheur, pour la plupart des gens, c'est d'être millionnaire, avoir des autos, se payer plein de choses. Mais ce n'est pas ça. Le bonheur, c'est seulement d'être capable d'apprécier ce qui t'arrive dans la vie. Et si tu en veux plus, tu dois te donner les outils nécessaires pour réaliser ce que tu veux. »

Un jour, à l'âge de 38 ans, voyant approcher la quarantaine, Philippe Laprise a pris conscience que son bonheur et sa survie devaient passer par un changement draconien. « Je n'étais pas en forme, j'étais trop gros et je ne voulais pas crever à 45 ans, ou être un fardeau pour ma famille dans vingt ans. Alors j'ai décidé de me prendre en main, c'était une façon de toucher au bonheur. Je me cherchais un objectif au gym, et j'ai compris que ce n'était pas nécessairement de lever 200 livres, mais avant tout d'arriver à 40 ans en forme et pas poqué. »

L'humoriste a ressenti beaucoup de satisfaction après avoir effectué ce changement dans sa vie. Il a compris qu'il était minuit moins une. « Quand tu te fais dire par ton docteur que tu es sur le point de virer en *Gummy* parce que ton taux de sucre est dix fois plus haut que la normale… Et que tout est trop haut dans tes tests, que c'est dangereux et que tu risques de faire du diabète de type 2, tu n'as pas le choix de chercher une solution pour changer les choses. Dans la vie, on se donne souvent beaucoup de raisons, ou plutôt des excuses, comme le manque de temps, que c'est impossible… Malgré tout ce que je faisais, j'ai réalisé que j'avais du temps pour m'entraîner. À un moment donné, c'est devenu une nécessité et un choix de m'occuper de ma santé et de ma famille. Quitte à en faire moins côté travail.

Et après avoir perdu plus de 50 livres, quel constat fais-tu ?

Je me suis ajouté des années de bonheur avec ce changement. Du bonheur et de la santé, mais c'est aussi que je voyais ma blonde et mes amis s'entraîner et je les trouvais en forme. Quand tu es à 320 livres, tu as beau faire le nombre de *jokes* que tu veux dans la journée, tu es fatigué le soir, tu n'as plus de jus, plus d'énergie. Tu es amorphe, tu as de la misère à bouger et tu te nourris mal. Et tout à coup, à force de faire de l'exercice, tu gagnes de l'énergie, une *drive* que tu n'as jamais eue. Vraiment !

Parle-moi de ta passion pour le vélo !

Je ne peux pratiquement pas passer une journée sans faire de vélo. Ça me rend vraiment heureux. J'ai mal au début, mais après dix kilomètres je me sens tellement bien ! Ça fait deux ans que je fais du vélo et je pense que pour un TADH et un costaud comme moi, c'est le meilleur sport au monde.

Tu peux affirmer que tu es un homme heureux ? Sur une échelle de 1 à 10, ton bonheur se situe où ?

Je dirais 9 sur 10. Je ne suis pas prétentieux mais j'irais même à 10 ! Je trouve que ça va bien, j'ai l'impression que dans ma vie familiale et dans mon travail, tout va super bien. Ce qui me touche, me fait de la peine et fait que je suis moins heureux est de constater la

Des bonheurs
à planifier et à vivre

« À 20 ans, ma *bucket list* c'était de ne pas arriver à 35 ans en ayant des regrets de ne pas avoir réalisé certaines choses, comme de tenter ma chance dans le domaine de l'humour. Et je n'en ai pas eu, des regrets. Maintenant, je te dirais que ce que j'aimerais le plus, c'est de faire du Ski-Doo dans les montagnes les plus hautes du monde. C'est con de même ! Partir avec des amis et monter la plus grosse montagne du monde et redescendre en disant : "Malade, *man* ! On l'a fait !". Je suis vraiment passionné par la moto-neige depuis quatre ans. En général, pour ce qui est des rêves et des bonheurs auxquels j'aspire, j'y vais à court terme. Ma blonde et moi, on a un rêve commun, celui d'aller faire de la plongée en Égypte. J'en fais beaucoup et nous ne sommes jamais allés là, il paraît que c'est en endroit extraordinaire.

« Au fond, j'aimerais avoir sur ma *bucket list* de ne pas avoir de rêves, mais que tous les jours je me trouve un petit rêve. Chaque soir, quand on soupe en famille, on se demande quel a été le plus beau moment de la journée pour chacun d'entre nous, ce qui nous permet de voir le bonheur dans ce que l'on fait durant la journée. »

dégringolade de notre société. J'aimerais pouvoir en faire plus, contribuer en éducation, en santé, aider les démunis. Souvent, je me dis qu'avec la quantité d'argent que les banques font, elles pourraient régler la pauvreté mondiale en une semaine. On pourrait s'arranger pour que tout le monde soit heureux et ait du bonheur, mais on ne le fait pas. C'est préoccupant et avec l'arrivée de mon troisième spectacle dans les prochaines années, c'est un sujet que je vais effleurer. C'est sûr que lorsque tu arrives à la quarantaine, que tu fais ce que tu aimes dans la vie, que tes enfants sont en santé et que ça va bien financièrement, tu dis merci la vie ! Je suis chanceux, j'apprécie ce que j'ai et je ne me plains de rien. À part de constater, et je ne sais pas si c'est la bêtise sociale ou la bêtise humaine, que les riches sont plus riches et les pauvres plus pauvres. Je me dis qu'il y aurait moyen de trouver un juste milieu pour que la communauté en profite au complet.

Tu as toujours projeté l'image du bon vivant, du gars qui s'amuse pour un rien, et tu es vraiment comme ça !

Oui et j'ai le bonheur facile, je suis même un peu, je pense, un imbécile heureux. Si je ne *file* pas, que je ne suis pas de bonne humeur, ma blonde peut faire une *joke* de pet et je peux rire pendant vingt minutes ! En fait, je dirais que j'ai le bonheur facile parce que je ne m'en fais pas avec la vie. Malgré ce que j'ai vécu, je pense à mes difficultés scolaires et au fait que ça a été plus compliqué pour moi que pour les autres à cause de mon TDAH, je n'ai jamais abandonné, je n'ai jamais lâché prise. Et j'ai toujours vu le positif dans tout. Je pense que l'une de mes plus grandes qualités est que j'accepte tout le monde, je n'ai aucun préjugé envers personne parce que je suis sûr qu'il y a quelque chose de bon dans chaque être humain.

Tu as connu ton lot de grands bonheurs ?

Oui et je dirais qu'on touche au bonheur quand on a un enfant. Les trois plus beaux souvenirs de ma vie, c'est lorsque je me promenais à l'hôpital avec mes enfants dans mes bras, quand ils étaient tout petits, alors qu'ils avaient à peine une journée de vie. Des bonheurs, c'est sûr que j'en ai eu plein au cours de ma carrière. J'ai en tête des premières de spectacles et d'avoir participé au Grand défi Pierre Lavoie. Le fait de l'avoir complété, d'avoir été là, entouré de plein de monde heureux et d'avoir parcouru le Québec, ça a été du bonheur au pied carré. Il y a quelques années, je n'aurais jamais été capable d'y participer. Je ne suis pas du genre à penser à ce qu'il me manque pour être heureux parce que j'apprécie ce que j'ai. On court parfois après le bonheur alors que pour moi, regarder les chars passer, assis sur mon balcon, ça me rend heureux. Tondre le gazon me rend aussi heureux.

Tu as appris, à l'âge de 33 ans, que tu avais un TDAH. Quelle a été ta réaction?
Je m'en doutais un peu que j'avais quelque chose du genre. Je ne m'étais jamais vraiment arrêté à ça, mais en le sachant, ça m'a rendu plus heureux parce que ça m'a permis de me pardonner d'avoir été dans la *gang* des «p'tits pas fins», ceux que tout le monde pointaient du doigt, ceux qui avaient du mal à lire à voix haute. Ça m'a permis de comprendre des choses, et tu te pardonnes un peu de t'être trouvé cave et imbécile. Je suis devenu comique malgré moi, c'est un mécanisme de défense qui a fait surface très vite dans ma vie et ça m'a aidé. Tu réalises que tu ne peux pas vivre dans les regrets, dans les «j'aurais donc dû»… À un moment donné, il faut que tu émerges de la noirceur pour aller vers la lumière et c'est ce que j'essaie de faire le plus possible. Ce n'est pas en demeurant assis à la maison que des choses vont arriver.

Ça t'a donc amené à vraiment apprécier tous les moments heureux, les joies qui surviennent au quotidien?
Oui, les petites choses me rendent heureux et je pense qu'il faut prendre le temps de les apprécier. Quand je faisais de l'improvisation, il y avait plein de joueurs qui me demandaient comment je faisais pour être drôle. Et je leur répondais que je ne le savais pas, que je ne cherchais pas à être drôle. J'étais simplement moi-même et je pense que le bonheur,

c'est aussi comme ça : il ne faut pas le chercher, il faut seulement se mettre en mode bonheur dans sa tête. Si tu apprécies les petits bonheurs, tu en viens à apprécier tout ce qui survient dans ta vie.

Un moment marquant

«Il y a eu un moment dans ma vie où je me suis dit que je ne me plaindrais plus jamais et que j'apprécierais ce que j'ai pour être heureux… Quand j'étais éducateur spécialisé, je m'occupais d'un garçon qui avait 17 ans et qui était atteint d'une maladie que les médecins n'arrivaient pas à soigner. Son corps n'évacuait pas l'eau. Le jour de mes 30 ans, j'avais une réunion à l'hôpital Sainte-Justine avec des médecins et cet avant-midi-là, je me suis plaint beaucoup, genre: j'ai 30 ans, ça ne va pas bien… Et puis j'apprends que le garçon a décidé d'arrêter de vivre. Il a dit aux médecins qu'il en avait assez de se battre, que ça faisait 17 ans qu'il se battait et que les médecins n'arrivaient pas à le soigner. Ça a été le premier choc que j'ai eu dans ma vie. Alors que, le matin même, je me plaignais parce que ça n'allait pas bien, que je n'avais pas assez d'argent, pas assez de spectacles, je réalisais que lui n'avait rien vécu dans sa vie. Il n'avait pas eu de bal de finissants, n'avait jamais eu de blonde, il faisait juste se battre pour respirer et il a dit à un moment qu'il en avait assez, qu'il n'était plus capable. Et moi qui avais toute la santé qu'il fallait, je n'en profitais pas. Je me suis dit que je n'avais aucun droit de ne pas apprécier ce que j'avais. Et va le chercher, ce que tu veux, et arrête de te plaindre. Forcément tu deviens heureux parce que tu fais ce que tu aimes et tu te réalises. Et quand tu te réalises, ça marche. Ça a été un moment dans ma vie! Je n'ai pas touché au bonheur à cet instant précis, mais ça m'a amené vers ça, ça m'a ouvert les yeux.»

Marianne St-Gelais
Ces petites choses
qui rendent heureuse...

Marianne St-Gelais a marqué son sport, le patinage de vitesse, en remportant trois médailles d'argent aux Jeux olympiques de Vancouver. L'athlète originaire de Roberval est une femme enjouée, dynamique, qui se livre tout entière, ne passe pas par quatre chemins et mord à pleines dents dans les bonheurs que la vie lui procure. Et le bonheur, dans son cas, en particulier dans la pratique de son sport, passe par les efforts, l'acharnement et la discipline nécessaires pour parvenir à ses fins.

« J'ai eu nécessairement plus de bonheurs que de frustrations dans ma carrière, dit-elle. Des bonheurs certainement, mais davantage des accomplissements. Chaque accomplissement s'accompagne d'une période un peu plus difficile de travail acharné. À chaque succès ou chaque fois que quelque chose a bien fonctionné, c'est souvent arrivé au terme d'une phase qui s'était moins bien passée, mais j'ai quand même eu plus de bons moments que de moins bons. Je suis une fille assez positive dans la vie, alors je dirais que je m'attarde moins sur les moments moins heureux et me concentre davantage sur les moments positifs qui m'ont rapporté quelque chose. »

Marianne a débuté le patinage alors qu'elle était âgée de 10 ans et a récolté quantité de médailles et d'honneurs. Son palmarès est éloquent et son talent et sa détermination ont maintes fois été salués. Fiancée au patineur de vitesse Charles Hamelin, elle a la chance de toucher souvent à de petits et grands bonheurs.

« J'ai le bonheur facile, ça ne me prend vraiment pas grand-chose pour être heureuse. Je peux parfois avoir une attitude vraiment renfermée parce que c'est une mauvaise journée, parce que l'entraînement a été dur, mais tout ça peut changer rapidement au contact des autres personnes. J'ai le sourire facile, n'importe quoi me fait rire et c'est l'état dans lequel j'aime être, c'est-à-dire de bonne humeur. J'aime ce que ma bonne humeur dégage. Quand j'ai perdu mon entraîneur en 2012, qui a quitté le programme canadien, ça a vraiment été une grosse histoire. Ça a été difficile, ça a été long avant que je passe à autre chose. Durant cette période, j'ai quand même eu des moments où j'étais heureuse auprès de mes proches, c'est juste que c'était plus noir. »

Est-ce que tu touches plus souvent au bonheur dans ta vie de tous les jours qu'à titre d'athlète ?
Je pense que oui. C'est drôle que tu dises ça parce que cette année, on a vraiment beaucoup travaillé sur la différence entre la Marianne sur glace et la Marianne hors glace. Et celle sur glace n'est vraiment pas la même fille, on essaie justement de la rendre un petit peu plus agressive, plus réservée, qu'elle pense à elle plutôt qu'aux autres. Pour moi, c'est difficile et c'est un peu négatif ; j'en parlais avec mon préparateur mental, parce qu'on dirait que ça va contre mes valeurs de devenir comme ça. On essaie de distinguer les deux personnes. Il y a certains athlètes qui peuvent le faire, de par leur attitude, par ce qu'ils sont, ce n'est pas tout le monde qui a besoin de faire ce travail-là. Il y en a qui sont vraiment centrés sur eux-mêmes, peu importe la situation, et souvent ces athlètes n'ont pas de difficulté à faire la différence entre les deux.

Le public, en général, te connaît plus comme une fille enjouée, dynamique et verbomotrice…

Souvent, on me dit que c'est vraiment comme ça qu'on m'avait imaginée, qu'on a l'impression de me connaître et qu'on voudrait être mon amie. C'est parce qu'ils connaissent la personne, mais Marianne, l'athlète, est difficile à saisir. C'est en quelque sorte « mon état de glace » et quand je ne patine plus, je ne suis plus cette fille-là ; de toute façon, je ne l'aime pas cette fille-là ! Je n'aime pas qui je suis, mon côté renfermé. Moi, j'aimerais aller sur la glace et applaudir les filles quand elles sont présentées, mais je ne peux pas le faire parce que je serais trop gentille, trop *friendly*. Je dois me concentrer sur moi. Quand je suis à l'extérieur de la glace, au quotidien, je suis différente.

Mis à part ta carrière d'athlète et les exploits que tu accomplis, qu'est-ce qui te rend heureuse ?

Quand je suis au chalet. J'ai un chalet familial où j'essaie d'aller chaque été. Je l'appelle mon paradis, c'est là où je décroche complètement. Il n'y a pas de réseau pour le cellulaire, on n'a pas le câble, c'est un endroit où tout le monde se retrouve. C'était le chalet de mon grand-père et tout le monde y a accès. On peut aller là-bas et qu'il y ait cinquante personnes comme il est possible que ce soit complètement désert. J'aime beaucoup cette atmosphère-là, c'est un chalet « dépareillé » sur le bord d'un lac. La place parfaite pour se reposer et où on ne se casse pas la tête. Et même s'il pleut, on va dans le petit *gazebo* et on regarde la pluie tomber et on est bien. J'ai besoin d'aller là, ça me rend vraiment heureuse ; j'en ai besoin pour décrocher et m'aider à passer au travers de ma saison de patineuse.

Est-ce que tu peux dire que tu as réalisé plusieurs de tes rêves ?

C'est certain que, côté carrière, j'ai des médailles olympiques et c'est un rêve que j'avais depuis toujours. Et je voulais aussi être championne du monde, mais je pense que je n'y croyais pas. En 2016, on a décidé d'y croire et c'est certain que ça a été un bonheur immense quand ça s'est concrétisé. Outre mes succès de patineuse et de m'entraîner chaque jour pour réussir, l'un de mes bonheurs est d'avoir trouvé Charles, mon compagnon de vie. Ça fait dix ans qu'on est ensemble et peu importe ce qui arrive, on fait le même sport, on est ensemble 24 heures sur 24 et on ne se tape pas sur les nerfs. Ce n'est pas une vie normale qu'on a. Un jour, on va avoir un métier, travailler de 8 h à 17 h, et on ne sera pas toujours ensemble. On vit quelque chose de vraiment différent. D'avoir trouvé cette personne-là, c'est un réconfort, ça me rend heureuse parce que j'ai vraiment l'impression d'avoir trouvé la bonne personne. Ça a fait dix ans en 2016 et pour moi, c'est une belle réussite de la vie parce que c'est difficile de nos jours, on est entourés de gens qui s'aiment, mais il y a beaucoup de séparations. Nous, on s'est trouvés et j'ai l'impression que c'est très, très fort ce qu'on a, même si on sait qu'on n'est à l'abri de rien. Mais ça me rend extrêmement heureuse, je me dis que je n'ai pas à me casser la tête là-dessus, notre quotidien n'est pas compliqué. On a vraiment un bel équilibre.

Et comment l'avenir se dessine-t-il pour toi en tant qu'athlète ?

Il y a les prochains Jeux olympiques (Pyeongchang en 2018) auxquels je veux participer et je pense que ce seront mes derniers. Un autre quatre ans après ça, ça commencerait à être long. Je ne pense pas que je vais arrêter brutalement après les Jeux, ce serait trop difficile, on va se laisser le temps de revenir de tout ça. Je pense qu'il me reste peut-être deux ans, deux ans et demi à faire du patin, et après je vais passer à autre chose.

Et l'autre chose, c'est ?

Quand je suis arrivée à Montréal à l'âge de 17 ans, je faisais du patin, mais je ne savais pas ce qui m'intéressait, dans quel domaine je voulais étudier. Je suis des cours en sciences humaines au cégep et je me suis rendu compte que j'aime beaucoup les enfants. Je suis impliquée dans plusieurs causes au profit des enfants, notamment Opération Enfant Soleil, la Fondation Rêves d'enfants et Leucan. Je ne sais pas de quelle façon ça va se concrétiser encore pour l'avenir. J'aimerais aussi beaucoup retourner dans ma région, aider les jeunes, et pas nécessairement des jeunes qui sont malades, mais qui n'ont pas les ressources pour faire quoi que ce soit. Je suis une sportive, alors je vais rester sportive, je vais peut-être vouloir m'impliquer de cette façon-là. Je veux transmettre, je veux parler, je veux bouger, je ne veux pas rester assise à ne rien faire.

À t'écouter parler, je devine ton besoin d'aider les autres, de donner, de procurer du bonheur autour de toi…

J'aime donner, faire plaisir aux gens, et je suis toujours un peu mal à l'aise de recevoir. J'anticipe les réactions des gens, ça me procure du plaisir et je pense beaucoup aux autres. J'aime donner et voir

quelqu'un d'heureux, surtout quand il s'agit de mes proches, ça me rend heureuse moi aussi. Les gens anxieux qui ne vont pas bien, ça me fait quelque chose, j'essaie de trouver des solutions, surtout, encore une fois, si ce sont des proches. J'aime voir le monde de bonne humeur, ça m'influence et me rend de bonne humeur moi aussi. En travaillant sur moi, j'ai réalisé que j'avais aussi beaucoup d'énergie que je donnais aux autres et que j'oubliais d'en garder pour moi.

Considères-tu être choyée par la vie ?

Ma famille et mon sport sont ce que j'ai de plus précieux. Je suis choyée de ce côté-là, ma famille est en santé et c'est important pour moi. Ça va bien, on se croise les doigts. Et je me sens choyée aussi parce que lorsque tu prends le temps de regarder chez le voisin, tu te dis que certains vivent des choses qui ne sont pas nécessairement roses. Côté carrière, j'ai travaillé extrêmement fort pour arriver où j'en suis, je n'ai pas eu une carrière sans embûches même si je n'ai pas eu de blessures. C'est différent d'une personne à l'autre, mais j'ai travaillé, j'ai fait des sacrifices et j'ai fait ce qu'il fallait pour en arriver là où je suis. La vie est bonne pour moi, mon sport va bien, ma famille va bien et mon *chum* va bien. Je n'ai pas une liste à combler, je suis heureuse. Ma bulle est bien en ce moment.

Quels sont tes petits bonheurs au quotidien, les moments qui te procurent de la joie et de la satisfaction ?

Le matin, quand je me rends à l'aréna en marchant, ce qui me prend environ quatre minutes et demie, mon bonheur est d'écouter de la musique tout en chantant et en dansant ! Peu importe si je fausse ou pas, je chante et je me sens bien. Quand je vais entrer à l'aréna, c'est autre chose, mais ce moment-là m'apporte beaucoup. Sinon, je te dirais que parmi mes petits bonheurs, j'aime manger du chocolat. Le bonheur est d'autant plus intense que Charles et moi n'en mangeons pas de la semaine. Le dimanche est notre journée de tricherie, alors il est bon en *tabarouette*, le chocolat ! C'est comme une récompense, un bonheur. Et il y a aussi les FaceTime avec mes parents qui sont un autre plaisir. Ils ne sont pas doués pour ça et c'est toujours très, très drôle. On essaie de se parler une fois par semaine.

Est-ce que tu t'arrêtes parfois pour savourer ton bonheur, entre autres avec Charles?

Oui, et entre autres quand il dessine. Avec le patin qui l'occupe beaucoup, ça n'arrive pas souvent, mais quand il sort son gros coffre avec ses crayons, j'aime le regarder dessiner. Je m'assois au bout de la table et je le regarde faire. C'est complètement différent de ce qu'il fait, je le vois s'entraîner chaque jour, se donner, et là, il est calme, il dessine, il est dans sa bulle. Moi je suis archi nulle en dessin, alors quand je le regarde, il y a aussi une partie d'admiration et pas seulement parce que c'est mon *chum*, mais parce que c'est vraiment beau ce qu'il fait. Il est vraiment calme, il est dans une autre zone quand il dessine et il adore ça.

Tu as eu des moments difficiles à vivre, comment les as-tu surmontés?

J'ai eu une période après les Jeux de Sotchi, où ça n'allait vraiment pas bien avec mon entraîneur, et je n'étais pas capable de prendre le dessus. Je n'avais aucun plaisir à aller m'entraîner, je n'aimais pas la personne que j'étais ni la *gang* que je côtoyais. Alors pour à la fois me retrouver et retrouver mon équilibre, je suis partie chez mes parents, à Saint-Félicien, durant trois semaines. Puisque je n'avais plus de plaisir à aller patiner, je voulais faire le point et ça m'a vraiment fait du bien d'être à la maison. Là-bas, j'ai fait du CrossFit avec des gens que je connaissais à peine et ça m'a sauvé la vie! Je suis une fille de gang, j'aime être entourée de gens, et avec eux, je me sentais bien. Il y avait une chimie de groupe, on s'encourageait, et j'avais besoin de refaire la même chose avec les filles de mon équipe. Il y avait eu un roulement de personnel, j'avais l'impression que je ne connaissais plus l'équipe avec laquelle je m'entraînais. Et il y avait aussi le leader et ce n'est pas nécessairement toi qui le choisis. Mon père m'avait dit: « Marianne, dans la vie, tu vas avoir un *boss* et ce n'est pas toi qui décides. Tu ne vas pas changer de job chaque fois que tu ne t'entendras pas avec ton *boss*! Trouve des compromis et des solutions. »

Quand je suis revenue à Montréal, j'ai parlé avec mon entraîneur et j'ai appris à travailler avec les filles, à les aimer, à partager des choses, et le bonheur est revenu, il fallait que j'aie de nouveau du *fun* à m'entraîner et c'est l'entraîneur qui a fait en sorte que je devienne championne du monde. Alors tout est possible, c'est juste qu'il faut crever l'abcès, ne pas avoir peur de faire un pas en arrière et de brasser les choses.

Donc, à ceux qui cherchent le bonheur, entre autres dans l'accomplissement de soi, quels conseils leur donnerais-tu?

De ne pas le chercher! Parce que si tu cours après ton bonheur, c'est peut-être que tu l'as raté. J'ai l'impression que ça vient à toi, ces choses-là, et en même temps, on le fait aussi, notre propre bonheur. Et il faut le voir quand il arrive. Le bonheur, ce n'est pas nécessairement toi, dans ta maison, avec tes enfants qui vont bien, un travail que tu aimes et tout est parfait. Si tu attends d'avoir tout ça bien *enligné*, ça n'arrivera peut-être jamais. Je pense qu'il faut apprécier ce qu'on a et cesser de toujours regarder ailleurs pour se comparer. Dans mon cas, je vois mon *chum* que j'aime et qui est parfait à mes yeux, et mon sport et ma famille qui vont bien, *that's it*, je suis heureuse! Il faut se contenter de ce qu'on a, il ne faut pas se faire un idéal du bonheur. Et à ceux qui le cherchent, je leur dis de regarder autour d'eux parce qu'il y en a du bonheur en quantité. Ça ne correspond peut-être pas à l'idéal que tu t'en étais fait, mais il y a toujours du bonheur à saisir.

Mario Pelchat
Aller au bout de ses passions

« Certains peuvent penser que ça me prend la totale parce que c'est vrai que j'ai des idées de grandeur, et le projet du vignoble en est une belle preuve, mais je me satisfais des petites choses aussi, des petits bonheurs au quotidien qui me font immensément de bien. »

Mario Pelchat porte plusieurs chapeaux. Celui de chanteur, mais aussi de producteur et de viticulteur. Ce qui en fait un homme très occupé, mais heureux parce que tout ce qu'il fait, il le fait avec passion malgré les obstacles et les déceptions qui peuvent survenir. C'est à son vignoble, par une belle matinée d'été, que j'ai rencontré Mario pour qu'il m'entretienne de ses sources de bonheur et de ses rêves.

Mario et sa femme, Claire Lemaître-Auger, ne ménagent pas les efforts pour réaliser leur rêve d'arriver un jour à produire leur propre vin. C'est tout un univers dans lequel ils ont plongé, un monde qui ne leur était pas familier, et Mario multiplie en parallèle les projets d'albums et les spectacles, pour lui et pour d'autres artistes qu'il a pris sous son aile. Le bonheur, plusieurs me l'ont répété au fil des entrevues, c'est souvent d'avoir des rêves, d'être dans l'action pour parvenir à les réaliser. Tout à fait ce que font Claire et Mario.

Tu as toujours aimé relever des défis et, visiblement, celui auquel tu t'es attaqué depuis quelques années en est tout un !
Je me suis découvert une âme de bâtisseur et je vois un parallèle entre ce projet de vignoble et ma carrière. En fait, les deux représentent des défis. J'avais 17 ans quand j'ai démarré ma carrière et je ne savais pas ce qui me pendait au bout du nez, ne connaissant rien du *show business*. Dans mon Lac-Saint-Jean, tout ce que je connaissais du métier était ce que je lisais dans les journaux à potins. Je suis arrivé à Montréal avec, pour seul bagage, la fougue, la passion, le désir de réussir et la certitude que j'allais y parvenir. Pas par prétention, mais parce que j'ai une tête de cochon, et quand je commence quelque chose je me rends jusqu'au bout. Dans tous mes projets, que ce soit une rénovation de maison ou un projet de spectacle ou d'album, ou encore ce projet-là du vignoble — qui est certainement le plus audacieux de tous —, je pars toujours avec la même conviction que je vais y arriver. Mais, en cours de route, des périodes de découragement, il y en a toujours. Il y en a plein

qui baisseraient les bras et qui diraient : « On vend, c'est trop d'ouvrage, on abdique ! », mais c'est hors de question. Alors, dans chacun des projets que j'entreprends, il y a toujours de la visualisation, et je le vois là — réel — avant même d'avoir commencé. Et toujours avec l'idée de bâtir et de laisser quelque chose aux générations suivantes.

Tu n'as jamais eu l'idée d'abandonner en cours de route ?
Non, non, non, ce n'est même pas une option. Mon leitmotiv c'est ça, c'est la vision, me fixer un but. Écoute, quand j'ai acheté cette terre, mon père et mes proches me disaient que j'étais fou ! Et aujourd'hui, je te confirme… qu'ils avaient raison ! Je le vois bien, mais quand on regarde le travail qui a été fait, plutôt que ce qui reste à faire, je me dis wow ! Si je regardais seulement ce qu'il reste à faire, ce serait facile de se décourager. Mais en faisant le contraire, ça m'encourage, je me dis : « Aïe, on a acheté ça, il n'y avait rien et regarde ce qu'il y a de fait ! » Il y a encore des choses à construire, on ne fait même pas encore de vin. Tous les jours, les gens me demandent quand ils vont pouvoir boire mon vin, mais on retarde tout le temps parce que j'aime le travail bien fait, on ne veut pas bâcler. On est loin de la première bouteille de vin et certains disent qu'il ne viendra jamais, ce vin-là. Oui, il va arriver, quand ce sera le bon moment. C'est un peu comme lorsque j'ai tenu dans mes mains mon premier disque. Pendant longtemps je rêvais de ça au Lac-Saint-Jean et j'entendais toutes sortes de rumeurs, du genre que je rêvais en couleur, que j'allais revenir, arrêter de rêver et faire un vrai métier. Puis quand j'ai tenu mon premier 45 tours dans mes mains, j'avais les larmes aux yeux et j'ai dit : « Wow, c'est vraiment ça que j'avais envie de faire et maintenant c'est vrai ». À chaque fois, la clé est de se voir là avant d'y arriver, de tout mettre en œuvre pour que ça se concrétise.

Dirais-tu que ta *tête de cochon* t'a rendu plus heureux que malheureux dans ta vie ?
Des fois ça m'a rendu malheureux parce que parfois

je peux être prompt, je peux ne pas être facile à vivre pour mon entourage. Tous les projets sont dans ma tête, ils germent là et comme c'est un peu long d'expliquer tout ça — le chemin que j'ai prévu pour arriver à mes fins, les étapes à venir — il peut m'arriver de répondre d'un ton sec, parce que je n'ai pas le temps de tout raconter. Parfois, je sais qu'on peut se dire : « Il fait n'importe quoi… où est ce qu'il s'en va ? » Mais au final, ils comprennent ce que j'avais prévu.

Tu agis à titre de producteur pour des artistes comme Paul Daraîche et 2 frères, tu vis en quelque sorte du bonheur par procuration ?

C'est vrai, mon bonheur c'est ça aussi, de faire des choses que j'aime, de créer, de voir des artistes faire des albums et monter sur scène. Et de faire des spectacles moi aussi, j'ai encore beaucoup de plaisir à le faire. J'aime partager et surtout aider les gens à quitter leur quotidien, parfois morose, pour les amener ailleurs, dans un univers qui les fait rêver. C'est ce que moi je ressens et c'est la même chose quand je produis un autre artiste.

Et quand tu es en coulisses et que tu vois l'un de tes artistes être acclamé sur scène ?

Mon bonheur est aussi grand que si j'étais moi-même sur scène. Parce que je sais, moi, dans le cas de 2 frères, que lorsque je les ai pris sous mon aile, personne ne les connaissait. J'ai vu chez eux quelque chose qui était tellement fort que tout le monde allait sûrement voir la même chose que moi et vibrer aux mêmes émotions qui m'avaient fait vibrer. Mais pour les amener là, il y a eu un processus et une manière, une façon d'y arriver et ça, ça me rend fier. Aujourd'hui, il n'y en a plus beaucoup qui osent prendre des risques. Des risques, c'est du temps, de l'énergie et c'est de l'argent aussi, il faut investir sans compter, c'est du *gambling* plus que jamais.

Le bonheur avec un grand B, c'est dans les petits moments ou il faut que ce soit la totale ?

Certains peuvent penser que ça me prend la totale,

mes proches seraient certainement les premiers à dire ça, parce que c'est vrai que j'ai des idées de grandeur, et le projet du vignoble en est une belle preuve. Mais je me satisfais des petites choses aussi, des petits bonheurs au quotidien qui me font immensément de bien et qui me nourrissent autant que les grandes choses.

Tu dis souvent que tout va vite, que tu n'as pas le temps de faire la moitié des choses qui te rendent heureux… Tu ressens une situation d'urgence à différents égards ?

Au cours des quatre, cinq dernières années, dans les familles Pelchat et Gagnon, du côté de mon père et de ma mère, on a perdu pas moins de quinze personnes et ça m'a beaucoup ébranlé. C'est évident que la famille vieillit, je ne suis pas sans penser que mes parents vont partir eux aussi. Dans ces quinze-là, il y avait beaucoup de jeunes, de 49, 54, 29 ans ; il y en a beaucoup dans ma famille qui meurent jeunes. Tu sais, un cancer à 29 ans avec deux petits enfants en bas âge, ce n'était pas dans les plans de ma cousine. Et ma sœur, c'est la même chose, et mon petit cousin frappé par une voiture ; on a beaucoup vécu ce genre de drames dans la famille. Je sais que ça peut arriver et on dirait que je travaille dans cette urgence-là aussi. Je n'ai pas le temps de mourir, j'ai trop de projets, je veux les voir se concrétiser, mes projets. J'ai toujours peur que ça me tombe dessus, parce que je suis très conscient que ça peut arriver et pour moi, savourer le moment présent, c'est travailler, c'est bâtir.

Claire et toi n'avez pas eu d'enfant, as-tu l'impression que tu es passé à côté de quelque chose ?

Oh oui, ça nous a manqué de ne pas avoir d'enfant. Énormément. C'est un regret qu'on a, Claire et moi, qui ne nous quitte pas, mais on vit avec ; on dit souvent en riant qu'on a 18 000 enfants et qu'on va en planter 6 000 autres l'an prochain ! Avoir entre autres de jeunes enfants, un petit garçon, une petite fille, qui me dirait : « Je t'aime, papa », ce serait extraordinaire. Et, sait-on jamais, peut-être auraient-ils pris la relève de ce projet-là un jour, encore aurait-il fallu qu'ils en aient envie, mais bon, on ne peut même pas y penser, on n'en a pas ! La vie a fait que c'est arrivé comme ça. On s'est séparés, et avant on ne trouvait pas ça sage d'avoir des enfants dans un contexte familial qui était houleux, et après on était trop vieux. On est très conscients d'être passés à côté de ce bonheur, mais en même temps on ne veut pas briser notre existence pour cela, c'est fait, mais c'est sûr que ça aurait été l'apothéose d'avoir eu des enfants.

Tu as quantité de projets professionnels en plus du vignoble, mais as-tu d'autres rêves qui te rendraient heureux ?
J'aime beaucoup les voyages. On a souvent l'occasion de prendre des vacances, de faire de beaux voyages et de vivre de belles expériences. Depuis qu'on a le vignoble, dès qu'on en a l'occasion, on va visiter des régions viticoles, on prend de l'information. Dans ma carrière, ça me manque de ne pas écrire autant que je le voudrais. Je sais que j'ai encore plusieurs chansons que je n'ai pas écrites et que je dois écrire, faire tout un album de ces chansons, paroles et musique. J'ai l'impression qu'il me manquerait deux ou trois albums comme ça pour que mon parcours musical soit complet. J'ai bien l'intention de le faire, mais pour écrire, ça prend du temps, ça prend des moments à soi.

On s'est fait un beau petit coin au Lac-Saint-Jean, un pied-à-terre qu'on a agrandi et mis à notre goût. On avait acheté un chalet, une coquille qu'on avait envie de modifier éventuellement. Ça a pris du temps, on a commencé par l'intérieur, puis on a fait l'extérieur en 2015. Là, le chalet nous plaît, c'est un beau coin, on y est bien. Quand on arrive là, c'est le bonheur et la tranquillité, la paix totale. Et autant Claire s'opposait à agrandir un endroit où on ne va pas beaucoup, autant là, quand elle a vu le travail fini elle a dit : « Ouf, oui tu as eu raison de le faire. » La raison pour laquelle j'ai agrandi le chalet, c'était pour passer plus de temps avec ma famille, faire des beaux soupers à la maison, avoir de l'espace. Mes parents sont vieillissants et je voulais passer plus de temps avec eux. C'est important de passer plus de temps là-bas, tout en n'étant pas dans leurs affaires. Ils vieillissent, avoir de la visite c'est le *fun*, mais quand on vieillit, on aime bien notre petit confort, notre petite tranquillité. C'est vrai pour eux autres, c'est vrai pour nous autres aussi. Le fait d'avoir maintenant un endroit où on peut les recevoir, ça leur fait du bien et ça nous rend vraiment heureux. C'est drôle parce que Claire a toujours peur que je dépense trop, c'est une fille très économe. Moi, j'ai toujours dépensé, ça crée un équilibre. Le rapport avec l'argent, ça ne m'a jamais fait peur : il y en a, il y en a, il n'y en a pas, il n'y en a pas. Quand il n'y en avait pas, j'étais heureux quand même, je trouvais mon bonheur dans des petites affaires. Et quand il y en a, on gâte notre monde. Là, je fais travailler mon frère au vignoble, il est bon et travaille bien. Il travaille pour le bien de l'entreprise et ça va être beau, c'est lui qui a fait les plans du bâtiment ici. Mes frères sont venus travailler, mon père est venu m'aider, il est à la retraite et il aime se rendre utile. C'est un gros avantage que j'ai là.

À une certaine époque, tu rêvais de percer en France…
Je n'ai plus ces attentes-là, si ça ne se passe pas, je ne serai pas malheureux. J'ai eu, durant toute ma carrière, des attentes par rapport à la France, j'ai attendu et espéré que ça fonctionne et, par moments, ça m'attristait. J'ai arrêté d'y penser et j'ai mis de l'avant d'autres projets, j'ai commencé à produire des disques ici, à faire découvrir d'autres artistes, à leur donner la chance de percer. Ça, pour moi, c'est super important parce que le métier ne va pas tellement bien. Peu de producteurs acceptent de prendre des risques avec de nouveaux venus et ça fait en sorte qu'une grosse partie de la jeune génération de chanteurs et de chanteuses ne vivent pas et ne vivront pas de leur métier. Donc, moi, c'est un peu comme une mission, un mandat que je me suis donné de permettre aux jeunes de pouvoir mettre du beurre sur leur pain. J'ai été chanceux de pouvoir vivre de mon métier, alors j'essaie de donner la chance aux

autres. La vision à long terme dans leur cas, je ne l'ai pas, parce que je ne sais pas comment va se comporter le métier qui n'arrête pas de changer. Mais au moins, dans l'immédiat, s'ils peuvent remplir leurs salles, vendre des disques et faire des sous, eh bien c'est toujours ça de gagné.

Tu dirais que la vie est bonne et heureuse pour toi?

Il me manque encore certains aspects pour être complètement heureux, mais c'est difficile de dire ce qu'il me manque précisément. On sait que le vignoble est un projet audacieux, qu'on a besoin de main-d'œuvre, de personnes-ressources, d'un bon chef de culture. Je veux alléger le fardeau de Claire qui travaille comme je n'ai jamais vu quelqu'un travailler, elle est une force de la nature. Mais je ne veux pas qu'elle se tue à l'ouvrage. Je veux aussi qu'elle fasse ce qu'elle aime, qui est de créer des vêtements. Pour ma part, en ce moment, j'ai encore besoin d'initier des projets qui rapportent des sous pour investir ici, ce qui fait que je ne peux pas toujours être au vignoble. Je suis là, mais en dilettante, c'est ce qui lui met un lourd fardeau sur les épaules. On est un jeune pays viticole. De bons employés qui connaissent la vigne, qui savent ce qui doit être fait, ce n'est pas facile à trouver au Québec. On n'est pas un pays où il y a des écoles pour former les gens. Souvent, on les fait venir de l'étranger, par exemple, on a eu des Français qui arrivaient avec une formation et qui connaissent ça.

Bon, je m'éparpille, je veux revenir à ta question. Tout ça bouffe un peu de ce qui me rendrait heureux. Quand je vais voir ma femme créer, faire ce qu'elle aime et s'épanouir là-dedans, ça va me rendre heureux. Elle s'épanouit dans le champ de vignes, elle aime ça parce qu'elle a appris. Claire a pris ça à cœur et elle a voulu s'impliquer dans ce projet à deux, et ça m'émeut de la voir travailler comme ça. Ça me touche de voir qu'elle a compris mieux que moi parce que c'est moi qui ai suivi le cours de viticulture! Elle a lu des bouquins et elle a appris en travaillant dans le champ. Ça me touche vraiment, si je ne l'avais pas eue, je n'aurais pas pu réaliser ce projet-là, ça aurait été impossible. Il reste qu'elle est une créatrice et j'ai hâte qu'elle puisse s'épanouir dans son domaine. J'ai hâte d'avoir quelqu'un pour m'assister. Quelqu'un à qui je pourrais déléguer, mais j'ai toujours eu de la misère à déléguer. Quand j'aurai trouvé les bonnes personnes en qui je vais avoir confiance, Claire et moi allons avoir plus de temps pour faire tous les deux ce qu'on aime. En gros, on travaille fort pour être bien, pour être heureux et pour être en règle avec notre créateur. On est croyants et on fait ce projet-là parce qu'on croit que c'est un cadeau qu'on a reçu et qu'on doit respecter la nature, respecter la terre, respecter ce qu'on a reçu. Je vois ça comme une bénédiction et je remercie tous les jours. Après ça, on fait ce qu'on peut, à chaque jour suffit sa peine.

Isabelle Racicot
Une urgence de vivre heureuse

Parmi ses bonheurs professionnels, Isabelle se dit contente d'avoir connu le couple Dion-Angélil. «C'est un couple qui m'a beaucoup marquée, dans le sens qu'on avait envie d'être avec eux, dans cette bulle-là qui était tellement chaude, enveloppante et agréable. Il y a des phrases que René a dites et qui sont marquées à vie dans ma mémoire.»

L'animatrice Isabelle Racicot se crée des moments de bonheur et savoure intensément ceux que la vie lui amène. Elle s'organise pour que son bonheur soit stable et pour le maintenir à un niveau élevé.

«Tu sais, tu fais des choses dans la vie et tout est une question de relativité. Le verre est à moitié plein ou il est à moitié vide, et moi je choisis toujours de voir le verre à moitié plein. Les petits bonheurs sont importants dans mon quotidien. Si je vois dans mon *planning* que ma semaine est ordinaire, je vais me créer des moments où ça fait des étincelles. J'ai besoin de ça, d'avoir un moment "wow". C'est cette accumulation de petits bonheurs au quotidien qui font que mon niveau de bonheur, en général, est assez élevé.»

Isabelle avoue que le bonheur est très présent dans sa vie, qu'il faut provoquer les choses aussi, et que lorsqu'on désire être heureux, c'est un peu comme ce vieux dicton que bien des mères et grand-mères répétaient: «Quand tu veux du sucre à la crème, tu t'en fais!» Même chose pour le bonheur! «Je crois beaucoup qu'il y a une partie de génétique là-dedans, et je comprends qu'il y en a pour qui c'est plus difficile. Il y en a qui ont le bonheur plus facile que d'autres et c'est mon cas. Ça fait partie des derniers conseils que ma mère m'a donnés avant de mourir. J'avais 11 ans à l'époque et elle m'avait dit: "Isabelle, le bonheur, ça part de toi. Ce n'est personne d'autre qui peut te l'amener." Je me rappelle cette phrase-là très clairement, mais en même temps, je pense que ça m'a pris un petit peu de temps avant de l'assimiler. J'ai compris à la fin de l'adolescence ce qu'elle voulait dire, que c'était moi qui devais faire les choix en fonction de ce qui allait me rendre heureuse dans la vie. Et de ne pas attendre que ce soit les autres qui viennent me créer mon bonheur.»

Tu parles de ta mère, tu étais bien jeune pour la perdre…
C'est un bonheur perdu. C'est sûr qu'il y a eu des moments dans ma vie où j'ai pensé

partie à cause de ce qui s'est passé. Ma mère est décédée d'un cancer, elle avait 37 ans. J'étais l'aînée chez nous et j'ai été élevée avec mon père et mes deux frères. Je pense qu'on choisit ce dont on veut bien se souvenir, j'ai des souvenirs un peu vagues par moments. Je me rappelle que j'étais en secondaire 1, on jouait tous dans le parc, et je disais aux autres qu'il fallait que je rentre à la maison pour aller préparer le souper, alors que ce n'était pas leur réalité à eux. Encore là, je considère que ça m'a préparée à la maternité et à plein d'autres choses dans la vie.

Son départ t'a amenée à changer ta façon de voir la vie ?

Je pense que ça m'a fait réaliser rapidement que la vie, tu n'en avais qu'une et qu'il fallait que tu en profites pleinement. J'ai une espèce d'urgence de vivre dans ma façon d'être. J'ai toujours été comme ça, j'ai toujours eu peur de mourir à 37 ans. Quand je suis arrivée à cet âge, j'avais hâte d'avoir 38, je me demandais si j'allais faire comme ma mère et mourir jeune. Alors j'ai toujours ressenti l'urgence de vivre, c'est un cadeau qu'elle m'a légué, dans la mesure où je me dis que je vis vraiment pleinement. C'est pour ça que je te parle des petits bonheurs au quotidien, parce que je les apprécie pleinement, je prends le temps de les savourer. Et j'essaie de transmettre ça aux enfants. Je trouve ça important qu'ils prennent le temps de s'arrêter et de faire « wow ! » eux aussi. J'ai une vie effrénée, mais on a tous le temps de prendre le temps malgré tout, d'autant plus que ça change tellement la vie, ces petites affaires-là. En fait, ça change tout.

Tu parles du passé qui t'a beaucoup marquée, tu es du genre à tirer des leçons de tes diverses expériences ?

Je regarde en arrière pour voir si j'ai évolué, pour voir si j'ai appris quelque chose. Je regarde aussi en arrière, souvent avec nostalgie, en pensant aux beaux moments que j'ai vécus. Et si j'ai vécu quelque chose de difficile et que je m'en suis sortie, j'aime aussi me rappeler d'où je suis partie, le travail qui a été fait pour me rendre où j'en suis.

que j'aimerais tellement que ma mère soit là. Quand je regarde comment mes enfants grandissent, j'aimerais aussi qu'elle soit là, mais elle est présente dans nos vies. C'est-à-dire que, par défaut et du fait que je leur ai beaucoup parlé de leur grand-mère, elle est encore vivante dans la vie de mes garçons. C'est sûr que pour moi, c'est le plus grand drame de ma vie, je n'ai rien connu de pire. En même temps, c'est quand même fascinant de penser que je me retrouve dans la quarantaine et que ce soit l'épreuve la plus difficile que j'aie vécue dans ma vie. Je pourrais te dire que j'ai vécu tellement de misères… mais, en rétrospective, même si c'est un gros morceau et que ça a façonné ma vie, c'est sûr que je suis comme je suis en grande

Et ton bonheur demain, tu l'imagines comment ?

Tout ça est relatif, mais quand je pense à un bonheur total, je suis avec les gens que j'aime dans une maison au bord de l'eau. La maison que l'on voit dans le film *After the sunset* avec Pierce Brosnan et Salma Hayek, une petite maison ronde magnifique qui est sur la plage. Pour moi, ce serait le bonheur total, mais il faudrait que je réussisse à convaincre mon époux qui ne veut rien savoir d'une maison au bord de la mer parce qu'il a peur des tsunamis. J'ai marié mon contraire : il entrevoit toujours ce qui peut survenir de négatif, alors que c'est l'inverse pour moi. Cette maison-là fait partie de mes bonheurs imaginaires, de mes rêves. J'aimerais aussi avoir un petit peu plus de temps, juste pour m'arrêter. J'aimerais prendre une année sabbatique, partir sur un *trip* avec ma famille, mais je sais que ça n'arrivera pas. J'aimerais l'essayer, juste vivre pendant un an, ne me préoccuper de rien, sans avoir de responsabilités.

Grâce à ton métier d'animatrice et de journaliste, tu as eu l'occasion de côtoyer beaucoup de monde. Est-ce qu'il y a des personnes qui t'ont marquée et procuré du bonheur ?

Je suis contente d'avoir connu le couple Dion-Angélil et d'avoir pu les rencontrer souvent. J'ai notamment fait plusieurs entrevues à Las Vegas, et il y avait cette espèce de façon de faire, cette chaleur, qui t'amenait à être très terre à terre. Ça a été un couple qui m'a beaucoup marquée, dans le sens où on avait envie d'être avec eux, dans cette bulle-là qui était tellement chaude, enveloppante et agréable. Il y a des phrases que René a dites et qui sont marquées à vie dans ma mémoire. Pour moi c'était un bonheur. La façon dont ils traitaient le monde autour d'eux aussi, je trouvais ça phénoménal qu'après tout ce temps-là, après tous ces succès retentissants, qu'ils demeurent tellement terre à terre. J'ai aussi rencontré des gens, qui ne sont pas nécessairement connus du grand public, mais qui avaient une âme, un don de soi exceptionnel. Ma vie est parsemée de ces rencontres, je dirais que je me suis beaucoup nourrie des entrevues faites aux émissions *Flash*, *Ça finit bien la semaine* et *Deux filles le matin*, des rencontres qui m'ont beaucoup appris et marquée. Pour ça, le métier que je fais est exceptionnel. J'ai gardé un journal dans lequel j'ai noté des phrases relevées au cours de certaines entrevues et je garde quelques-unes d'entre elles dans mon bureau, sur mon grand tableau d'inspiration. Parfois je le feuillette, j'aime beaucoup ça.

Tu es mère de deux garçons, la maternité était un bonheur à atteindre pour toi ?

Je ne me suis jamais posé la question à savoir si j'allais ou non avoir des enfants. Pour moi, c'était toujours clair que j'allais en avoir. Mon mari était plus prêt que je ne l'étais à avoir des enfants, j'ai quand même eu Christopher à 31 ans, un peu plus tard que tôt. Christopher est arrivé à point dans ma vie parce que j'ai réalisé que je n'étais vraiment pas prête avant. Et en même temps, je trouve ça *l'fun* parce qu'il m'aide à évoluer. Et le plus jeune, Justin, je pense qu'il a une vieille âme. Il est comme un bonheur sur deux pattes et je trouve ça fascinant parce que, parfois, il me pose des questions qui font vraiment que je m'arrête à ce qu'il vient de me demander. Je grandis à travers mes enfants, je suis contente et je ne verrais pas ma vie sans eux. Je ne porte pas de jugement sur ceux qui n'en ont pas, on choisit la vie qu'on a, ou peut-être qu'on n'a pas choisi, mais moi, dans la mienne, je serais vraiment passée à côté de quelque chose. J'ai un côté *workaholic* et les enfants m'ont vraiment forcée à arrêter, à relativiser tout ça. En plus, je suis quelqu'un d'extrêmement sensible et dans le milieu dans lequel je suis, ce n'est pas évident pour les gens aussi sensibles que moi ; mes enfants m'ont appris à avoir un détachement par rapport au métier. Un détachement qui m'était nécessaire pour m'aider à survivre dans ce métier-là. Ils m'apportent beaucoup, nous avons de belles discussions et j'ai du plaisir avec eux.

Que dirais-tu aux gens qui se questionnent et qui cherchent le bonheur ?

Je pense que c'est une question de vases communicants. On a plein de sphères dans notre vie, il y a le milieu professionnel, les amis, l'amour, et parfois tout va bien en même temps, et à d'autres moments ce n'est pas le cas. Moi, j'aime mettre le focus sur ce qui va bien quand il y a quelque chose qui va mal, sans nécessairement nier la réalité. Parce que si tu nies, tu ne vis pas complètement ce que tu as à vivre, tu n'apprends pas et tu n'avances pas. C'est toujours une question d'équilibre. J'ai du mal à croire que quelqu'un puisse être malheureux dans tout, à moins qu'il ne vive une dépression et que, chimiquement, il ne soit plus capable de voir la lumière au bout du tunnel. Mais ceux qui chialent tout le temps, je me dis que la vie est courte et qu'on n'en a qu'une. Si tu meurs demain matin, est-ce que c'est comme ça que tu auras voulu vivre ta vie, en chialant tout le temps ? Il y a toujours quelque chose qui va bien quelque part dans ta vie : trouve-le et mets le focus là-dessus, et après ça les choses vont bien aller.

Autre conseil que je pourrais partager : dans les moments où ça ne va pas, que je traverse de grosses épreuves et que je suis triste, mon journal de gratitude m'aide énormément. À la fin de chaque journée, j'écris cinq petites choses que j'ai aimées au cours de la journée, qui m'ont fait du bien. Ça fait en sorte que plus j'en écris, plus je réalise que ça va bien. Personnellement, ça m'a beaucoup aidée. Ce n'est pas vrai que ma vie est tout le temps belle, mais quand ça ne va pas, je trouve les moyens pour en sortir et améliorer les choses.

Et ta vie amoureuse ? Tu partages ta vie avec le même homme depuis plus de vingt ans ?

En 22 ans, on a eu des hauts et des bas, des remises en question, et j'ai eu des peines en amour et aussi en amitié. Il y a des gens qui m'ont blessée, des gens en qui j'avais confiance et que je croyais être de vrais amis, et ça a fait aussi mal qu'une peine d'amour. Et il y a des fois, dans ma carrière aussi, où j'ai eu des déceptions, des choses qui n'ont pas marché. Et ça

c'est une partie de l'égo qui souffre du rejet, c'est un deuil à faire.

Et que fais-tu pour ne pas te laisser miner par des déceptions ?

Je suis proactive, je fais un peu plus d'exercice, je vais me trouver du temps pour moi, je travaille sur moi et je fais plus de soupers avec des amis, simplement pour me créer des petits moments de bonheur. Une fois, je me suis installée dans une chambre d'hôtel durant deux jours, à simplement lire des magazines. Ah, que j'aime ça ! Autant j'ai un côté très grégaire, autant je peux être seule et j'apprécie ces moments-là, je ne suis pas mal dans la solitude, pas du tout.

Notre façon de voir les choses et la vie évolue avec les années, qu'est-ce qui a changé chez toi ?

Je pense que je suis moins carriériste que je ne l'étais il y a dix ans, même si je suis encore un bourreau de travail et que j'ai besoin de me renouveler. Je suis aussi beaucoup plus indulgente envers moi-même. Avant, j'étais perfectionniste et je voulais être parfaite. J'ai tellement lâché prise ! Je m'aime beaucoup plus qu'il y a dix ans. On dirait qu'avec le temps, j'apprécie beaucoup plus la personne que je suis, le fait que je ne sois pas parfaite, alors qu'avant il fallait vraiment que je le sois. Quand j'étais à *Flash*, alors que je faisais mes premiers reportages en direct, si je m'étais trompée dans une phrase ou que quoi que ce soit n'ait pas été impeccable, je n'en dormais pas de la nuit. Il fallait que Patricia Paquin et Alain Dumas me parlent, j'étais trop intense. J'ai vraiment lâché prise. Et de un, parce que c'est fatigant de vouloir tout contrôler, et de deux parce que je suis devenue mère. J'ai réalisé que je ne pouvais être parfaite sur tous les fronts, alors je me suis dit que j'allais être imparfaite partout et que j'allais être bien comme ça. Mon sentiment de bien-être est trop important pour moi et je n'ai plus envie de me torturer à essayer d'être parfaite en tout.

Et tes petits bonheurs, qu'est-ce qui te fait du bien ?

C'est le bonheur lorsqu'il est question de bouffe. J'adore cuisiner, prendre un repas avec des amis. Je peux me lever un samedi matin, décider de la recette

que je vais faire pour le souper et passer la journée à préparer le souper. La bouffe me rend très heureuse. J'aime quand les gens ont du plaisir chez nous, j'ai aménagé ma cuisine en fonction de pouvoir recevoir beaucoup de monde, dans le but que mes enfants puissent inviter leurs amis ados et *tripper* à la maison. J'ai grandi comme ça, il y avait beaucoup de rassemblements chez nous, c'était très agréable. J'ai de beaux souvenirs de tout le monde heureux dans la maison et j'essaie de recréer ça.

Tu es du genre à manger tes émotions ?

Tellement ! Toute excuse est bonne pour moi pour me permettre une bonne bouffe, mais je ne suis pas du genre à vider un pot de crème glacée parce que je me sens triste. Mais je cache de la bouffe ! J'ai toujours quelque friandise dans ma table de chevet et ça, ça peut me rendre très heureuse le soir, en regardant la télévision, de manger deux, trois petits morceaux de chocolat…

Il est important pour toi de donner, de rendre les gens heureux autour de toi ?

Oui et ça doit être mes parents qui m'ont transmis ça, ce désir de donner. Ma mère faisait beaucoup de bénévolat et mon père en fait encore beaucoup. Moi, je vais réussir ma vie, ou considérer que j'ai réussi ma vie si j'ai fait du bien à d'autres.

« L'indice de mon bonheur est assez élevé, je te dirais qu'il ne manque que des peccadilles. Mais c'est sûr qu'on a toujours des inquiétudes par rapport à nos enfants ».

Normand Brathwaite
Faire un travail qu'on aime

Normand Brathwaite, figure bien en vue du milieu culturel québécois, a touché à quantité de facettes du métier depuis le début de sa carrière. De l'animation de galas et de diverses émissions, en passant par la comédie, la radio et la scène, sans oublier sa passion pour la musique, Normand a toujours consacré énormément de temps à son travail.

À une certaine époque, tu travaillais sept jours par semaine, est-ce que le bonheur, c'est le travail ?

Pour moi, oui. Souvent, on a tendance à devenir comme notre père et je me souviens qu'il travaillait énormément. Il avait deux emplois et, la fin de semaine, il allait faire du ménage dans des édifices ; on y allait avec lui, ça nous donnait l'occasion de le voir un peu. Je me souviens donc de lui comme d'un homme qui travaillait beaucoup, mais en même temps, quand on le voyait, c'était *trippant*. Souvent, des gens me demandent si j'ai le temps de voir mes enfants parce que je travaille beaucoup, mais probablement que je les vois plus souvent qu'un médecin qui travaille à l'urgence. Je vois souvent ma fille parce que je me retrouve régulièrement sur scène avec elle, mais je ne la vois pas souvent dans la vie de tous les jours parce que nous n'habitons pas à proximité l'un de l'autre. Nous sommes toujours contents de nous retrouver quand nous travaillons ensemble, nous en profitons pour manger ensemble. Mes trois enfants vont bien (Mylène, la fille de Marie-Claude Tétreault, son épouse, Élizabeth et Édouard), ils sont en santé et même si ce sont des adultes, tu es toujours quand même préoccupé par leur avenir. Au fond, tu veux qu'ils soient heureux, mais je te dirais que le vrai bonheur vient quand les enfants sont partis, quand ils volent de leurs propres ailes. Tu les regardes aller, tu leur donnes des conseils. Il est important pour moi que mes enfants héritent de mon vivant et que je puisse leur faciliter la vie. Mettons que je suis chanceux et que je pars dans vingt ans, ils vont alors avoir 50 ans, ça leur donnerait quoi de recevoir un paquet d'argent s'ils sont déjà placés dans la vie ? Moi, je trouve que c'est plus logique comme ça.

Tu parles d'héritage… Ta santé te préoccupe ?

Ça ne fait pas longtemps que j'y pense, mais j'ai commencé à y réfléchir et à bouger. Je fais beaucoup d'exercice, je marche souvent et je cours sur le mont Royal quand je peux. Et dans le coin où j'habite, en Estrie, il y a de beaux endroits où je peux aller marcher et courir. Il y a deux ans, j'ai fait une émission de *Belle et Bum* à laquelle participait un groupe de musique traditionnelle. Mélissa et moi étions assis et on jouait de la cuillère. La *toune* était longue et à un moment donné, Mélissa s'est levée et s'est mise à giguer. Je ne pouvais pas demeurer assis, et il fallait que je gigue comme elle giguait. La *toune* finie, j'avais le cœur qui débattait, et ça n'arrêtait pas. Et ça faisait mal ! Ça a fini par passer, puis deux ou trois *tounes* plus tard, le malaise est revenu. Moi, dans ma tête, j'ai encore 15 ou 20 ans, mais bon… Je pense que tu peux, à 57 ans, être aussi en forme que tu l'étais à 25 ans, mais il faut que tu t'entraînes. Avant, les gens avec qui je travaillais étaient plus vieux que moi et là, je commence à être le plus vieux. Quand on a fait la comédie musicale *Grease*, j'étais le doyen, le monde me demandait des conseils. Mais tous ces gens-là s'entraînent, font de l'exercice, tout le monde s'entraîne pour rester dans la *business*.

Est-ce que tu ressens une urgence de faire autre chose que de travailler ?

J'ai commencé ça à l'été 2016, j'ai décidé de ne pas participer à *Grease*, même si j'avais eu du plaisir à le faire à l'été 2015. Je ne l'ai pas fait parce que mon horaire aurait été trop chargé, et nous voulions aller en Italie, Marie-Claude et moi, elle n'y était jamais allée. Or, on m'a offert un travail à Berlin, une émission qui s'appelle *Rire du monde*, dans laquelle on découvre ce qui fait rire les Allemands, ce qui fait rire les gens. Je me suis dit que c'était une belle porte ouverte, j'allais déjà être en Europe, et, après avoir travaillé, j'allais me sentir moins coupable de prendre deux semaines de vacances. J'ai pris l'avion pour Berlin pendant que Marie était à Rome, puis je suis allé la rejoindre après avoir travaillé. C'est maintenant inscrit à mon horaire, je pense qu'il n'y aura plus jamais de théâtre d'été. Je ferai peut-être un gala *Juste pour rire*, qui me permet quand même de partir deux semaines en vacances, mais encore là, c'est dérangeant de partir en vacances quand tu sais qu'il y a quelque chose qui s'en vient. J'ai fait le festival *Juste pour rire* durant plusieurs années et il m'est arrivé souvent de partir en vacance deux semaines avant de faire un gala. Résultat : j'ai passé mes vacances à y penser et ça, ce n'est pas *l'fun*.

Où es-tu le plus heureux ? Sur scène ou à la maison ?

Je suis très, très bien chez nous, mais je ne suis pas quelqu'un qui va s'écraser et ne rien faire. Soit que je vais écouter un documentaire, j'aime beaucoup les documentaires, ou un film d'horreur que je n'ai jamais vu. Et j'aime lire et *bizouner* autour de la maison, je ne suis pas du genre à m'asseoir et à contempler mon lac. Un jour, la veille de faire *Belle et Bum*, j'avais dit à Marie à quel point j'étais fatigué… Elle m'a dit : « Normand, tu t'en vas faire la chose que tu aimes le plus au monde : tu vas aller jouer des percussions avec Mélissa

Lavergne. Pars de cette idée-là… » Et là j'ai réalisé que j'étais chanceux. Je suis incapable de faire un travail que je n'aime pas, il faut que ce soit moi, que ça me ressemble. Comme *Piment Fort* et *Belle et Bum*.

Tu aimes ton métier et tu as souvent animé des galas, mais tu as souvent confié à quel point tu avais le trac. Tu avais du plaisir à faire ça ?

À moitié, je te dirais. Une fois que le numéro d'ouverture était passé. Moi j'aime beaucoup entendre les gens rire. Je me souviens d'un gala *Juste pour rire*, où je m'étais déshabillé sur scène, je portais des plumes et j'étais entouré de danseuses. Je vais toujours me souvenir du moment quand les gens m'ont aperçu : le rire est parti comme une vague, du fond de la salle vers l'avant, à mesure que les spectateurs portaient leur attention sur moi parmi les danseuses. Ma chef d'orchestre, Patricia Deslauriers, m'a dit après qu'elle n'avait jamais entendu quelque chose de semblable, mais je n'ai pas apprécié le moment pendant que je le faisais. Comme je l'ai souvent dit, je n'ai pas apprécié non plus mes participations à la LNI. Ce que j'appréciais, c'était l'après-show, c'était le moment qui me rendait vraiment heureux.

Quels ont été tes moments de grands bonheurs ?

Tout le monde va probablement te dire la même chose : la naissance de mes enfants. Surtout Édouard, parce qu'on ne l'attendait pas ; ça faisait six ans que nous étions ensemble Marie-Claude et moi et qu'on essayait d'avoir un enfant. Ça te change une vie, c'est incroyable ! Ça a été un beau moment de bonheur. Et il y a eu mon mariage, ça a été l'un des plus beaux jours de ma vie. Tu n'es pas obligé de te marier, et je ne dis pas aux gens de se marier, mais pour nous, c'était un beau *trip*. Ça fait vingt-cinq ans.

Quelle activité te procure du plaisir et à laquelle tu t'adonnes pour décrocher ?

Tu vas rire, j'aime ça faire du ménage. Mais seul. Quand j'ai un après-midi de libre ou après un spectacle, comme lorsque je faisais *Grease* ou *Sister Act*, en revenant à la maison je ne m'endormais pas, alors je

faisais du ménage. Entre autres dans une boîte remplie de fils de guitares, d'écouteurs, de toutes sortes de bricoles que je devais démêler et identifier. Pendant que je fais ça, je ne pense à absolument rien d'autre. Il y a des jeunes qui débutent dans ce métier-là et je leur dis souvent qu'il est important de faire autre chose, qu'il leur faut développer une autre passion.

Quels conseils donnerais-tu aux gens qui cherchent le bonheur ?

Ça vient sans doute de mon père, je dirais que le bonheur est dans l'action. L'oisiveté est la mère de tous les vices parce que lorsque tu ne fais rien, il y a de drôles d'idées qui peuvent te passer par la tête. Si dans la vie tu n'as pas de travail et que tu n'as rien à faire, fais du bénévolat, va aider du monde, mais il faut que tu fasses quelque chose, que tu rencontres des gens. Pour moi, le bonheur c'est l'interaction avec les autres, c'est d'être à deux, à trois ou à quatre, mais il ne faut pas être seul. Moi ce qui me tient en vie est que, chaque semaine, je rencontre un chanteur, une chanteuse, un musicien ou une musicienne fantastique, et ça me fait *capoter*. Ils deviennent très rapidement mes amis. Une partie de mon bonheur vient de là, de découvrir du monde et de les présenter, de les mettre en vedette, d'accomplir des choses. Je me souviens d'un jour, à *Belle et Bum*, où nous recevions le chanteur et musicien Paul Kunigis. Je n'avais aucune idée de qui il s'agissait et je devais aussi faire l'entrevue parce que c'était l'une des rares émissions que je devais animer seul. Il a fait sa chanson et c'était tellement bon, tellement intéressant ! Après son passage, il nous a écrit pour nous dire qu'il avait vendu 15 000 albums ! Ça, c'est le genre de choses qui me rendent vraiment heureux. Je pourrais arrêter de travailler, mais je ne serais pas supportable. Et de toute façon, j'aime trop ce que je fais et Marie ne m'endurerait pas !

Dirais-tu que l'argent fait le bonheur ou pas ?

Ce n'est pas nécessairement le bonheur parce que j'ai malgré tout fait une dépression et que j'ai eu de gros malheurs, mais ce serait hypocrite de dire que ça n'aide pas. Quand j'ai eu des troubles avec mes enfants, ça m'a aidé. Quand je suis malade, je ne vais pas attendre à l'urgence et je n'ai rien contre ça parce que je me dis que si j'y vais, je prends la place de quelqu'un qui n'a pas les moyens de faire autrement. La société à deux vitesses existe, c'est bon d'en profiter, mais il faut que tu le remettes au monde. Moi ça fait trente ans que je m'implique pour la dystrophie musculaire, que j'anime des galas, et ma femme fait aussi du bénévolat. C'est très gratifiant.

Le bonheur, c'est aussi d'en donner aux autres par ton métier ?

C'est notre grand bonheur de faire ça, les artistes, de donner du bonheur aux gens. Et d'être aimé. Denise Filiatrault m'avait dit un jour : « Le monde est bon, ils ne sont pas *niaiseux*, tu ne peux pas *bullshitter* parce qu'ils ne t'aimeront pas. » Combien de fois j'ai entendu des gens dire : « Je ne sais pas pourquoi, mais lui, je ne lui aime pas la face, il ne m'est pas sympathique. »

Est-ce qu'il y a des choses que tu aimerais réaliser, des bonheurs à savourer ?

Je pense qu'inévitablement, à un moment donné, mon bonheur va être de moins travailler. Tu sais, j'ai animé le spectacle de la fête nationale durant dix ans et je me suis questionné. Pour moi, la fête nationale, ça a été Ginette Reno, Jean-Pierre Ferland, Yvon Deschamps, Le loup, le renard et le lion, plein d'affaires ! Et là, pour une génération au complet, c'est juste du Normand Brathwaite. Et du Normand Brathwaite, c'est du Normand Brathwaite, c'est-à-dire des belles filles sur scène, des ethnies qui chantent, c'est super *cool*, mais ça ne peut pas être que ça. C'est pour ça que je me suis dit qu'il fallait que j'arrête. On a fini ça en beauté à Montréal, après dix ans. Plus tard, mon bonheur va être de voyager plus souvent, c'est l'un de mes grands plaisirs, mais je resterais dans le métier, peut-être en faisant de la production pour ma fille, ou en jouant avec elle sur scène, ce que je fais souvent.

En confiant un rôle à Normand Brathwaite dans *Chez Denise*, à la fin des années 1970, Denise Filiatrault a lancé la carrière du jeune comédien.

Et qui plus est, c'était la première fois qu'une série télévisée de chez-nous présentait un personnage noir qui faisait partie régulièrement de l'émission. Par la suite, pour plusieurs membres de sa communauté, Normand est devenu par son travail à la télé et sur scène, entre autres, un exemple à suivre.

« Quand j'étais jeune, je devais étudier en chimie, mais les belles filles étaient en théâtre, alors je suis allé en théâtre ! On m'a dit que je ne travaillerais jamais, qu'il n'y avait pas de rôle pour les Noirs, mais que l'expérience pourrait s'avérer importante, que je pourrais travailler dans les décors, par exemple, parce qu'on touchait vraiment à tout à l'école. Et je suis arrivé au moment où on avait besoin de comédiens pour des personnages noirs, pour *Chez Denise*, *La cage aux folles*. C'était le bon *timing* », dit-il.

Marie-Chantal Perron

Ne pas attendre que le bonheur cogne à la porte...

Marie-Chantal Perron est toujours aussi dynamique, toujours aussi démonstrative, et elle ne s'est pas fait prier pour partager sa vision du bonheur et des gestes qu'elle pose pour être heureuse. La comédienne, qui a épaté les téléspectateurs dans son rôle de l'IPL Madeleine Tessier dans la série télévisée *Unité 9*, estime que c'est d'abord et avant tout sa propre responsabilité d'être heureuse et de poser les gestes pour y parvenir.

Quelle est ta définition du bonheur?

Pour moi, c'est avant tout d'être bien au quotidien, d'être bien dans sa peau. Tu peux avoir une vie fantastique sans être dans le bonheur. Le bonheur est très intime pour moi, c'est d'être bien dans ce que je fais, bien avec mon entourage et dans ma vie. Ce n'est pas l'acquisition de *bébelles* qui rend heureux, mais la réalisation de soi de la façon dont on le souhaite, que ce soit par le travail, la fondation d'une famille ou par nos voyages. Le bonheur part de soi-même, et je le dis vraiment avec conviction parce que je me rends compte, qu'à différentes époques de ma vie, dans le même cadre vital, je n'ai pas toujours été heureuse. Ce n'est pas parce que tu travailles *dans le tapis* ou que tu as acquis une foule de belles affaires que tu es nécessairement heureux. Le bonheur est une attitude que tu as face à ce qui se passe dans ta vie. Pour moi, le fait d'être dans la gratitude fait en sorte que la gratitude génère le bonheur, et le bonheur génère l'abondance de joies et de moments heureux.

Tu estimes que tu as une facilité pour le bonheur?

Oui, mais je suis d'une nature très anxieuse, je n'ai pas vraiment un fond de béatitude. J'aime profondément la vie, mais je n'ai pas toujours été nécessairement dans le bonheur parce que j'avais beaucoup de peurs et d'inquiétudes, de sources d'anxiété. À force de travailler sur soi, parce qu'il le faut, sinon on devient insupportable pour ses proches, on se rend compte que le rapport au bonheur est quelque chose de plus simple qu'on le pense. Avec les années, parce que je viens quand même d'avoir 50 ans, j'ai réalisé que les additions que j'avais en tête, du genre il me faudrait ceci, j'aimerais avoir ça, ne me rendaient pas plus heureuse. On parle beaucoup de vivre l'instant présent et je constate que j'ai de plus en plus de moments de bonheur et qu'ils ne sont pas associés à des événements dans ma vie. Ça peut être simplement d'être tranquille dans mon atelier où je me retrouve toujours dans un état de plénitude, de joie et de gratitude immense. Et d'aller jouer au théâtre aussi, d'avoir entrepris un projet — la pièce *La liste de mes envies*, d'après le roman de Grégoire Delacourt — à une période où j'avais un creux de travail, il y a trois ou quatre ans et avant d'obtenir un rôle dans *Unité 9*. J'avais la chienne, je me questionnais, je me demandais si ça venait de se terminer là, après avoir travaillé comme un bulldozer durant vingt-sept ans… Ça m'a fait voir à quel point j'aime ce métier-là, tout l'aspect de la création, et j'ai constaté plus que jamais que c'était une partie importante de ma vie et à quel point ça me manquerait. Alors j'ai compris que lorsque je génère des projets, que je réalise des choses, et pas seulement au niveau de la carrière, ça me donne beaucoup de bonheur. Je n'attends pas que le bonheur cogne à ma porte, c'est ma responsabilité d'être heureuse, ce n'est pas le résultat de quelque chose. Je ne suis pas victime d'un bonheur qui n'arrive pas.

Donc tu as l'habitude de te créer des petits moments de bonheur?

Coudre, fabriquer des choses — elle a créé sa ligne de vêtements *Dandine* il y a plus de dix ans —, consommer beaucoup de films et de séries télévisées, ça me rend vraiment heureuse. J'aime générer les choses. Le projet de *Dandine*, c'était ça: ça me rendait heureuse et c'est devenu exponentiel. J'aurais pu continuer à faire quelques jupes mais j'ai décidé de faire des collections. Il y en a eu cinq et je ne sais pas si je vais en faire d'autres. Ça a généré beaucoup de bonheur dans ma vie et, aujourd'hui, ça me procure autant de bonheur de ne créer des vêtements que pour moi ou pour mon entourage.

Quels sont les bonheurs qui t'importent pour les prochaines années, tes souhaits pour être heureuse?

C'est sûr que la santé a beaucoup plus de place qu'à 25 ans. Je vois à quel point la santé est précieuse, à quel point je suis parmi les privilégiées parce que je suis en hyper-forme mais, qu'en même temps, ce n'est pas donné du ciel: je m'entraîne, je mange bien, je suis disciplinée. Et d'être en santé me rend heureuse. Ce que je souhaiterais faire, avant de mourir, serait de voir le plus de poissons possibles de toutes les régions du globe. Je fais de la plongée en apnée et ça me fait *tripper* de voir les poissons, j'aimerais visiter les plus beaux récifs de corail. J'aimerais aussi que ma relation amoureuse se prolonge dans le bonheur, la générosité, la vérité et l'authenticité, et aussi continuer à faire mon métier le plus longtemps possible. Et aussi d'initier des projets qui vont rendre les autres heureux.

Les regrets, ce n'est pas pour toi?

Non, je n'en aurai pas. Ça fait tellement longtemps que j'ai conscience qu'il ne faut pas avoir de regrets que j'ai peut-être même pris de l'avance! C'est peut-être l'anxiété qui m'a amené ça parce que j'ai rapidement compris que la vie était précaire. Quand je sens qu'il y a quelque chose qui monte en moi, une envie de faire quelque chose, je ne la balaie pas de mon esprit. Si ça peut se faire, je le fais! Comme de faire de la plongée en bouteille; j'ai essayé à deux ou trois reprises et je n'étais pas bien, alors je me suis tournée vers la plongée en apnée. Si j'ai l'idée de partir un projet de théâtre, je le pars! Michael Jordan a marqué ma vie avec son *Just Do It*! La vie me donne le super beau cadeau d'avoir tous mes membres, la santé et toute l'énergie de deux lapins *Energizer*, alors je vais honorer ça !

Toucher au bonheur, le grand bonheur, ça t'est arrivé ?

Je dirais que ma réalisation dans la création, mes lancements des collections *Dandine*, ont été de grandes sources de joie, de bonheur et de valorisation. Le fait d'avoir conçu et créé des vêtements, puis d'avoir réuni des gens et formé une équipe pour les confectionner, puis de voir ensuite les gens porter ces vêtements et être heureux, tout cet amalgame me rend profondément heureuse. Je me cachais parfois dans les toilettes pour pleurer de joie, je me sentais profondément aimée et respectée dans mon travail. Ça me bouleversait de voir tous ces gens, des camarades de travail, des amies, qui prenaient la peine de venir voir mes créations, de me serrer dans leurs bras. Et dans les autres grands moments de bonheur, il y a la journée où j'ai fait des photos de *Dandine* avec plein d'amies actrices, ça m'a touchée de voir ces filles-là se déplacer et toute l'équipe contribuer à cet événement. Et puis il y a les rencontres avec mes amis, les soupers, les Noëls avec eux. Ce sont de grands moments de bonheur.

Vaincre ses peurs

« On ne le cherche pas, on le crée notre bonheur, on l'invente et on le fait. Il n'est pas tributaire de l'autre, ça vient de soi. On peut faire de bons coups pour soi-même, ne pas juste espérer que la vie nous apporte de belles choses. Ça ne veut pas dire que rien ne se fait sans peur, tu peux décider de prendre une décision qui, à l'instant même, ne t'apportera pas le bonheur mais qui, à long terme, te rendra pas mal plus heureux. Je pense entre autres à une relation qui ne nous rend pas heureux. Oui ça peut être difficile s'il y a beaucoup d'enjeux, ça peut être un casse-tête hallucinant, mais moi, la phrase j'aurais donc dû… », je refuse de la prononcer. On n'a rien à faire avec un « j'aurais donc dû », c'est *here and now* et ce qu'on peut faire ! Si tu te dis « j'ai peur que… », des quinze scénarios que tu vas t'inventer, c'est le seizième qui va arriver, celui qu'on n'avait pas imaginé. On ne connaît pas l'avenir, alors occupons-nous de notre présent. »

« Rendre les gens heureux, je le fais de façon très égoïste parce que ça me rend heureuse. D'aider mon *chum*, de m'occuper de sa petite fille qui crie de joie et rigole quand on est ensemble, c'est moi que ça rend heureuse ! Ma quête du bonheur est au jour le jour et aux heures les heures. Être heureuse, ça passe d'abord par me responsabiliser en tant qu'individu. »

Marc Hervieux

Un cadeau incroyable de son père

Marc Hervieux termine régulièrement les messages qu'il publie sur sa page Facebook par un «Vive la vie!», qu'on s'imagine entendre de sa voix chaude et joyeuse. Et son bonheur, il en est en grande partie responsable. Les décisions qu'il a prises l'ont bien servi, parfois à contre-courant, toujours avec l'idée en tête qu'il allait en sortir gagnant et plus heureux. Parcours d'un homme qui a le bonheur facile et qui se considère privilégié par la vie.

On peut dire que tu es un homme occupé, un artiste très en demande! La scène, la télé, la radio… Tu sembles aussi t'amuser dans chacun de tes projets.

Certains pourraient dire que je m'éparpille, mais ce que je fais, c'est ce que j'ai envie de faire. Tu vois, je croyais ne pouvoir faire que du classique et de l'opéra et que pour faire autre chose, il aurait fallu que je lâche l'opéra. Je ne pensais pas que je pouvais faire les deux. Au fond, je voulais faire les deux, mais je me demandais surtout si je pouvais réussir à faire ce que j'avais en tête. Je n'en parlais pas vraiment, je pensais: «Je vais tellement me faire dire que je suis malade mental, ça n'a pas d'allure!». J'avais le goût d'animer à la télé, j'avais le goût d'animer à la radio, je voulais essayer ça, mais je ne savais pas si j'allais être bon ou même capable. Ça ne me semblait pas inaccessible, mais ça me semblait un peu quand même utopique. Je me disais que si ça demeurait un rêve, ce serait un maudit beau rêve, mais là je l'ai réalisé.

De par ta nature, on a tendance à penser que tu as le bonheur facile, tu n'es pas un gars qui se cherche et qui a l'air tourmenté.

Non, du tout, j'ai le bonheur et le plaisir facile. Mes filles pourraient me donner une paire de chaussettes et une cravate jusqu'à ce que j'aie 90 ans à toutes les fêtes des pères, à tous les Noëls et à ma fête, je n'aurais même pas besoin de faire semblant que je trouve ça *le fun*. Je me trouve privilégié dans mon bonheur et dans ce que je fais dans la vie, parce que j'ai réalisé que je ne pouvais minimiser l'impact que j'avais sur certaines personnes qui, elles, ont le bonheur plus difficile. Ils sont venus me voir en spectacle pendant deux heures et ils ont oublié leurs soucis pendant ce temps-là. Au début, surtout quand je faisais de l'opéra, les gens venaient me voir en coulisses et ils étaient heureux, même si je me disais: «Ce n'était pas mon meilleur soir, ce soir je n'étais pas super *hot*». Et là, tout à coup, je voyais dans leur visage qu'eux avaient trouvé ça vraiment *hot,* et je me suis dit que je n'avais pas le droit de leur faire penser qu'ils n'avaient pas de jugement. Ces personnes-là se disent

147

« Ma vie va mal, j'ai oublié pendant deux heures que ma vie allait mal, je viens de dire au gars qui m'a fait oublier ça que c'était *hot,* et lui me dit: « Aïe, oublie ça, tu ne connais pas ça, c'était poche! » Je n'ai pas le droit de dire ça. La personne a aimé ça et, quant à moi, ce que je veux améliorer ou ce que je veux refaire mieux c'est mon problème, je monte dans mon auto en retournant chez-nous et j'y pense, en me disant que la prochaine fois ça va être meilleur.

C'est vrai, donc, que j'ai le bonheur facile et c'est vrai qu'il y a des gens qui ne l'ont pas, et ça c'est dur parce que souvent on peut être impatient avec ça. Pour quelqu'un qui souffre de paralysie cérébrale ou qui est aveugle, on va être compatissant parce qu'on peut voir sa condition physique. Mais avec quelqu'un qui est dépressif et qui n'a pas le bonheur facile, on risque d'être impatient, mais c'est aussi un problème qui demande de la compassion.

Tu as toujours dit haut et fort que la famille comptait énormément pour toi, qu'elle faisait partie intégrante de ton bonheur...
Ça fait vingt ans qu'on a commencé à habiter ensemble Caro et moi. On s'est séparés trois fois, la première fois au tout début de notre relation pendant quelques mois, toujours pour la même raison: elle voulait des enfants et moi je disais: « Je ne peux pas avoir d'enfant, je vais toujours être parti, je ne serai jamais là, comment je vais faire ça? ». Elle me répondait: « Ben voyons, des sportifs, des acteurs, des musiciens, des commis voyageurs, des camionneurs, ils font tous ça, tu n'es pas le premier et tu ne seras pas le dernier. » Et ça a fait son petit bout de chemin. On restait toujours en très bons termes parce qu'elle me disait: « Si tu ne veux pas avoir d'enfants, on ne peut pas rester ensemble parce que moi, c'est sûr que je veux une famille ». Elle avait un

> « Je suis fier de mes filles. Tu vois toute la sensibilité et l'intelligence de ces jeunes femmes qui se développent, qui grandissent, et c'est génial ! »

bon point. Finalement on est allé prendre un café et on a commencé à parler de ça, je lui disais comment j'avais réfléchi et que je pensais que c'était possible. Mais elle avait un *chum,* et la vie a fait en sorte que quelque temps plus tard, ça s'est terminé avec lui et on s'est rappelés. On a recommencé à sortir ensemble, elle a arrêté de prendre la pilule et elle est tombée enceinte deux semaines après. Ça a toujours été comme ça pour nous. Je te raconte une histoire très drôle: pour Cloé, notre deuxième fille, j'étais à l'opéra de Calgary et on avait décidé d'avoir un deuxième enfant. On se parlait au téléphone et Caro me dit: « C'est dommage que tu ne sois pas à la maison en fin de semaine parce que c'est l'ovulation, c'est le temps ! ». Je lui ai dit: « Viens-t'en, viens passer la fin de semaine à Calgary ! » Elle a dit qu'elle regarderait si sa mère pouvait venir garder. Elle ne m'a rien dit, elle a tout organisé de son côté et elle est arrivée sans que je le sache. Puisque j'étais à Calgary pour un bon moment, j'avais loué un appartement et quand j'y suis arrivé, elle était là ! Elle est repartie le dimanche et un mois plus tard, le test de grossesse était positif.

Tu es père de trois filles, tu serais passé à côté de quelque chose !
Ça peut être très cliché, mais on *capote* sur les enfants et, plus jeune, je me disais que j'allais réussir ma carrière et ensuite, si j'avais une famille, que j'allais tout faire pour réussir ma famille. Je ne sais pas de quoi demain sera fait, mais je sais, au moment où l'on se parle, que je n'aurai pas de regret au chapitre famille.

Au départ, ça te semblait un bonheur inaccessible ?
C'est une autre preuve que rien de ce qu'on pense inaccessible — qu'il s'agisse de faire 12 millions d'affaires, d'avoir une belle famille ou de réussir quelque chose — ne se réalisera si on n'essaie pas. C'est difficile d'imaginer notre vie sans ces enfants-là, c'est

toute notre vie et, comme beaucoup de couples, Caroline et moi, quand on se fait un souper tous les deux, c'est certain que durant la moitié de la soirée on va parler de nos filles. On est contents, on est fiers, c'est un bel accomplissement de voir de belles personnes évoluer, surtout à l'âge qu'elles ont, on a des conversations incroyables avec elles. Tu vois toute la sensibilité et l'intelligence de ces jeunes femmes qui se développent, qui grandissent, et c'est génial.

En 2016, tu as décidé de prendre le taureau par les cornes et de perdre du poids ?

Les hommes du côté de mon père sont tous décédés jeunes de crises cardiaques. Mon père à 64 ans, son frère à 59 ans. Je suis un hyperactif, je suis toujours occupé à faire quelque chose, à avoir quatre ou cinq projets en tête. De l'extérieur, je considère que ça va bien, mais à l'intérieur ça ne va peut-être pas si bien que ça. Je fais mes bilans de santé et tout est bien, sauf qu'à l'automne 2015, alors que je faisais le test médical, auquel les assurances nous obligent, pour la coanimation de l'émission *Virtuose,* l'infirmière qui fait ces tests depuis plusieurs années m'a dit pour la première fois que je faisais un peu d'hypertension. Pas suffisamment pour me médicamenter, mais je ne le savais pas et ça m'a mis en maudit, je ne l'acceptais pas, et en plus je voyais la cinquantaine approcher…

Et c'est à la suite de ce test que tu as décidé d'agir ?

Je m'en souviens très bien, c'était le 3 décembre, on était à Casselman en Ontario pour faire un show de Noël et j'ai dit à mon équipe, lors du lunch de fin de soirée, que je commençais à faire attention à ce que je mangeais, sans nécessairement faire un régime. J'ai décidé de ne plus manger de sucre raffiné. Je vais continuer à manger des gâteaux et des biscuits parce que j'aime ça, mais je vais les faire, je vais utiliser du sirop d'érable et du miel. J'ai perdu 40 livres en six mois. Je vais te dire honnêtement, les deux premières semaines, il ne fallait pas qu'on me marche sur le gros orteil parce que c'est un vrai sevrage, un vrai de vrai. Tu avertis tout le monde autour de toi, et tu leur dis : « Si je vous saute dans la face, on se reverra deux semaines plus tard ! ». J'étais incroyablement irritable, s'il y avait quelqu'un qui m'écrivait un courriel pour un projet et qu'il chialait sur quelque chose, je pouvais le ramasser. Mon assistante, Jennifer, m'a dit : « Marc, c'est moi qui gère pendant deux semaines parce qu'on va se faire des ennemis ». J'ai réellement senti ce gros sevrage comme un sevrage de drogue. Hier, c'était mon anniversaire, et en soirée, au restaurant, comme je suis connu, certains m'envoient des plats. J'avais commandé une entrée et le restaurant m'en a finalement présenté trois, puis un gros gâteau, des beignes, ça n'arrêtait pas. C'était ma fête, mais je suis capable de reprendre le collier aujourd'hui. Ça aussi c'est des victoires, donc du bonheur !

Ce n'était pas la première fois que tu perdais autant de poids ?

Non, à 25 ans, au Conservatoire, je pesais 310 livres et j'en ai perdu 80. Et je n'ai jamais repris plus de 30 livres, j'ai été chanceux. J'ai été élevé dans le sucre, mon père travaillait à la raffinerie Sucre St-Laurent (devenue Lantic depuis); les fins de semaines, pour s'assurer que tout allait bien, il y allait et je l'accompagnais. On passait à côté du convoyeur de cassonade et celle-ci avait pris en pain; mon père cassait ces roches de cassonade chaude et on les croquait comme du bonbon ! Mon but c'est la santé, c'est important si je veux être là assez longtemps pour aller peinturer les appartements de mes filles. J'avais 16 ans quand j'ai perdu mon père, il ne m'a jamais entendu chanter, il n'a pas connu ma blonde, mes filles. Mon père aurait 92 ans aujourd'hui. À 16 ans, il m'a demandé ce que je voulais faire dans la vie, quand je lui ai dit que je voulais chanter, il m'a répondu : «Je te vois bien faire ça Marc, mais qu'est-ce que t'aimerais faire pour gagner ta vie ?». Finalement je suis devenu graphiste. Avant même de finir mon cours de graphisme, en deuxième année, je

me suis ouvert une agence de graphisme. J'avais déjà des clients, des imprimeries de Montréal. Mon père, lui, n'avait pas de métier et son histoire est incroyable. Toute sa vie il a travaillé comme un fou. En 1930, son père meurt et il devient le gagne-pain de sa famille : il a quatre frères et sœurs et c'est lui qui s'occupe de sa mère. Il avait trois ou quatre emplois, de jour comme de nuit, et il a quand même réussi à faire son cours classique à l'école Chevalier de Maisonneuve qui était une grande école à cette époque. Il dormait deux heures par nuit, c'est évident que c'est de lui que je tiens mon hyperactivité. Mais ce n'est pas tout : cinq ans plus tard, les parents de ses cinq cousins meurent de la tuberculose et ils vont vivre chez mon père. Il se retrouve donc avec neuf enfants, et à 14-15 ans il doit subvenir aux besoins de tout ce monde-là. Quand ils sont tous partis de la maison, il a décidé de faire sa propre vie : il a rencontré ma mère à 36 ans, elle en avait 21, et ils ont eu quatre enfants. Mais mon père n'avait pas de métier et il a fait 12 millions de *jobs*, toujours la même chez Sucre St-Laurent, mais aussi des *jobines*. Il travaillait sur toutes sortes de *shifts*, jusqu'à vingt-heures par jour. Moi, à 16 ans, j'étais hyperactif et j'avais toutes sortes de projets en tête. Quand Macintosh a mis sur le marché son ordinateur à 5 000 $, le Macintosh Plus, et une imprimante grosse comme ça qui coûtait 8 000 $, j'ai décidé d'aller à la banque pour faire un emprunt. Je rencontre le directeur et je lui explique que je veux ouvrir un bureau de graphisme, que l'avenir est dans les ordinateurs et que si je peux obtenir ce matériel que je souhaite acheter, toutes les imprimeries de Montréal vont se tourner vers moi, entre autres, pour leur typographie. J'avais besoin d'emprunter 20 000 $ et j'ai précisé que mon père m'avait dit qu'il pourrait m'endosser. Trois jours plus tard, on me téléphone pour que je passe à la banque signer mon prêt ! Je leur réponds que je ne sais pas si mon père est disponible, mais on me dit que ce n'est pas nécessaire, on accepte de me prêter l'argent sans endosseur. Imagine ! Je pars en courant avant qu'ils ne changent d'idée, je signe les papiers et revenu à la maison, je montre ça à mes parents. Je suis allé acheter les ordinateurs et ça a marché instantanément. Mon père, qui avait été mis à la préretraite, est venu travailler un peu pour moi, il faisait le ménage dans le studio, il livrait des commandes. Mais trois mois plus tard, il meurt. J'avais pris mon prêt sur dix ans et trois ans plus tard, je m'en vais à la banque faire mon dernier paiement. Je commence à signer les papiers et pendant que la préposée est sortie faire des photocopies, je me mets à fouiller dans mon dossier et je vois la signature de mon père partout. Partout! Je n'ai rien dit et je suis allé chez ma mère pour lui dire que j'arrivais de la banque et que j'avais vu la signature de mon père sur tous les papiers. Ça faisait déjà trois ans qu'il était mort. Elle m'a dit: «Tu n'étais pas supposé de savoir ça. Quand tu as monté ton projet, ton père se disait il est vraiment fou, ça a pas d'allure, mais on va le laisser faire, on verra bien. Quand tu es allé à la banque, il t'a suivi et quand tu es ressorti, il est entré et a demandé à voir la personne que tu as rencontrée et il a dit au gérant qu'il allait t'endosser, mais qu'il ne voulait pas que tu le saches. «Je le fais parce que je veux qu'il ait confiance en lui et qu'il prenne ses responsabilités.» Le gérant a accepté et je ne l'ai jamais su, je n'ai jamais pu lui dire merci de son vivant.

Ouf, quelle histoire!

Quand je fais mes spectacles, je dis aux gens qu'à chaque fois que je chante *La Quête* de Jacques Brel, c'est comme un merci à mon père. Parce que mon père voyait tout ce que je faisais comme une «inaccessible étoile». Si mon père vivait aujourd'hui et qu'il pouvait voir ce que j'ai réalisé: ma famille, mes maisons, toutes mes affaires, il dirait que ça n'a pas d'allure. Mais il a quand même été capable, dans son insécurité, de me donner un cadeau incroyable, et même s'il avait vécu il se serait arrangé pour que

je ne le sache pas. Ce jour-là, je lui aurais dit que je m'en allais payer mon dernier remboursement de prêt, et il aurait probablement appelé la banque pour leur dire de s'arranger pour que je ne sache rien.

Quand tu t'es rendu compte de cela, ton sentiment de gratitude et de fierté envers son geste a dû être immense?

Si tu veux me voir pleurer solide, assois-moi devant un film dans lequel il y a une relation père-fils touchante, je ne suis pas capable de voir ça. Ça me manque beaucoup, j'aurais tellement aimé qu'il soit là, qu'il soit témoin de ma vie et qu'il puisse en profiter. Mon père avait vécu la crise, avait passé sa vie à subvenir aux besoins de ses enfants. Quand il est mort, on a trouvé de l'argent roulé et caché dans des chaussettes. Alors qu'il travaillait pour moi, j'avais pour cliente la Promenade Ontario, l'association des marchands de la rue Ontario, dans l'est de la ville. On faisait parfois des promotions et mon père allait faire les livraisons dans les 200 magasins de l'association. En passant devant une mercerie, il avait vu un chandail qu'il aimait, il en a parlé pendant deux semaines. Je lui ai dit de l'acheter, ce qu'il a fait. Quand il est mort, on a trouvé le chandail dans son emballage, il ne l'avait jamais mis. C'était un bon vivant, j'aurais aimé faire des activités, des voyages avec lui, il n'en a jamais eu la chance.

Il te manque beaucoup, est ce que ça t'arrive de lui parler?

Oui, presque tous les jours. Surtout, sans exception, chaque fois avant d'entrer sur scène. J'ai toujours fait ça. J'ai été élevé dans la religion catholique, mais je ne pratique pas. À partir du moment où mon père est

> «Un jour, mon père m'a demandé ce que je voulais faire dans la vie. Je lui ai dit que je voulais chanter. Il m'a répondu: «Je te vois bien faire ça Marc, mais qu'est-ce que t'aimerais faire pour gagner ta vie?»

parti, il est devenu mon lien à la spiritualité, mon lien avec quelque chose de plus grand que moi. Parler avec quelqu'un qui n'est pas là, mais avec l'idée qu'il m'entend, c'est *flyé*! Tu sais, lorsque des gens qui font dans l'ésotérisme viennent me voir à la signature d'autographes — peut-être qu'ils ont lu mon histoire, je ne sais pas… — et me disent: «Votre père est à côté de vous!», sans savoir qu'avant chaque spectacle je parle à mon père, ça me donne des frissons. Est-ce que c'est vrai ou non? Je ne le sais pas, mais j'aime croire que c'est vrai.

Quel message d'espoir voudrais-tu livrer aux gens qui sont en quête de bonheur?

Il y a un dicton qu'on entend parfois et selon lequel on vient tous au monde égaux. C'est complètement faux, parce qu'on vient au monde dans un milieu différent, dans des conditions différentes et aussi avec un bagage génétique et spirituel différent. Et aussi chacun avec une personnalité différente et ça, je l'ai vraiment compris avec mes trois filles qui sont très différentes l'une de l'autre. Et pourtant, elles sont nées dans la même famille, avec les deux mêmes parents, aimants, compréhensifs mais elles ont trois personnalités complètement différentes. Donc il y a quelque chose dans nos chromosomes qui nous rend au départ différents les uns des autres! Certaines personnes en voyant ton bonheur se disent: «Ça me tombe sur les nerfs parce que moi je n'ai pas ce bonheur-là». Je pense qu'il faut souvent se ramener à soi-même et se dire «quand on se compare on se console». Surtout nous, en Amérique, quand on regarde tout ce qui se passe ailleurs sur terre, je pense qu'il faut réussir à apprécier les petits bonheurs, les mini bonheurs. Quand j'étais *ti-cul*, j'habitais dans Hochelaga-Maisonneuve et on ne le savait pas qu'on était pauvre. Pourquoi? Parce qu'il y avait peu d'information et on ne savait pas qu'il y avait du monde riche. Là, sur internet entre autres, on sait tout, on apprend que quelqu'un a dépensé des millions pour une niaiserie, on est sans cesse témoin de la richesse des autres et on pense qu'on n'a plus besoin d'aller à l'école, qu'on mérite de gagner 300 000 $ par année en faisant le minimum d'efforts. Et aussi, peu importe le travail que tu fais, que tu sois caissière, avocate ou médecin, si ta *job* te fait suer, ça part mal. Je dirais aux gens de se donner le plus possible l'opportunité de faire ce qu'ils veulent dans la vie. C'est difficile de faire un travail qu'on hait.

Oui, et de faire les changements qui s'imposent, que ce soit au travail, ou quand on est dans une situation amoureuse compliquée ou nocive…

C'est sûr, et c'est triste. Tu sais, en vieillissant, je me rends compte que dans toutes les situations, une fois qu'on a réussi à passer au travers, à mettre ça de côté, on finit la plupart du temps à trouver une situation meilleure. Il faut y croire, mais je sais que c'est difficile parce qu'il y a des gens pour qui chaque situation devient une montagne, l'Everest à surmonter. Il faut être bien entouré et apprécier les petites choses. Moi j'aime les plaisirs simples, les choses qui ne sont pas compliquées.

Au fond, tu es d'avis que ce sont les petits bonheurs qui finissent par faire de grands bonheurs?

Oui, on dit que c'est l'effet papillon et, au téléthon, on dit: «Il n'y a pas de petits dons», chacun d'eux finit par mener à un gros résultat. Si on veut sauver la terre, il n'y a pas de petits efforts, il faut commencer par soi-même faire ce qu'il faut faire et y mettre les efforts que l'on peut, et tout ça va faire boule de neige. Pour citer Sam Hamad: «On vient pas d'inventer la roue à trois boutons!»

Justine Legault
Le bonheur sous les projecteurs

Justine Legault est une femme éblouissante, du genre qui ne passe pas inaperçue. Il suffit qu'elle entre dans un café ou un resto et soudainement, le ton baisse, les regards se tournent dans sa direction. Et si elle accroche en plus un sourire à ses lèvres, les gens craquent inévitablement devant sa beauté. Mannequin sur la scène internationale, elle habite New York depuis 2012 et son métier l'amène à voyager un peu partout dans le monde.

« Je n'aime pas être catégorisée comme mannequin taille plus. Je n'aime pas me catégoriser point. Toutes les filles, peu importe leur taille, font le même métier avec des objectifs similaires. On ne dit pas « mannequin blonde », on le voit c'est tout. Je suis comme je suis et j'aime repousser mes limites et celles de la société, dit-elle. Ça fait partie du bonheur pour moi, j'y trouve un certain plaisir. Dans mon monde idéal, on ne parle plus de diversité, elle est présente dans les médias régulièrement. »

Justine est apparue sur la scène internationale au moment où les standards de beauté dans le milieu de la mode ont enfin commencé à évoluer. L'époque où seulement les femmes au corps longiligne, voire parfois même rachitique, figuraient dans les magazines et sur les podiums a fait place à des modèles aux corps beaucoup plus représentatifs de la réalité et à une plus grande diversité.

« Ça fait déjà dix ans que j'exerce ce métier avec succès mais, en réalité, c'est vraiment depuis que j'ai fait le saut vers New York que ça a explosé, confie Justine, qui a grandi à Boisbriand, puis à Laval. Ce déplacement m'a sortie de ma zone de confort, m'a poussée à grandir, tant par les lieux que j'ai visités que par les différentes personnes que j'ai eu la chance de côtoyer. Tout cela a contribué à ouvrir mes hori-

zons. J'aime le contact avec les photographes et avec les gens sur le plateau, on se *challenge* l'un et l'autre pour en arriver à un super résultat. J'aime le processus créatif et j'aime la mode en général ; j'aime les textures, les couleurs, les design. Pour moi, la mode c'est de l'art et j'aime l'art.

J'aime également beaucoup le contact humain, le sentiment de faire partie d'une équipe. Avec le support de mes agents à Montréal et à New York, des maquilleurs et coiffeurs qui sont souvent nos confidents sur la route, et d'autres mannequins à travers le monde avec qui l'on forge de belles amitiés, au fond le milieu de la mode est devenu ma deuxième famille. »

Loin de l'image de certaines stars un brin arrogantes, cette jeune femme est déterminée et ne prend rien pour acquis dans son métier, tout en laissant paraître un côté d'elle-même à la fois touchant et attachant, soit cette sensibilité à fleur de peau et ces peurs et inquiétudes qui ne l'empêchent toutefois pas d'avancer et de cultiver de grands rêves.

Tu as forcément travaillé fort pour en arriver à ce statut de mannequin international ?
J'ai certainement connu quelques embûches comme tout le monde, mais ma personnalité fait en sorte que

je regarde toujours de l'avant. Il y a eu des périodes très remplies et d'autres plus tranquilles. Tout dépend de notre perception des choses. Quand je regarde en arrière, j'avoue que j'ai été persévérante. J'ai abandonné des projets et des cours entre autres, et j'ai dû faire preuve de patience, mais quand je désire vraiment quelque chose, je suis du genre à aller jusqu'au bout pour réussir. J'aborde davantage ma carrière comme un marathon que comme une course.

Curieusement, tu ne voulais pas être mannequin, tu voulais plutôt travailler derrière les caméras. Et c'est par un heureux hasard que tu as tenté ta chance, avec le résultat que l'on connaît. Dirais-tu que ton métier t'a comblée à ce jour?

Oui, et je me rends compte que j'aime beaucoup performer. Je suis introvertie de nature et lorsque je

L'appel de la nature

Justine Legault a eu l'occasion de vivre de grands moments depuis le début de sa carrière. Elle a vécu à Londres, puis à New York, a voyagé beaucoup, fait quantité de séances photo, mais ses petits bonheurs se retrouvent souvent dans les choses toutes simples.

« C'est vrai que j'ai vécu de belles réussites grâce à mon métier, mais les moments où je suis dans la nature, que j'ai les pieds dans le gazon, qu'il y a une petite brise, ce sont des moments de grand bonheur pour moi. Quand j'étais jeune, ma famille avait une ferme laitière et j'allais passer mes week-ends chez ma grand-mère; j'allais voir les chats et saluer les vaches une à une. La nature occupe une place super importante, ça me garde les pieds sur terre, et ça me manque à New York. Je songe à avoir éventuellement un petit pied-à-terre au Québec pour me rapprocher de la campagne. »

suis devant les caméras, ça me permet d'explorer diverses facettes de ma personnalité. Ça m'a beaucoup aidée à grandir. J'ai eu beaucoup de moments heureux dans ma vie. Et même si je te dis que je suis très heureuse en général, quand il y a de gros projets qui se concrétisent, des rêves qui deviennent réalité, j'ai plutôt tendance à demeurer calme et à regarder de l'avant, en me disant que je dois continuer ma route et travailler. Je pense que c'est une bonne attitude, ce qui ne m'empêche pas de savourer les bonnes choses et ces moments que je vis. Je suis très reconnaissante face à ce que me procurent mon métier et la vie en général, mais j'ai tendance à toujours vouloir gravir le prochain échelon, plutôt que de me contenter du succès d'un projet.

As-tu l'impression d'être un modèle, d'avoir ouvert des portes pour d'autres?

Oui, et j'en suis fière. Plus jeune, j'étais inspirée par des personnalités féminines qui représentaient le type de femme que j'aspirais devenir. Alors si je peux être cette personne à mon tour pour des jeunes filles, tant mieux! Je reçois beaucoup de messages sur mes médias sociaux, de femmes et de jeunes filles qui me remercient de les aider à s'accepter telles qu'elles sont. C'est probablement le plus beau compliment qu'on peut recevoir.

Sur une échelle de 1 à 10, où se situerait ton bonheur?

Aujourd'hui, je te dirais à 9. Je vois le bonheur comme un état à long terme plutôt que variable et le 9, je l'ai atteint seulement en 2016, après 2 ans de thérapie et de travail sur moi-même. Quand j'étais plus jeune, j'étais plus affectée par les événements, les émotions et les circonstances extérieures; je me sentais moins solide. En travaillant sur moi, en apprenant à mieux me connaître et en utilisant des outils, telle la méditation, j'ai compris que cette sérénité que je cherchais était en moi. Mon bonheur général ne dépend plus autant des circonstances extérieures. Je fais le choix de mettre l'accent sur les aspects positifs, car ce à quoi on porte attention prend de l'expansion dans notre vie. Et ce qui ne fonctionne pas comme je le voudrais, j'apprends à l'accepter et à ne pas trop m'en frustrer. Je suis devenue plus flexible. Mon bonheur, je le sens beaucoup plus constant qu'avant. C'est honnêtement ma plus belle réussite personnelle car j'ai travaillé très fort pour atteindre cet état.

Quel conseil donnerais-tu à ceux qui cherchent le bonheur ?

De ne pas jouer à la victime. On aura tous à faire face à des épreuves, la différence entre les gens qui se disent heureux et les autres se situe dans l'esprit dans lequel ils y font face. Le bonheur est un choix et c'est parfois difficile à comprendre, mais c'est dans la gratitude et l'acceptation de ce qui nous arrive qu'on y parvient.

La méditation a été profitable dans ta façon de voir les choses ?

Oui, elle a joué un rôle important et m'a beaucoup aidée. Premièrement à lâcher prise, et également à calmer mes pensées. Ça a été une solution qui a fonctionné pour moi, surtout que j'ai tendance à être dans ma tête. J'ai toujours été une « bonne vivante », mais je me posais beaucoup de questions, alors que maintenant, je laisse davantage aller les choses. Je ne dis pas que tout est toujours parfait et que je n'ai pas de mauvaises journées ; il y a des matins où ça ne va pas bien : je me lève et je ne suis pas la plus souriante ! Mais j'essaie de ne pas me complaire dans cet état. Je vis les émotions que j'ai à vivre et puis je passe à autre chose. Pour moi, être heureuse, c'est d'être bien avant tout avec soi-même, dans les hauts comme dans les bas. La vie n'est pas une expérience linéaire, il faut simplement apprendre à gérer nos émotions.

Ce qui n'a pas toujours été le cas ?

J'ai quitté le nid familial assez jeune, je venais d'avoir 17 ans. Un peu plus tôt cette même année, j'avais commencé à faire régulièrement des crises de panique à l'école. Deux ans plus tard, ça se transformait en agoraphobie. La situation a continué à se dégrader jusqu'au point où j'en ai perdu mon emploi. Un

bon matin, il m'était devenu impossible de trouver la force de franchir la porte de mon appartement. Ce jour-là a débuté un grand travail de retour à la source. Peu après, l'opportunité de devenir mannequin s'est présentée. Ma carrière a été, et est toujours, un bon véhicule de croissance personnelle. À travers plusieurs rencontres et expériences qui m'ont forcée à repousser mes limites, j'ai réussi à cheminer. Maintenant, je me fais beaucoup plus confiance, je m'accepte plus et je suis fière de la femme que je suis devenue. Depuis que je suis très jeune, j'avais toujours au fond de moi une image de la vie que je voulais. Je savais que j'avais le pouvoir de créer ma réalité. Je suis une très grande adepte de la visualisation et très souvent ce à quoi je pense se matérialise. C'en est même devenu un sujet de blague récurrent ! Tout part du mental et voilà pourquoi je crois que la méditation et la visualisation sont d'excellents outils.

Tu as appris à ne pas te laisser abattre par les coups durs ?

Je ne pense pas qu'il y a moins d'obstacles dans ma vie aujourd'hui, mais la différence est qu'avant je me laissais envahir et étouffer par la vague, les émotions et les événements. Je suis une émotive et je suis aussi très sensible, et je ne sais pas si je suis plus rationnelle qu'avant, mais mon bonheur est plus constant. Je sais que la vie est faite de hauts et de bas et aujourd'hui, je vis tout ça différemment. Je suis plus solide.

Les obstacles, les difficultés à surmonter, c'était ancré en toi depuis ton enfance ?

J'ai toujours été ronde et on me le répétait régulièrement. Pourtant, au fond de moi, à cet âge ce n'était

Quand la santé va...

Lorsque je lui demande ce qui compte le plus à ses yeux, ce qui est au sommet de sa liste des ingrédients pour être heureuse, Justine Legault répond sans hésiter: la santé! «La santé physique et mentale. Aussitôt que tu n'es pas bien physiquement, tu ne peux pas agir, et même si ça semble cliché, on prend la santé tellement pour acquise que lorsqu'un pépin survient, on réalise vraiment à quel point ça peut miner ton existence. Avant d'aller m'installer à New York, j'ai eu un accident, je me suis blessée à la cheville. Je n'ai pas pu marcher durant un grand moment, j'avais des ligaments déchirés et non seulement ça n'allait pas bien, mais ça a complètement changé mes plans de carrière. J'ai dû mettre le mannequinat de côté durant plusieurs mois et j'ai eu beaucoup de mal à l'accepter, j'ai trouvé ça difficile. Alors j'ai pleinement conscience de l'importance d'être en santé pour accomplir ce que l'on désire.»

pas très grave, mais les mots ont une grande puissance et, éventuellement je me suis laissé définir par ces propos. Aujourd'hui, je regarde des photos et je me souviens que je me trouvais grosse à l'époque. Et maintenant, je suis plus ronde qu'avant et pourtant je ne me suis jamais sentie aussi belle et confiante dans mon corps. C'est là que tu te rends comte que ça se passe vraiment dans la tête.

Et que dirais-tu, justement, à toutes celles qui ne s'aiment pas, qui ont du mal à s'accepter telles qu'elles sont ?

À «ceux» aussi, car je ne crois pas que le manque d'estime de soi soit un problème uniquement féminin. Les hommes aussi en souffrent. Il faut d'abord que tu te regardes franchement, que tu te demandes si tu t'aimes et si tu es bien avec toi-même. C'est facile de dire qu'il faut être bien avec soi-même, mais si tu ne l'es pas, il faut prendre action ! C'est peut-être direct, mais se complaire dans nos insécurités ne nous mène à rien. Il faut apporter des changements dans notre vie pour constater des résultats dans notre quotidien. Et décider d'agir, de faire le premier pas vers ce qui nous fait peur est sûrement la partie la plus difficile. Si c'est trop difficile, on peut aller chercher de l'aide. Si tu n'es pas heureux dans ta tête, va voir un thérapeute, et si tu n'es pas bien dans ton corps, va voir un entraîneur, fais du yoga, etc. Beaucoup de gens veulent bien faire ces changements, mais le plus grand obstacle est toujours mental. Une fois qu'on réussit à prendre la décision de passer à l'action, je crois que c'est gagné. C'est pareil pour tout le monde au fond, on a tous nos insécurités et les surmonter est un défi personnel. Mais une fois qu'on le fait, plus personne ne peut nous arrêter.

Et ton bonheur pour les années à venir, il va se situer où selon toi ?

Dans la collaboration. J'ai tendance à être réservée et à faire ma petite affaire. Mon bonheur auparavant se situait dans le succès et maintenant je le trouve plus dans la connection aux autres. Je m'ouvre plus qu'avant et j'ai envie de travailler sur de beaux projets avec des gens que j'aime. Et qui sait, l'amour aussi :)

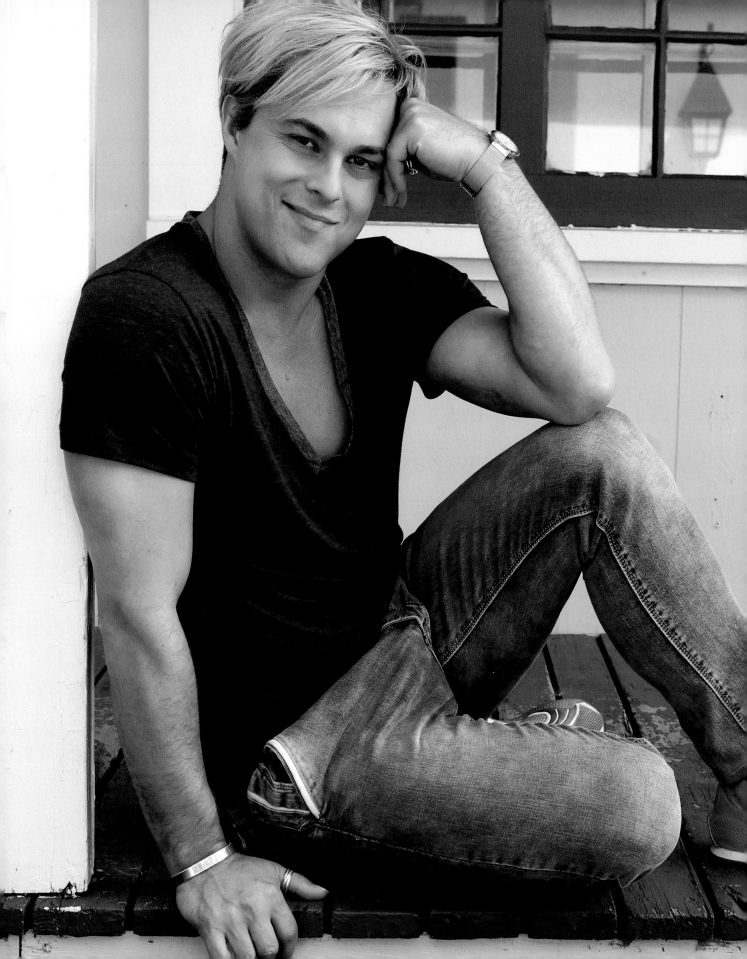

Alex Perron

Trouver son équilibre

« Quand on avance en âge, certaines choses prennent moins d'importance qu'avant. Je suis pas mal au sommet de mon biorythme, je pense que je suis à la bonne place au bon moment. » Ainsi s'exprime Alex Perron, humoriste et chroniqueur très présent à la télévision québécoise qui s'est fait connaître du grand public, il y a déjà plus de vingt ans, alors qu'il faisait partie du trio Les Mecs comiques. **« Côté carrière, il y a des choses que je veux faire et qui ne se sont pas encore présentées. Je suis quand même quelqu'un d'assez fonceur, d'assez impatient dans la vie, et j'aime que les choses se passent à mon rythme. Pour le reste, je n'ai pas de grand manque, je n'ai pas de catastrophe cachée quelque part. »**

Dirais-tu que tu as le bonheur facile ?

Oui, je carbure vraiment aux petits bonheurs. C'est cliché de dire ça, mais il y en a vraiment beaucoup dans ma vie. Je te donne un exemple : je suis un *fan* fini de science-fiction et d'horreur et quand je sais qu'un film va sortir en salle, je l'attends avec beaucoup d'impatience. Puis, quand il prend l'affiche, je m'assois dans la salle et, à ce moment-là, j'ai vraiment 12 ans d'âge mental : je suis heureux, je suis content, c'est un grand plaisir.

Quand tu es plus jeune, dans la vingtaine, tu as l'impression que le bonheur va être quelque chose de grandiose qui n'en finira plus et que tu vas avoir le souffle coupé. Quand on avance en âge et qu'on prend de l'expérience, qu'il nous arrive des contrepoids au bonheur, on comprend que les petites choses de la vie peuvent être *trippantes* aussi, qu'elles n'ont pas besoin d'être immenses ou extraordinaires. Moi, je suis bien dans le terre-à-terre, je ne suis pas hyper romantique, je n'ai pas besoin de soupers à la chandelle, ni de pétales de roses au sol pour me faire plaisir. À partir de là, le petit bonheur facile prend vraiment sa place.

Tu sais qu'il y a des gens qui, pour une malchance, souvent une niaiserie, voient leur bonne humeur s'envoler et leur journée gâchée. Ce n'est pas du tout ton cas !

Non, je ne suis pas comme ça, même que j'ai de la difficulté à comprendre les gens qui fonctionnent ainsi. Je me dis : *Concentre-toi d'abord sur ce qui s'est passé qui était* l'fun, *et les choses plates, laisse-les aller!* Je pense que c'est lorsqu'on s'accroche à ces moments-là qu'ils prennent toute la place. C'est nous qui leur donnons de l'importance, c'est nous qui leur donnons cette force-là.

Est-ce qu'il y a des moments où, avec le recul, tu te dis que tu as touché au grand bonheur?

Au plan du travail, je pense à notre premier gala des *Mecs comiques* au *Festival Juste pour rire*. Nous avions eu une *standing ovation* et nous n'étions presque pas connus. Les gens nous découvraient et, en plus, le numéro que nous présentions avait bien fonctionné. Honnêtement, ça a été un moment d'extase, de pur bonheur qu'on n'a pas vraiment compris sur le coup. Je me souviens d'avoir vu les gens se lever pour la *standing ovation*, puis on est sortis en coulisses, et la régisseure nous a dit: «Allez-y, retournez sur la scène!» On ne comprenait pas trop, on était comme trois lapins devant des phares de voiture! On est revenus sur scène, et on regardait les gens debout qui applaudissaient. C'était la première fois de notre carrière qu'on faisait une aussi grande salle, et je me souviens précisément d'avoir senti, durant ce numéro, le rire qui a débuté en arrière de la salle et qui venu nous ramasser sur la scène. Ça ne s'explique pas, on dirait qu'il faut que tu le vives. C'est drôle parce que j'ai eu cette conversation-là avec Véronique quand ils ont décidé de partir le *show Les Morissette*, Louis et elle. Je lui ai dit: «Écoute, le premier soir, quand le rire va venir te ramasser sur la scène, tu vas tout comprendre: tous les efforts que tu as mis pour ce spectacle, les bouts où tu en as arraché, les moments où tu t'es remise en question, où tu as pensé: "Ah mon Dieu, pourquoi faire ça?"», et encore plus dans son cas parce qu'à la base, elle n'est pas une humoriste. Chose certaine pour moi, cette soirée-là va demeurer à jamais un moment extraordinaire.

En amour, le grand bonheur est difficile à atteindre?

Ce n'est jamais difficile parce qu'à partir du moment où ça le devient, pour moi, je pense que ça n'a plus sa place. Je pense qu'à la base, l'amour doit être facile. C'est sûr que ça se travaille, ce n'est pas quelque chose qu'on va laisser aller, ça demande de l'effort et de l'implication quand on veut bâtir quelque chose de solide, mais s'il faut convaincre l'autre qu'on doit bâtir ensemble, je pense qu'à partir de ce moment-là l'équation est biaisée, il y a peu d'espoir que ça fonctionne. L'amour est un port d'attache, c'est une décision qu'on prend à deux, ce n'est pas quelque chose qui nous est imposé. Il est possible que ça devienne ardu et compliqué et je pense que tu ne sais plus trop alors si c'est vraiment de l'amour, de l'acharnement, de l'orgueil ou la peur de te retrouver tout seul. Quand tu t'es engagé dans une relation avec quelqu'un, c'est immensément difficile de la quitter.

Quel est l'élément principal du bonheur, la clé pour être heureux selon toi?

À prime abord, à 45 ans, c'est d'être bien avec moi-même. Pour moi, c'est surtout ça le bonheur. J'ai longtemps eu de la misère à dire non. J'avais peur de déplaire aux autres et de manquer quelque chose, que ce soit dans le travail ou dans ma vie personnelle. Refuser quelque chose, ça a des conséquences.

Et tu réussis maintenant à cesser de t'en faire, à être capable de mettre ton pied à terre…

Oui, je suis capable pour certaines choses, et pour d'autres vraiment pas. Je ne suis pas encore à 100 % de ce côté-là, mais j'ai fait un énorme progrès là-dessus et, personnellement, ça m'a fait du bien. C'est très libérateur. À ce moment-là, tu es apaisé, donc dans une forme de bonheur parce qu'il y a rien de pire que d'accepter de faire quelque chose qui ne te tente pas. Si l'on veut être honnête avec soi-même, on sait dès le départ qu'on a en tête de dire «non», mais que si l'on dit «oui», ce ne sera pas *l'fun* et qu'on va devoir gérer tout ça ensuite. Combien de fois je me suis dit: *Pourquoi je me suis imposé ça?* Après-coup, tu te demandes pourquoi tu as accepté, tu te rends compte que tu n'as pas eu de plaisir et probablement que la personne devant toi n'en a pas eu non plus.

Pour moi, ça a été un gros pas. Si on n'est pas en paix avec soi-même, c'est bien dur de l'être avec quelqu'un d'autre et dans toutes les autres sphères de notre vie. Depuis la mi-trentaine, c'est une idée qui a vraiment fait sa place chez moi, et je peux me dire que maintenant, j'ai vraiment trouvé mon équilibre. Ça peut être complètement différent chez une autre personne avec qui tu vas jaser, mais moi je pense l'avoir trouvé. Je suis capable maintenant de nommer les choses, de dire : « Non, ça ne me tente plus », et non seulement de me dire que ça ne me tente plus, mais d'être capable de dire : « C'est plate si ça ne te fait pas plaisir, mais c'est mon choix. »

fait suer. Je ne me suis pas dit : *Ah, tiens, je vais ralentir un peu…* Non, il y a quelque chose qui m'en empêche et ça, ça me fatigue énormément. Ça ne m'appartient plus, mais je dois gérer cette nouvelle donnée. Pour le reste, dans ma tête, ça me va, je me sens bien, je me sens en équilibre. Quand j'ai des discussions avec des personnes plus jeunes, sans aucune prétention je vais dire : « Ah, moi je n'en suis plus là, c'est fait ! » On est mal fait parce que, très jeune, je voulais tout le temps sortir, faire plein de choses et, à un certain moment, je me suis dit que je voulais juste être en équilibre avec mon âge.

Vieillir te stresse et t'agace, ou tu en retires une certaine satisfaction ?

C'est un mélange de tout ça. Je te dirais que mentalement, ça me va super bien, je n'ai pas peur de ça, ça ne me dérange pas. Tu accumules une expérience qui est intéressante et il y a un discours qui vient avec ça. C'est plus sur le plan physique que ça devient un peu plus difficile. C'est sûr que nous, on est souvent confrontés à notre image : on la voit, on la voit en photo, on la voit à la télé et il y a des moments où c'est lourd. Et avec les réseaux sociaux, les gens t'en parlent maintenant ouvertement. On parle souvent des réseaux sociaux, mais ils font désormais partie de la *game*. Tu vois, j'ai toujours été quelqu'un d'hyper sportif, je courais beaucoup et je cours encore, mais parfois, j'ai mal au genou droit et ça me

Depuis que tu fais ce métier, as-tu l'impression que tu es un modèle pour bien des jeunes ?

Je reçois toutes les semaines des messages en rapport avec ça, autant de jeunes que de nombreux parents aussi. Je ne me suis pas levé un matin en me disant que j'allais mettre l'accent là-dessus, mais je suis conscient qu'il y a très peu d'exemples et j'en suis un parmi quelques-uns, fort heureusement. Ce n'est pas la base de mon travail et de ce que je suis, mais si, au final, ça peut donner un coup de pouce, j'en suis bien heureux ! Je te jure, ça fait vingt ans que je fais ce métier-là et quand je reçois un message d'un jeune ou d'un parent, ça me touche énormément. Il y a de très belles histoires, mais il y en a d'autres moins *cute*, et j'essaie de leur donner un coup de pouce par la bande, de tendre des perches vers des organismes, et tant mieux si je peux faire une différence. Quand un jeune m'écrit : «Je pense faire mon *coming out* à mes parents» et qu'il me demande des conseils, je lui en donne en précisant que c'est à partir de mon expérience personnelle, que je n'ai pas la science infuse. Après, ça lui appartient et je termine tout le temps mon message en écrivant : «Si ça te tente, tiens-moi au courant quand ce sera fait». Quand ils me réécrivent pour me dire que ça s'est bien passé ou pas, surtout si ça va, j'éprouve comme un sentiment paternaliste et je me dis : *Ah mon Dieu, il est correct*. Il y a vingt ans, je ne recevais pas de courriels du genre : «Je pense que mon fils ou ma fille est gay, mais je ne sais pas comment l'aborder, je voudrais lui dire que ça ne me dérange pas.» *My God*, c'est fabuleux ! Je me souviens de parents en particulier qui me disaient : «On sait que notre fils est gay et c'est lui qui bloque, qui n'en parle pas.» C'est à la fois absurde et très révélateur. Tous ces messages me touchent toujours, et, oui, ça fait partie des petits bonheurs de ma vie de pouvoir leur être utile.

La différence fait toujours jaser et ne fait pas toujours l'unanimité…

Ça, moi, ça ne me dérange plus, l'unanimité. Quand une personne m'écrit pour me dire qu'elle n'aime ce que je fais, ça ne me touche plus et je trouve ça super correct parce que, moi aussi, il y a des choses que je n'aime pas dans la vie. Je ne leur écrirai pas nécessairement pour leur dire, je ne revendiquerai pas que ça s'arrête, mais je peux comprendre et je n'y attache pas d'importance. J'aime mieux me concentrer sur ceux qui *trippent* à avoir du plaisir avec moi. Je pense qu'il faut l'appliquer comme ça parce que sinon, on demeure accroché à cet aspect négatif et ça peut miner ce qu'on a en tête. Tu ne m'aimes pas ? Passe ton chemin, va faire autre chose, il n'y a pas de problème ni de malaise s'ils ressentent absolument le besoin de me le dire…

Avec les médias sociaux, les critiques et commentaires méchants fusent rapidement…

C'est sûr, c'est facile, il y en a toujours qui ont envie de vomir leur bile. J'ai le goût de leur dire de relire ce qu'ils ont écrit avant d'envoyer leur message, de penser comment ils réagiraient si ça s'appliquait à eux, à leur *chum*, à leurs enfants. Je ne réponds pas à ces messages, et parfois je les lis et d'autres fois pas, ça n'a pas d'impact sur moi.

Quels sont les petits bonheurs qui embellissent ta vie ?

Je n'ai aucune culpabilité à me taper huit épisodes d'une série télé un dimanche, c'est un énorme bonheur. Pas seulement d'en écouter quatre, il faut que j'écoute la série au complet ! Ça me procure beaucoup de plaisir.

Un autre de mes bonheurs est de faire du yoga Bikram. C'est vraiment un moment en tête-à-tête avec moi-même durant une heure et demie qui me fait énormément de bien. Je trouve que ça me permet de réfléchir, de prendre du recul, d'arriver à un apaisement face à ce qui m'entoure.

Tu sors de ces séances énergisé ?

Je pourrais aller grimper le Kilimandjaro ! Je suis aussi passionné par la plongée sous-marine. J'en avais fait ici dans des lieux contrôlés, mais la première fois où je me suis retrouvé dans la mer au Mexique, à plonger dans des cavernes et à voir un squelette de baleine en fossile sur un rocher, ça a été impressionnant. Faire de la plongée, c'est un autre monde, c'est comme d'être sur une autre planète. Je fais souvent un lien entre la plongée et le yoga parce que tu es en suspension, il y a quelque chose d'un peu ésotérique là-dedans. Tu n'entends pas de la même façon, c'est très sourd, et tu entends beaucoup ta respiration. Il peut y avoir du monde autour de toi, des poissons, des coraux et c'est beau, mais il y a aussi quelque chose de très personnel là-dedans. Tu es vraiment avec toi-même. Et c'est vraiment fascinant quand tu découvres les poissons, que tu as la chance de nager avec des requins.

Es-tu du genre impulsif ?

Très peu. Ça peut m'arriver, mais ce n'est pas ma qualité première. Je suis plutôt du genre à planifier, mais si tu me proposes d'aller faire un *road trip* demain et que c'est possible, je vais le faire, mais ce n'est pas mon genre de partir sur un coup de tête.

Et trouver le bonheur, être heureux, c'est possible ?

Ça part de nous autres, on est le centre de notre *patente*. On attire ce que l'on est et si on a cette ouverture-là, c'est un bon cheminement. Je ne danse pas la claquette tous les matins, on a tous nos moments de déprime, et on ne peut pas demander à quelqu'un d'être bien avec nous si on ne l'est pas d'abord soi-même. Même si le bonheur nous arrive de l'extérieur, si on n'est pas prêt à le recevoir, ça ne marchera pas. Ou bien tu ne le verras pas, ou tu ne le sentiras pas, ou tu ne voudras pas t'ouvrir. Souvent, j'entends des gays qui disent : « Ah, s'il existait une pilule, je la prendrais pour devenir hétéro ! » Moi, jamais ! L'homosexualité a fait de moi la personne que je suis. Et ce chemin-là, je l'ai réussi en partie, et même si je ne suis pas que ça dans la vie, ça fait toute la différence. Autrement, je n'aurais pas été le même être humain et je pense, bizarrement, que j'aurais été moins bon.

Quand tu jettes un regard en arrière, es-tu content de ton cheminement, de ton parcours ?

Oui, tout à fait, avec le beau, le bon, le moins *trippant*. On a tous des moments charnières dans nos vies et pour moi, il est survenu quand je me suis inscrit à l'École nationale de l'humour à l'âge de 25 ans. Ça a été une croisée des chemins. J'aurais pu prendre une autre voie et les choses auraient été différentes. Probablement le *fun* aussi, mais pas comme ça. Des moments comme celui-là, il nous en arrive quelques fois dans la vie. On retient alors notre souffle et on se dit : « OK, on y va ! » Quand j'ai participé aux auditions pour être admis à l'École, je travaillais dans les magasins Le Château depuis longtemps. Je m'étais dit que j'allais tenter ma chance une fois aux auditions et que si je n'étais pas accepté, j'allais abandonner. J'étais assistant-gérant et, tu sais, la vie est drôlement faite parce qu'au moment où j'ai été accepté à l'École, on m'a offert un poste de gérant. Ça aurait pu être ma

carrière. Le matin où j'ai dit à l'équipe du Château que je la quittais pour aller à l'École, il y a eu un petit moment de silence et je pouvais comprendre. Je me souviens aussi du moment où, chez nous, j'ai dit à ma mère : « Je lâche ça et je m'en vais à l'École », elle est devenue légèrement blême, elle a fait comme « Ok… ».

Et tu entrevois la suite des choses pour toi avec optimisme et bonheur ?

Oui ! Je suis un optimiste de nature et même lorsqu'arrivent des coups durs, je vois vite comment m'en sortir, ce que je peux faire. J'ai une capacité d'autodérision qui, je trouve, me sauve la vie bien des fois. Je suis rarement dans le négatif, je repars vite, je suis un gars d'action. J'ai bien de la misère aussi avec les gens qui jouent les victimes, ça ne vient pas me chercher, même que je ne peux pas rester à côté de ces gens-là. Peut-être que c'est en raison de l'acceptation de mon homosexualité et que je n'ai jamais voulu être une victime face à ça. Aussi, quand on parle d'intimidation, je suis d'accord, mais il faut faire attention de ne pas tomber dans le « j'ai mal, j'ai mal, j'ai mal… ». Oui, on peut avoir mal, mais utilise ça pour repartir la machine, ne reste pas là-dedans, ça empire ta situation. Il faut agir. Par exemple, si tu es avec ton amoureux depuis 100 ans et que ce n'est plus ça, eh bien, pars ! C'est difficile, c'est vrai, mais il faut le faire, et le faire avant tout pour soi.

Est-ce qu'il y a des bonheurs auxquels tu aspires, des choses que tu te souhaites, que tu veux faire depuis longtemps ?

Je suis assez *control freak* dans ma vie, mais je te dirais que de faire un voyage à la volée, me dire que je m'en vais quelque part sans savoir ce qui va se passer ensuite, je pense que ça me ferait du bien. Ça me ferait voir ma vie autrement, ça me ferait réfléchir sur moi-même de ne pas savoir d'avance l'endroit où je vais crécher, ni de savoir ce que je vais voir. Je n'ai pas encore ce détachement, ce laisser-aller. Je sais que ça peut paraître *niaiseux* pour ceux qui l'ont fait cent fois, mais ça demeure un défi pour moi.

Brigitte Boisjoli
Le bonheur, ça commence entre les deux oreilles

Elle est comme vous l'imaginez : dynamique, spontanée et rieuse. Réaliser une entrevue avec la chanteuse vous insuffle une bonne dose d'énergie qui perdure quand on repense après coup à ses éclats de rire et à ses réponses lancées avec beaucoup de franchise. Une rencontre qui fait du bien. Comme bien des artistes, Brigitte Boisjoli, malgré sa franche détermination et l'enthousiasme qu'elle affiche, a aussi ses périodes de doute. Et on comprend facilement les angoisses dont peuvent être affligés les interprètes et leurs producteurs à cette époque où les ventes de disques dégringolent à un rythme affolant.

« Le bonheur est variable dans ma vie et tu m'aurais demandé en 2015 si j'étais heureuse, quelle note je donnais à mon bonheur et elle n'aurait pas été très élevée. Cette année-là a été difficile pour moi. Professionnellement, ça allait bien, mais mon album *Patsy Cline* n'était pas encore sorti et je vivais beaucoup de stress à savoir si ça allait marcher. En plus, physiquement, j'étais fatiguée, j'avais eu des problèmes avec mes reins et j'avais dû être hospitalisée. Et en amour, ça ne marchait pas du tout », confie-t-elle.

Bref, le lot commun de millions de personnes : le doute, l'angoisse, la déception, les attentes et l'espoir de jours meilleurs au cours desquels la réussite ou les bonnes nouvelles se pointeront à l'horizon… « Aujourd'hui, mon bonheur est à 12 sur 10 ! lance la dynamique Brigitte. C'est vrai, je suis heureuse parce que non seulement j'ai réussi à acheter la maison de rêve que je désirais, mais qu'en plus tout va bien. C'est le bonheur quand tout le monde dans ta famille va bien, que tout le monde est en santé, et que tout se passe bien sur le plan professionnel. »

Il y a des trucs, une façon d'être ou de penser pour avoir accès au bonheur ?

Le bonheur, ça commence entre mes deux oreilles et puis ça s'en va ailleurs ensuite. Je pense que pour propager le bonheur autour de soi, autant dans la vie que sur scène, il faut que tu sois heureuse dans ton cœur. Vraiment. Ça m'a pris du temps avant de le comprendre et je travaille là-dessus. En fait, j'ai souvent des remises en question, je travaille beaucoup et souvent sur moi, et j'essaie d'abord d'être une meilleure personne.

Et que dis-tu aux personnes qui cherchent justement à avoir une vie plus heureuse ?

Qu'il y a de l'espoir ! Je n'ai pas beaucoup de tolérance envers les gens qui s'apitoient sur leur sort. Je pense que quand tu décides d'être heureux dans la vie, c'est à toi de faire ton bonheur. Personnellement, quand j'ai pris la décision d'être heureuse, d'être positive et de décider de vivre dans le moment présent, ce qui est un combat de chaque jour, les choses ont changé. Le fait de ne pas partir dans ma tête, de ne pas avoir de désirs, mais plutôt de vivre le bonheur que je vis présentement au jour le jour, de savourer chaque instant, ça me fait prendre conscience de la chance que j'ai. Et il faut s'arrêter pour se dire et se répéter qu'on est heureux, qu'on est en santé, qu'on est chanceux.

Le bonheur, c'est aussi d'être en communion avec ses proches, ceux qui forment la garde rapprochée, et de se tenir loin des personnes nocives ou négatives ?

Absolument. Mais je n'ai pas eu à faire de ménage, ça s'est fait naturellement. Soit qu'on se téléphone de moins en moins ou que des amitiés s'envolent en poussière, je n'ai pas eu de cassure à faire. Par contre, pour ceux qui vivent une relation nocive dans laquelle ils sont pris et dont ils ne peuvent se sortir, c'est sûr que ce sont des victimes. On a toutes été dans une relation du genre, à différents degrés. Ma mère me disait souvent à une époque : «À un moment donné, tu vas être assez *tannée,* Brigitte, que tu

vas savoir et te rendre compte que tu mérites une vie meilleure que ça.» Elle avait raison, et c'est la même chose pour le bonheur : il faut non seulement décider que tu le désires, mais surtout garder en tête que tu le mérites.

Comment composes-tu avec les gens que tu croises qui, eux, sont peut-être loin du bonheur, n'ont pas une vie facile ?

C'est sûr que j'ai tendance à encourager les gens, mais je dois garder un détachement par rapport à ça, sinon ça me toucherait trop. Dans mon milieu, il y a plein de personnes qui veulent nous raconter leurs malheurs, ou qui veulent qu'on les serre dans nos bras, qu'on les console. Quand j'ai des témoignages reliés à mes *tounes*, que je me fais dire que telle chanson leur a fait du bien, ça me touche. Mais quand certaines personnes commencent à me raconter des choses et que je sens que ça pourrait me gruger de l'énergie, je n'embarque pas là-dedans. Je pense que chacun est responsable de son propre bonheur.

Et qu'est-ce qui te rend heureuse ?

J'aime donner. Je suis hyper généreuse et quand j'aime, j'aime ! Ce qui veut dire que je donne. Je donnerais ma chemise pour mes amis, je n'ai pas de limite. En vieillissant, je me dis souvent qu'il faut que je calme mes ardeurs. Parfois, je m'oublie moi-même en voulant aider et ça peut me rendre malheureuse, parce qu'on a quand même des attentes quand on donne et qu'on risque d'être déçu. Il faut que j'apprenne à doser ça, mais je ne donne pas à tout le monde, ce sont surtout mes meilleurs amis et les gens proches que j'aime vraiment qui bénéficient de ma générosité.

Tu as souvent dit que tu voulais être mère et ce sera pour 2017, félicitations !

Je suis vraiment contente, on attend une petite fille pour le mois de juin, Jean-Philippe (Audet) et moi, et c'est une belle surprise. On a gardé la nouvelle secrète pendant quelques semaines, et nous avons finalement décidé de l'annoncer sur Facebook le 25

décembre. À l'échographie, elle était sur la tête, sur le ventre, sur le dos, je me suis dit qu'elle était vraiment à mon image! Un bébé, une union, une famille, ça a toujours fait partie de mes rêves.

Tu as en tête un grand moment de bonheur, un moment magique dont tu vas te souvenir longtemps?

J'ai fait un spectacle à Rouyn l'an dernier (2015) et ça a été le plus beau *show* de ma vie. On a remplacé quelqu'un au pied levé, on a pris l'avion pour aller jouer devant 10 000 personnes. On a fait une heure de spectacle et, au salut final, de sentir autour de moi mes *boys*, mes musiciens qui m'avaient appuyée durant le spectacle et me regardaient avec fierté, je me suis sentie vraiment à toute épreuve.

Et le rêve que tu veux réaliser?

C'est sûr que je rêve d'un mariage. Un mariage hyper traditionnel avec la grosse robe. J'en rêve depuis que je suis petite. Sinon, ce serait le bonheur de faire un grand voyage pour vraiment décrocher, pour simplement être en vacances. Je n'ai jamais fait ça, je ne suis jamais partie deux semaines, par exemple, sans avoir à travailler. J'aimerais vraiment ça.

Tu dis que tu apprends à apprécier le moment présent, les situations qui te procurent du bonheur. Tu en as beaucoup de ces moments au quotidien?

Je te dirais que lorsque je suis dans mon spa, à 16 h, 16 h 30, avec un bon verre de blanc bien frais, je ressens une grande satisfaction. Je trouve que c'est une bonne heure pour ça…

Dominic Paquet
Arrêter de se mentir et agir

Le travail de Dominic Paquet est de faire rire les gens. Par les personnages qu'il incarne sur scène, les situations qu'il présente aux spectateurs et son univers bien particulier. Pour celui qui, pour réaliser son rêve, a fait fi de sa timidité et plongé dans le domaine de l'humour, le bonheur passe par l'action, par la prise de décisions pour améliorer son sort et être plus heureux.

Ta carrière va très bien, tu en es déjà à un troisième spectacle solo, qu'est-ce qu'il te manque pour être heureux?

Du temps! Ça a été long avant que je réussisse à percer dans ce métier-là et aujourd'hui, ça va bien. Je suis un gars travaillant et j'ai de la misère à refuser des offres, mais le problème est que je manque de temps pour moi et pour les enfants. Il y a quelques années, j'aimais entre autres écouter des séries télé en rafale durant un week-end, *24* par exemple. Les gens me parlent de séries télé, je connais les titres, mais je ne les ai pas vues, faute de temps.

Au fond, tu es victime de ton succès?

Il faut que je trouve un compromis entre le travail et le bonheur familial. Avant, j'avais le stress, entre autres de savoir si j'allais avoir assez d'argent pour payer mon auto, et j'acceptais des contrats qui n'avaient pas l'air *le fun* parce que j'avais besoin d'argent. Maintenant, je ne suis pas riche, mais je ne suis pas stressé tous les jours comme avant. Je suis plus en mesure de faire le tri parmi les offres, même si j'ai tendance à les accepter la plupart du temps. Mais je connais mes forces et mes faiblesses, je sais dans quoi je ne suis pas bon et là où je suis meilleur, je suis capable de faire le tri.

Tu dois être content d'être parvenu à faire ta place, à t'imposer dans le milieu?

Oui et sur le plan professionnel, je vis plein de petits bonheurs. J'ai toujours été une personne timide et je le suis encore un peu, mais moins qu'avant. Ça s'améliore avec la confiance et aussi la reconnaissance des gens du milieu. Avant, quand j'allais faire une entrevue télé, j'avais l'impression d'être complètement nul, je n'étais pas bon parce que je ne me trouvais pas intéressant pour quantité de gens qui ne me connaissaient pas. J'étais tendu, je me censurais à l'os, alors que maintenant ça va mieux, surtout quand je fais des entrevues avec des personnes que je connais. Je sais que je peux être comique quand les gens sur le plateau savent qui je suis et connaissent mon style d'humour. Je suis plus en mesure de me laisser aller dans ces moments-là et d'avoir du plaisir, de ne pas être stressé.

Les débuts ont été difficiles, depuis quand peux-tu dire que les choses vont bien?

Depuis environ la sortie de mon deuxième *one-man-show*. Mon équipe a fait un super travail de promotion, le DVD de mon premier spectacle est sorti et il a été présenté à TVA. Ce sont plusieurs petites choses qui font que depuis 2010-2011, j'ai de plus en plus d'offres, mais on a toujours besoin d'aide dans ce milieu-là. Depuis mes débuts, des metteurs en scène me disent que j'ai un talent comique pour le jeu, que je pourrais jouer dans une *sitcom*. J'ai cogné aux portes, mais on me disait qu'on ne me connaissait pas, que je n'avais pas l'expérience… Ça a pris un gars comme Martin Petit, avec *Les pêcheurs*, qui savait ce que je pouvais faire, pour me donner l'occasion de faire son émission. Puis ensuite, d'autres choses se sont présentées, dont l'émission de radio *À la semaine prochaine*. Toutes ces affaires-là ont fait que j'ai maintenant une crédibilité dans le jeu. C'est moins stressant maintenant et depuis la sortie de mon troisième spectacle, c'est du bonbon.

Tu as dû faire preuve de persévérance pour en arriver là où tu en es aujourd'hui ?

Quand j'ai fait mon premier spectacle en 2006, dès que j'arrivais à une salle, je demandais à mon technicien combien il y avait de spectateurs, combien il y avait de billets vendus. Et il pouvait me répondre quelque chose dans le genre : « La salle peut contenir 800 spectateurs, il y a 200 billets vendus et 250 qui ont été donnés… » Alors, je me retrouvais face à une salle à demi pleine de gens dont la moitié ne me connaissaient probablement pas. Ils avaient gagné des billets, ou mon spectacle faisait partie d'un forfait. Quand j'arrivais sur scène, je devais composer avec tout un stress et les spectateurs voyaient autant que moi que la salle n'était pas pleine. Il fallait que je les gagne, mais le bon côté est que ça m'a fait tout un bagage. Aujourd'hui, c'est complètement autre chose. J'arrive dans des salles et c'est plein, on a déjà des supplémentaires qui sont presque complètes, et quand tu arrives sur scène, les gens applaudissent, ils sont contents de me voir, ça fait peut-être six mois qu'ils ont acheté leurs billets. Au-delà des plaques, des trophées et de tout ça, mon vrai bonheur est de finalement avoir une tournée qui va bien, où les billets se vendent, et d'arriver sur scène pour *tripper* et avoir du *fun*. Une fois que tu sais que le show marche, qu'il est bon et que les gens rient, il n'y en a plus de stress !

> « Il faut arrêter de faire semblant que tout va bien en espérant que les choses vont s'arranger toutes seules, que ta vie va changer en achetant un gratteux… »

Maintenant que le succès est au rendez-vous, prends-tu le temps d'apprécier chaque moment de bonheur que tu vis ?

Peut-être parce que je suis trop dans le jus, je ne savoure pas pleinement ces moments. Je sais que je devrais apprendre à les apprécier beaucoup plus.

Mis à part ta carrière, tu es papa…

J'ai un enfant, un garçon de 3 ans, et mon ex, sa mère, a aussi un fils qui avait un an et demi quand je l'ai connu, et qui a maintenant 9 ans. Alors quand je vais chercher mon gars, les deux viennent avec moi et c'est pour ça que je dis toujours que j'ai deux enfants. Comme père, si j'avais plus de temps, j'aimerais être plus relax avec eux, faire plus d'activités. J'ai un travail qui est parfois difficile à concilier avec le rôle de père, surtout quand je suis en tournée. Mais j'aimerais ça les voir plus souvent et c'est difficile le week-end. Avant, je me sentais mal quand j'avais une journée *off*, je ne trouvais pas ça normal, le lundi, par exemple, d'être à la maison alors qu'en général, tout le monde travaille le lundi. J'apprends donc à décrocher, à faire la conciliation entre ma vie, mon travail et les enfants. J'ai toujours été du genre à vivre au jour le jour, mais mon gérant est plus du genre à prévoir les choses, par exemple, je sais qu'au cours de l'année qui va venir, je vais avoir du travail. Je ne stressais pas tant que ça quand je ne savais pas si j'allais en avoir régulièrement, mais maintenant, de savoir que tout est plus stable, je vois la lumière au bout du tunnel.

Qu'est-ce qui te rendrait heureux, quel est le bonheur que tu te souhaites ?

Ça peut paraître cliché, mais j'aimerais vraiment, plus tard, être proche de mes enfants, avoir une belle relation avec eux et qu'on puisse parler sans gêne de tout et de rien. Moi, j'ai grandi dans une famille où mon père était de cette génération d'hommes qui ne parlent pas. Et je ne veux tellement pas être comme ça! Je dis bonne nuit à mes enfants en leur donnant un bec sur le front avant qu'ils aillent se coucher, chose que mon père n'a jamais faite avec moi. Et quand j'avais une piscine, je jouais avec eux dans l'eau, ce que mon père n'a jamais fait non plus. C'est important pour moi d'être proche d'eux, même si je ne les vois pas tous les jours, et d'être à la fois un père et un *chum*. Je regarde mon ami l'humoriste Jean-Claude Gélinas qui a une super belle relation avec son gars, et je trouve ça vraiment *trippant*. Pour moi, c'est plus important que tout, ce serait un grand bonheur. Je prends exemple sur ma sœur qui a une très belle relation avec ses deux enfants. Ils sont hyper proches et je trouve ça vraiment *hot*. Au-delà de ce que ça peut m'apporter, je veux surtout qu'ils sachent que je suis là pour eux, qu'ils ont un père qui les aime, à qui ils peuvent dire n'importe quoi et qui est là pour les conseiller. Mon père était un gars de tête, intelligent, et ça pouvait être intéressant de se parler, mais le problème était que les portes n'étaient pas ouvertes à la discussion, il y avait un malaise. Et plutôt que d'avoir des conversations, on partait sur des *jokes* et on *niaisait*. Je ne veux pas que ce soit comme ça avec mes enfants, je souhaite que ce soit facile, qu'il y ait une bonne communication entre nous.

As-tu de la difficulté à parler de ton père au passé?

Quand des gens me demandent si je m'ennuie de lui, je leur réponds que ce n'est pas que je ne m'ennuie pas, mais on ne se voyait que trois ou quatre fois par année, lors d'événements comme la fête des Pères. Ce sont dans ces moments-là qu'il me manque, comme à l'épluchette de blé d'inde annuelle qu'il organisait l'été, ou à Noël. Je suis comme mon père, et mes amis le savent : je suis un gars qui ne parle pas beaucoup. Et je ne blâme pas seulement mon père pour ça, je me blâme aussi. Mais si nous nous étions parlé tous les jours, lui et moi, pour un tout et pour un rien, ce serait évidemment plus difficile, je m'ennuierais, mais je n'ai pas de misère à parler de lui au passé. Il avait 71 ans quand il est décédé.

Tu conserves de beaux souvenirs de ta jeunesse?

Quand je repense à mon enfance, tout ce qui était relié au sport me rendait heureux. Je me souviens quand je jouais au hockey dans la rue avec tous mes amis du voisinage et de tous les tournois de soccer auxquels j'ai participé. C'était vraiment *l'fun*, nous sommes allés à Toronto, aux États-Unis, j'ai participé aux Jeux du Québec. Toutes ces expériences-là m'ont marqué, j'aimerais revivre ça, j'aimerais rejouer au hockey dans la rue avec mes *chums* et avec leurs enfants. La pratique du sport était vraiment importante pour moi.

Et en humour?

Il y a eu plein de moments heureux, mais je pense en premier à ce 11 décembre, quand j'ai fait mon premier spectacle avec l'École de l'humour, au Club Soda. J'étais impressionné de me retrouver au même endroit où avaient joué Ding et Dong, André-Philippe Gagnon, je trouvais ça capoté. Et à 19 heures, quand ils ont ouvert les portes et qu'en écartant un peu les rideaux, j'ai vu mes parents et mes deux sœurs entrer, c'était quelque chose, c'était vraiment stressant parce qu'il fallait que je leur prouve que j'étais fait pour ce domaine-là. Je faisais mon numéro à la fin de la première partie et ça s'est finalement bien passé, les gens ont ri tout de suite au premier gag.

À la fin de la soirée, tu étais convaincu que ta voie était dans le domaine de l'humour?

Convaincu, non, et encore aujourd'hui, je ne peux pas dire que je suis un gars qui a une grande confiance en ses moyens. Et j'aime douter, je trouve ça correct, ça m'amène une certaine rigueur. Je suis content de ne pas être à l'aise sur scène quand les gens ne rient pas. Je ne suis pas bien, ça me tue, il faut que les gens rient, alors je travaille chaque gag, j'ajuste des détails pour que ça ne se produise pas. Je trouve ça positif, et je dirais que ma confiance en tant qu'humoriste s'est bâtie au fur et à mesure depuis mes débuts, au fil des différentes expériences vécues dans des bars et salles de spectacles. Tout s'est fait graduellement.

Et en amour?

Même si je suis un solitaire, et que j'ai longtemps pensé que je pourrais être célibataire durant dix ans, j'ai réalisé que j'avais besoin d'être en amour, que je suis mieux en couple, mais quand ça va bien! Quand il y a quelque chose de nouveau dans ma vie, j'ai beau avoir mes sœurs et mes amis, j'aime aussi avoir une blonde à mes côtés pour en discuter et partager de bons moments.

Tu as des rêves professionnels que tu souhaites réaliser?

Mon plus gros *trip* serait de faire un jour un film avec Will Ferrell. Ce serait mon summum, j'adore ce qu'il fait. Sinon, je dirais que le film *Hangover* a été une révélation pour moi, parce qu'on avait finalement une comédie de gars dans laquelle il n'y avait pas d'histoires d'amour pour plaire au public. Je l'ai vu quatre fois au cinéma et les femmes riaient, alors l'idée que ça prend une touche d'amour dans un film pour attirer les filles est fausse et j'aimerais écrire un film dans ce genre et y tenir un rôle.

Quels conseils donnerais-tu aux gens pour qu'ils soient plus heureux?

Qu'ils arrêtent de se mentir. Je pense qu'on a tendance à se mentir beaucoup, entre autres quand on est en couple et que ça ne va pas bien, et que tu ne veux pas te séparer pour plusieurs raisons. En pensant que les choses vont s'améliorer. Ou encore quand tu fais un travail que tu n'aimes pas. Quand j'avais 17 ans, j'ai travaillé dans un Réno-Dépôt et il y avait un gars avec qui j'étais ami. On riait beaucoup ensemble, mais il me répétait tout le temps à quel point il était *tanné* de son travail. Dans le cadre d'une émission de télévision, j'ai eu l'occasion de retourner, quinze ans plus tard, au Réno-Dépôt ou je travaillais. J'ai retrouvé des gens que je connaissais, dont ce gars-là… qui m'a encore dit qu'il était *tanné* de sa *job*! Alors tout ça pour dire que je pense qu'il faut arrêter de se mentir, ne pas avoir peur de foncer. Moi, j'ai eu la chance que ma sœur m'aide à foncer pour faire ce métier-là et je pense que si on a une idée en tête, il ne faut pas avoir peur de bouger les choses et de réaliser son projet, pour ne pas avoir de regrets plus tard. Comme François Bellefeuille qui était vétérinaire et qui a décidé de faire de l'humour. Ça prenait du *guts* pour faire ce changement.

Il faut arrêter de faire semblant que tout va bien en espérant que les choses vont s'arranger toutes seules, que ta vie va changer en achetant un *gratteux*… Je pense que le plus important est de faire un métier que l'on aime, que tu travailles ou que tu sois une mère à la maison. Ce n'est pas d'être riche qui compte, c'est d'être bien dans ce que l'on fait. Moi je travaille depuis l'âge de 10 ans et j'en ai eu des *jobs* que j'ai haïes, et là j'aime ce que je fais. Ça fait toute une différence dans la vie. C'est sûr qu'il y a des gens qui ne savent pas ce qu'ils aiment, que c'est difficile, mais ils doivent continuer de chercher, d'essayer des choses pour être plus heureux parce qu'après tout, on passe les trois quarts de sa vie à travailler!

Geneviève Borne
Retrouver le bonheur après les coups durs

Geneviève Borne est de celles qui ne baissent jamais les bras et qui ont le bonheur contagieux. Il suffit de faire le tour de ses amies pour savoir que Geneviève, c'est de la vitamine en dose massive, de l'émerveillement et de l'amour de la vie à l'état pur. Retrouver, pour une longue entrevue, celle que j'ai connue en 1989 dans les locaux de TQS, alors qu'elle était réceptionniste-recherchiste, a été, c'est le cas de le dire, un pur bonheur.

Geneviève, parlons de ta relation avec le bonheur…
J'ai la cote du bonheur assez élevée pas mal tout le temps. J'ai compris il y a longtemps que le bonheur ne dépend pas de quelque chose d'extérieur, mais qu'il part de moi, de l'intérieur de moi, et que c'est ma responsabilité de trouver mon bonheur. Ça se travaille, le bonheur, c'est un état d'esprit. Il y a des moments de joie dans la vie, mais un sentiment de bonheur, c'est quelque chose que l'on atteint et que peu de choses peuvent ébranler, malgré les moments difficiles auxquels nous devons tous faire face. Il faut que ton bonheur intérieur soit assez solide pour traverser les étapes de la vie. Je le protège, je l'entretiens, peu importe ce qui se passe dans ma vie, que ce soit amoureusement, personnellement ou professionnellement.

On peut dire que tu as une base solide?
C'est mon état normal d'être assez joyeuse, d'être assez bien, de sorte que peu importe ce qui arrive, le bonheur est un bloc solide qui est là et m'aide à surmonter les obstacles. Bien sûr que je vais être triste

quand je vis des épreuves, mais au moins, à travers les vagues, je peux m'accrocher à mon bonheur comme à un port d'attache.

Est-ce que ton bonheur passe aussi par les gens qui t'entourent?
Je crois que le bonheur est un état qui se cultive et que tu entretiens comme un jardin intérieur, et une des façons de conserver ce bonheur-là est de t'entourer de gens qui ne te veulent que du bien et qui veillent sur toi. Donc, qui ne mettent pas ton bonheur en péril à court terme et qui sont des êtres de bonté, et ça c'est super important. Mes amis sont très précieux et

ce sont des êtres avec qui je dois me sentir en sécurité. Quand je n'ai pas ce sentiment de sécurité et que je ressens de la malice ou de mauvaises intentions, je ne les laisse pas entrer dans ma vie, je ne les garde pas autour très longtemps, parce que ça peut me miner. Il est important de savoir reconnaître les situations ou les personnes nocives et de s'en éloigner.

Tu adhères à la philosophie qui veut que chaque étape dans la vie soit un apprentissage pour évoluer?
Je pense qu'on est ici pour apprendre, pour évoluer et pour exprimer notre créativité aussi. Je ne trouve pas d'autres explications. Je pense qu'on a le devoir d'évoluer, d'apprendre et de tirer le maximum de cette expérience, qui nous est prêtée, celle de passer une vie sur terre. C'est à nous de faire de notre mieux et de devenir l'être humain le plus évolué possible. C'est à travers nos choix qu'on peut apprendre et évoluer.

Tu es un bel exemple de ténacité, de courage et de résilience aussi, avec les épreuves que tu as dû traverser…
Je ne te ferai pas croire que ça été facile, parce que ça a été très, très difficile. C'était l'année de mes 40 ans, en 2008, une année où j'ai fait comme une double valse avec la mort. Au printemps, il y a eu la mort subite de Michel qui était mon amoureux depuis 4 ans et que j'aimais énormément. Il a eu une attaque cardiaque à 49 ans, ça a été un immense choc parce que tu ne t'attends pas à ce que quelqu'un parte à cet âge-là, mais aussi parce qu'il était en santé, très en forme, discipliné et ne faisait pas d'excès. Puis, six mois plus tard, j'ai eu un diagnostic de cancer et on m'a dit que je devais entrer en chimiothérapie. Ça a été un autre choc. Deux gros chocs, c'est pas mal le *top* dans l'échelle des stress, je pense… C'est peut-être à partir de cette année-là que j'ai décidé que mon bonheur se devait d'être solide pour éviter que je m'écroule.

As-tu eu la réaction de te dire : « Pourquoi est-ce que ça m'arrive à moi? »
Je me suis dit que la majorité des gens vivaient eux aussi ce que je vivais. C'est-à-dire la perte d'un

être cher et la maladie, ça nous arrive à tous, c'est juste que les épreuves me sont arrivées l'une après l'autre, en six mois et à un jeune âge. En général, on ne vit pas ça de perdre son amoureux à 40 ans, tu peux t'attendre à ce que ça t'arrive quand tu es vieille ou que ton amoureux est avancé en âge. Et tu peux imaginer aussi qu'une maladie grave puisse t'affliger plus tard dans la vie. Malheureusement, on constate qu'il y en a de plus en plus, et chez de plus en plus de jeunes. Je n'avais pas fini de faire mon deuil de Michel quand mon cancer est arrivé, j'étais très habitée par lui, je pensais à lui tout le temps. Sauf que là, c'était quelque chose qui me touchait directement et il fallait que je sauve ma peau, que je prenne les responsabilités et les défis qui venaient avec ça. J'étais vraiment déterminée, j'allais tout faire pour passer à travers ça : écouter le médecin, manger encore plus santé, éliminer le stress dans ma vie, prendre soin de moi, bref tout faire comme il le fallait. Ça devient une mission en fait, presqu'un *job* à temps plein parce que tu as beaucoup de rendez-vous et ta vie est centrée autour de ça. Tu réorganises toute ta vie, tu ne peux pas aller en chimio toute seule parce que tu n'as pas le droit de conduire ton automobile. C'est beaucoup de gestion, et je me suis dit que j'allais mettre l'accent là-dessus. J'avais gardé mon travail à *Belle et Bum* parce que la musique est quelque chose de tellement important pour moi, et je me sentais assez bien pour y aller et faire l'émission. Je faisais *Belle et Bum* le samedi soir, et le reste de la semaine j'étais concentrée sur ma guérison.

Malgré ce combat que tu menais, tu arrivais à trouver des moments de bonheur?
Tellement! Sais-tu pourquoi? OK, c'était grave ce qui se passait, ma vie était menacée, bien qu'on m'ait dit que 87 % des femmes atteintes d'un cancer de ce genre-là s'en sortaient. Il y avait de l'espoir, mais la menace était présente, j'avais une épée de Damoclès au-dessus de la tête. J'étais déterminée à tout faire pour passer au travers et je me suis dit : *Il ne faut pas que cette chose-là arrive pour rien. Qu'est-ce que je peux apprendre là-dedans, comment ça peut me*

faire grandir ? Il faut que ce soit une opportunité, une occasion d'évoluer. C'est toujours comme ça que j'aborde les choses. Peut-être que je ne mangeais pas si bien que ça, alors j'ai décidé d'améliorer mon alimentation. Ensuite, je travaillais comme une débile, j'avais cinq rendez-vous par jour, j'étais tout le temps dans le trafic, j'étais tout le temps stressée, mais je ne réalisais pas que je l'étais. C'était comme un carburant, ça me *drivait* et à la fin de la journée, je pensais : *Aïe, j'suis bonne, j'ai réussi à aller à tous mes rendez-vous et à ne pas arriver en retard.* Après coup, je me disais : *Qu'est-ce que c'est que cette espèce de gratification-là d'avoir la fierté d'avoir accompli tout ça en étant stressée ? Qu'est-ce que ça me donne ? Est-ce que je pourrais en faire moins et avoir quand même une vie satisfaisante professionnellement, socialement et amicalement ?* Bref, beaucoup de questionnements surgissent et si je résume cette période-là, ça a surtout été une quête d'équilibre. Manifestement, pour que cette maladie-là m'arrive, c'est qu'il y avait quelque chose de déséquilibré chez moi, sinon elle n'aurait pas trouvé une place. J'ai donc décidé de changer mon rythme de vie et de mettre toutes les chances de mon côté. J'ai modifié mon alimentation, coupé l'alcool, essayé de mieux dormir, et je me suis rendu compte que j'avais énormément de volonté. Je te dirais que lorsque ta vie est en danger ou menacée, la volonté, tu la trouves ! C'est comme un gros *wake-up call* parce que c'est quand même difficile de prendre de grandes décisions de changement de vie. Au fond, j'avais le choix, il y en a qui ne changent rien à rien, mais moi j'ai décidé que j'allais devenir la meilleure version de moi-même, il fallait qu'il y ait un apprentissage et une évolution.

Ça fait un peu plus de huit ans tout ça et c'est bon de voir que tu vas bien !

J'ai gardé toutes mes nouvelles habitudes de vie et je suis devenue une Geneviève 2.0. De toute façon, quand tu es en chimiothérapie, cela détruit beaucoup de cellules, celles qui sont cancéreuses et aussi tes bonnes qui se renouvellent. Il y a tellement de changements de cellules dans ton corps que ça

te donne le sentiment d'être une nouvelle version de toi-même. J'ai décidé de ne pas en parler, parce que je veux que les gens pensent à autre chose en me voyant, je déteste m'apitoyer sur mon sort ou qu'on me prenne en pitié. Mais c'est sûr que dans le contexte de ce livre portant sur le bonheur, c'est important d'aborder la question, mais en général je change de sujet parce que je ne veux pas me faire ramener là-dedans. Mais finalement, je trouve important de dire que ça m'est arrivé, de parler de ce que ça m'a apporté et comment j'ai grandi dans tout ça. Et jamais je ne vais me plaindre parce qu'on est nombreux à qui ces choses-là arrivent.

As-tu le sentiment de profiter encore plus de la vie ?

J'ai toujours beaucoup profité de la vie parce que j'ai toujours voyagé, fait ce que j'aimais et fait place à mes passions. Ce qui a changé est que je m'accorde encore plus de temps pour moi. J'avais un horaire chargé et je faisais beaucoup de choses, soit pour faire plaisir ou parce que je les acceptais. En fait, j'ai appris à dire non. C'est important d'accorder du temps à sa famille et à ses amis, mais parfois, j'acceptais toutes sortes de trucs ou de rendez-vous pour réaliser par la suite qu'il ne me restait plus de temps pour moi, que je m'oubliais.

L'un de mes premiers employeurs m'avait dit un jour : « N'oublie jamais que la personne la plus importante dans ta vie… c'est toi ! »

On oublie que notre corps est un véhicule et que notre âme est le centre de notre vie et de nos émotions. Si on n'en prend pas soin, c'est nous qui allons être malheureux, et c'est à ce moment qu'on court après notre malheur.

Aujourd'hui, je suis capable de penser à moi, de dire non, de garder un équilibre dans ma vie à tous les niveaux et d'aider les autres qui vivent des situations semblables. C'est quand même rare pour moi de prendre part publiquement à des événements reliés au cancer, mais j'aime beaucoup aider des gens qui en sont atteints et qui doivent aller en chimiothérapie.

C'est comme si j'étais devenue équipée pour les aider et la maladie aura aussi servi à ça. Je suis retournée dans la salle de chimiothérapie au cours des dernières années, pour accompagner des personnes, et ça ne m'a pas bouleversée outre mesure. Ça m'a fait vivre quelques *flashbacks* difficiles, mais jamais assez pour me priver du désir d'aider quelqu'un qui vit cette épreuve.

Et on le sait que c'est difficile, qu'il y a des étapes à franchir…

Justement, je vais te donner un exemple qui peut paraître superficiel, mais qui ne l'est vraiment pas et qui est très symbolique. Toutes les personnes parlent de la chute de leurs cheveux quand elles font de la chimio, comment c'est une expérience traumatisante. Alors moi, je ne voulais pas vivre ce stress-là et je me suis rasé la tête, c'est moi qui décidais que je n'aurais plus de cheveux, c'était un pied de nez à la maladie, une façon de dire : «T'es qui, toi, pour décider que je n'aurai plus de cheveux !» J'ai beaucoup aimé ça d'ailleurs, je trouvais ça beau, ça m'a donné une force parce que je commençais à me sentir affaiblie par les médicaments. Pendant que j'avais la tête rasée, je me suis dit : «Après ça, je ne veux plus redevenir la fille aux cheveux bruns longs, parce que ça, c'est l'ancien moi.» Je suis incapable à ce jour d'avoir des cheveux bruns longs. Tu me connais depuis longtemps, j'en ai eu des changements de *look* : des cheveux rouges, roses, bleus, noirs, blonds, de différentes longueurs, mais je ne reviendrai jamais à «l'ancien moi». Je pense que les gens peuvent s'identifier à ce que je dis parce que parfois, ça peut être une maison que tu ne veux plus habiter parce que ça représente une autre époque de ta vie, ou encore des vêtements qui datent d'une période de ta vie qui a été malheureuse.

Sur le plan psychologique, ça a été stimulant de prendre cette décision de te raser les cheveux ?

Oui, ça a été quelque chose de très puissant parce que j'avais l'impression que j'enlevais toutes les mauvaises vibrations qu'il y avait dans ces cheveux qui étaient là quand j'ai appris le décès de Michel et au moment où j'ai eu mon diagnostic. Ils portaient en

eux ces mauvaises nouvelles et ce n'est pas pour rien qu'il y a des gens qui se rasent la tête quand ils vivent certaines épreuves, autres que la maladie. J'ai déjà lu une entrevue avec Lenny Kravitz, qui avait de longs *dreads*, un look jamaïcain. Pour changer son énergie et se débarrasser de certaines expériences vécues, il a coupé ses cheveux. Même si je n'avais pas eu à subir de traitements susceptibles de me faire perdre mes cheveux, j'aurais probablement fait quelque chose, je les aurais probablement fait couper super court.

Revenons au bonheur, aux grands moments vécus grâce à ton métier. Tu as fait de belles rencontres !

J'ai la chance de faire un métier qui me permet d'explorer mes passions, un métier qui m'a effectivement permis d'avoir accès à mes idoles. Je suis vraiment une grande amoureuse de la musique et avoir la chance de parler à ceux qui ont fait ces musiques que j'aime m'a vraiment animée et m'a apporté beaucoup de joie, c'est assez génial. Donc, oui, il y a eu des moments vraiment magiques : rencontrer mes idoles comme Madonna, McCartney ou Bowie, ou de pouvoir voyager pour le travail et de pouvoir explorer l'univers de la mode qui me passionne aussi. Ce sont des joies multiples qui ressortent de ce métier et ça me fait encore plus *tripper* quand il y a de l'espace pour la créativité. Quand je peux m'impliquer et créer quelque chose comme je le fais avec la photo, ou comme en 2013, lorsque j'ai fait la mise en scène du *show* de fermeture du *Festival Mode & Design*. Faire une mise en scène avec plusieurs personnes, choisir

la musique, la direction artistique, les maquillages, les vêtements, le scénario du *show*, ça a été l'une des expériences les plus *trippantes* de ma vie. Ce métier est vaste et comporte plusieurs tentacules, et pour moi tout est relié : les voyages, la photo, la mode, la musique, la scène, l'animation et bien d'autres choses.

On peut dire que tu touches souvent au bonheur ?

Oui et ça peut être quand j'entends une chanson qui me fait sentir bien, ou qui me confirme que je suis

bien, parce que la joie est quelque chose qui t'arrive spontanément, qui te met de bonne humeur. J'aime aussi aller marcher sur le mont Royal, le fait d'avoir la nature au coin de la rue. C'est un lieu que j'adore et qui m'inspire beaucoup.

Les moments de bonheur, je les vis aussi en voyage. Découvrir une nouvelle ville, marcher dans les rues et prendre plein de photos et d'avoir le sentiment d'avoir grimpé tous les murs m'apporte un bonheur et une joie immenses.

Quand tu vas à Londres, ta ville préférée, ce n'est pas de la joie, c'est vraiment du gros bonheur !

Oui et j'ai eu l'immense bonheur d'écrire le livre *300 raisons d'aimer Londres* et d'explorer davantage cette ville merveilleuse ! C'est comme une chasse au trésor quand je voyage, j'aime faire des safaris urbains avec mon iPhone. J'ai vu 44 pays, il y en plein d'autres que je veux voir, mais c'est tellement intégré dans ma vie que ça va se poursuivre. Je ne suis pas quelqu'un qui planifie beaucoup.

Tu sais, on lit partout qu'il faut vivre le moment présent, mais c'est vrai. Si tu vis dans le moment présent, tu peux difficilement être malheureux, à moins qu'il se passe quelque chose de vraiment dramatique. On est bien à discuter en ce moment, on n'a aucune raison d'être malheureux. Mais si je pense à ce qui s'est passé il y a des années et si on se projette dans l'avenir, on ne pourra pas être heureux. Profitons donc de ce que l'on vit en ce moment.

Gino Chouinard

La stabilité sur tous les plans pour être heureux

Quand on anime une quotidienne comme *Salut, Bonjour!* depuis dix ans, qu'on établit un contact étroit avec les téléspectateurs et que le succès est toujours au rendez-vous, sans oublier les marques fréquentes d'appréciation du public, il est difficile de ne pas être heureux. Gino Chouinard savoure ce bonheur et ne rate jamais une occasion de confier qu'il se considère comme privilégié d'être dans une telle position.

« Je n'ai pas à gratter pour trouver du bonheur, je n'ai pas le bonheur compliqué. J'ai grandi dans un milieu heureux, où mes proches étaient de bonne humeur, simples et pas compliqués. Je pense que ça fait partie de mes qualités d'avoir le bonheur facile », confie Gino. L'animateur avoue qu'il lui suffit d'être de bonne humeur, d'être content de ce qui se passe autour de lui, de ce qu'il vit, pour se sentir bien. « Le bonheur change avec les années. Quand t'es plus jeune, c'est de sortir et de rencontrer des filles, ensuite tu veux fonder une famille, puis acquérir certaines des choses dont tu as envie, te faire plaisir. À un moment donné, le bonheur devient avant tout un état et j'ai en tête cette citation : "Le bonheur n'est pas une destination à atteindre, mais une façon de voyager." Et ça, je l'applique dans mon quotidien, mais je ne me questionne pas là-dessus, je n'ai pas un cheminement spirituel pour atteindre le bonheur. J'ai peut-être lu dans ma vie deux livres de croissance personnelle, sinon je n'ai pas de quête, je n'ai pas de recherche. Plutôt que de courir après quelque chose, j'essaie de l'avoir maintenant. »

Tu es un homme de nature optimiste et positive?
Oui, et quand je traîne quelque chose durant quelques jours, c'est avant tout de l'orgueil. Je suis un gars stable sur le plan émotif et les petits inconvénients du quotidien ne viennent pas affecter mon bon-

heur en profondeur. Je pense qu'il y a deux formes de bonheur : je dirais qu'il y a le bonheur de vivre, une façon d'être, d'évoluer dans un quotidien, et il y a aussi le bonheur spontané. Pour ma part, je dirais que j'ai un bonheur stable. Ma vie est sur une bonne ligne de bonheur. Il y a des sommets qui surviennent en cours de route, mais il y a rarement des creux négatifs. Je ne suis pas du type à rester malheureux, à me morfondre dans mon coin si ça ne va pas.

Et quelle est la recette du bonheur avec grand B, selon toi ?

Je reçois souvent des messages de gens pour qui c'est difficile, et je leur dis de ne pas se rendre malheureux avec les choses qu'ils ne contrôlent pas. Si je ne trouve pas une solution pour quelque chose, pour un problème, c'est peut-être que la solution ne dépend pas de moi. Je mets ça de côté assez rapidement. Les éléments extérieurs, ce que je ne contrôle pas, ça ne me rend pas malheureux. Je passe à autre chose et je me dis que ça va s'arranger à un moment donné. Si j'ai un souci vraiment grave à régler, c'est sûr que je vais dormir dessus quelques nuits avant de stresser avec le problème. Parfois, il y a des choses qui ne se règlent pas tout de suite, seulement plus tard, avec le temps. Et parfois ça se règle tout seul aussi. J'essaie de relativiser les choses. À trop courir après quelque chose, à trop chercher, tu te rends compte parfois que tu ne le trouves pas. Je connais des gens qui n'ont pas arrêté de lire des livres de croissance personnelle pour se rendre heureux et ça ne les a pas aidés. Je ne dis pas que ce n'est pas bénéfique, un livre de croissance personnelle, ça peut t'aider à t'orienter, mais c'est dans ta vie que ça se passe, pas dans les livres. Il y a peut-être des trucs qu'on peut aller chercher à gauche et à droite, mais le bonheur n'est pas matériel, ça c'est sûr et certain. C'est un état dans lequel tu décides de vivre, avec une insouciance par rapport à certaines choses, et une lucidité par rapport à d'autres. Je pense aussi que ce n'est pas d'où tu viens qui est important, mais souvent où tu vas. Je suis porte-parole du Centre jeunesse de la Montérégie et je dis souvent aux jeunes qui ont des problèmes :

« Arrêtez de vous apitoyer sur d'où vous venez, mais mettez plutôt de l'énergie sur où vous voulez aller. Si vous la déplacez, cette énergie, vous allez avancer plutôt que de piétiner et reculer. » Je pense qu'il est important de regarder en avant, de ne pas toujours regarder derrière son épaule, mais plutôt de regarder au-dessus de l'épaule de l'autre, pour avancer, pour aller plus loin et mettre ses problèmes de côté.

Tu fais la différence entre les joies et les bonheurs ?

Le bonheur est palpable, tu le sens, tu le vis. Ça peut aider au bonheur d'avoir des joies, mais je pense que ça prend du bonheur pour profiter encore plus des joies. Tu les apprécies plus, tu es plus conscient de ce qui se passe.

Et si je te demandais quels sont les moments où tu as eu l'impression de toucher au bonheur ?

C'est sûr qu'il y a eu l'arrivée de mes deux enfants dans la famille, quand je suis allé les chercher à l'autre bout du monde, ça a été des moments de bonheur. Quand le public me croise dans la rue et me félicite pour ce que je fais et m'avoue m'apprécier pour ce que je leur donne le matin, ça me fait plaisir. Ce sont des moments de joie qui viennent bonifier mon bonheur. Quand je suis chez nous l'été, à Lac-Mégantic, à Piopolis, c'est un grand bonheur. À partir de la seconde où je mets les pieds au bord de l'eau, jusqu'à la seconde où je pars, mes moments de déception sont rares. Je suis dans une bulle familiale, c'est du bonheur visuel, c'est mon enfance, ma jeunesse, mes racines. Ce sont des moments de bonheur suprême. Il y a aussi la musique qui me procure beaucoup de bonheur. Quand j'en ai l'occasion, comme je le fais en vacances, je mets mes écouteurs et la musique très relax qui joue dans mes oreilles m'amène parfois à m'endormir. Je suis alors dans une bulle personnelle de bonheur.

Quels sont les bonheurs auxquels tu aspires, des projets de vie ?

Je dirais les voyages. Chaque fois qu'on part en voyage, j'ai l'impression que c'est comme si notre

petite bulle d'amour partait ailleurs et allait découvrir autre chose. Ça c'est bien important pour
moi. Je pense aussi au moment des devoirs avec
les enfants. Il y a des soirs où c'est plus facile,
d'autres plus difficile, mais certains soirs, le moment de bonheur est lorsque les devoirs se font
bien. Il n'y a pas de chicane, tout est parfait. Ce
n'est pas grand-chose parfois, c'est juste un état,
une situation qui va bien. J'espère pouvoir leur
donner tout pour qu'ils réussissent, ce sera un
grand moment de bonheur si je me rends compte
que mes enfants auront eu les bons outils. Ce
sera ma fierté d'avoir su les accompagner dans la
bonne direction.

Aussi, il y a un projet que je chéris depuis des
années, et j'espère que ça va être à la hauteur de
mes attentes : un de mes amis et moi, on s'est
promis qu'un jour, on irait faire un safari ensemble, en Afrique du Sud, avec nos enfants. Ça
fait au moins six ans qu'on s'en parle, ça va peut-
être arriver dans deux ou trois ans. Je sais que ça
va être un moment de bonheur parce que ça va
faire dix ans, je pense, qu'on le souhaite.

**Vous êtes ensemble depuis 16 ans, Isabelle et
toi. Il y a le bonheur familial, mais est-ce que
vous arrivez à vous réserver des moments juste
pour vous deux ?**
C'est difficile, on en parle. Mais quand tu as des
enfants, avec les responsabilités qui viennent
avec, tu consacres ton énergie à la famille et,
en tant qu'adulte, tu t'oublies un peu, mais il
faut le faire. Dans le brouhaha du quotidien, on
oublie que c'est important. On a tendance, par
exemple, à prendre un week-end, à aller visiter
une ville. Mais le bonheur du couple, souvent,
devient le bonheur de la famille. Ça prend aussi un équilibre dans le bonheur, et je pense que
tous les couples vont se reconnaître là-dedans :
on a parfois besoin de trouver la place où l'on se
retrouve en couple, avec du bonheur de couple,
et en famille, avec du bonheur de famille.

India Desjardins

Avant tout, écouter son cœur et persévérer

Du bonheur, India Desjardins en a semé à tous vents auprès des jeunes, avec sa série de romans *Le journal d'Aurélie Laflamme*, dont l'héroïne a su à la fois divertir et, sans aucun doute, donner le goût de la lecture à quantité d'adolescentes. India a atteint le cap de la quarantaine en 2016 et, jetant un regard au-dessus de son épaule, elle constate que le bonheur qui l'habite aujourd'hui est bien différent de celui qu'elle a pu vivre dans la vingtaine, ou même dans la trentaine.

«Pour moi, le bonheur était dans l'effervescence, dans l'espoir et l'énergie que je mettais dans des projets. J'étais batailleuse, je voulais faire ma place. Et même sur le plan amoureux, j'aimais que ce soit explosif. Maintenant, je recherche de plus en plus le bonheur dans le calme, la quiétude et la simplicité, tout ce qui va me permettre d'être bien et sereine.»

Prends-tu le temps d'apprécier tous les petits moments de bonheur qui parsèment ta vie?

Vraiment! Et j'ai toujours été comme ça, que ce soit d'apprécier un rayon de soleil sur l'eau, d'entendre le vent dans les feuilles, ou d'aller me chercher une crème glacée avec mon *chum* ou avec une amie. Je suis vraiment *Madame-petits-plaisirs-de-la-vie*. J'ai toujours été le genre de fille, même quand j'étais petite, à apprécier les petits moments heureux.

Et un jour, ta vie a été transformée, quand tu as failli la perdre…

À 20 ans, j'étais anxieuse, j'avais envie de faire ma place. Quand j'ai sorti mon premier roman, comme n'importe qui, je voulais que ça marche et puisque je suis très proactive, je pensais toujours à ce que je pourrais faire pour que le roman ait du succès. Environ un mois après la sortie de mon roman, j'ai eu une embolie pulmonaire et j'ai failli mourir. Je me souviens très bien que je cherchais alors des moyens de faire connaître mon roman, mais j'étais à l'hôpital et je me suis dit que ce n'était pas mon roman qui était en train de me tenir la main. Ça a changé complètement ma perspective sur les choses et sur le travail. Juste avant de sortir mon roman, j'étais journaliste au *Journal de Montréal* et j'ai laissé mon emploi pour me mettre à l'écriture, justement parce que mon travail de journaliste ne me rendait pas heureuse. J'ai toujours pris les choses en main pour arriver à me rendre heureuse. J'ai laissé le Journal et j'ai accepté de faire moins d'argent pour me consacrer à des projets que j'aime. Et je suis encore comme ça aujourd'hui, c'est-à-dire qu'il n'y a jamais rien que je fais si je ne le ressens pas profondément dans mon cœur. Si tu regardes mon parcours, tous mes projets sont indépendants les uns des autres, et je les ai tous poursuivis parce que ça me tentait, sans savoir si le succès en serait assuré. Quand j'ai fait *Aurélie*, ce sont les romans fantastiques qui étaient en vogue. Je pense que ce que m'a apporté mon embolie, c'est de décider de faire ce qui me tente dans la vie, peu importe le résultat. Je dirais que je suis plus une fille de cœur que de tête.

Avec ce séjour à l'hôpital, as-tu ressenti ensuite une urgence de vivre et de connaître le bonheur ?

Je ne m'en souviens pas. J'avais alors 28 ans et je sais que ça m'a conscientisée par rapport à la mort, à l'importance des choses. Je ne peux pas parler d'une urgence de vivre, mais ça m'a rendue incapable de me chicaner avec le monde que j'aime. Je me dis qu'on ne sait jamais, il peut arriver quelque chose… J'essaie tout le temps de ne pas avoir de conflit dans mes relations, c'est vraiment quelque chose d'important pour moi, sinon je ne me sens pas bien.

Parle-moi du bonheur que t'a procuré *Aurélie Laflamme*…

Le bonheur, ça a été vraiment d'écrire les romans. Après, ça n'a pas été la reconnaissance comme telle, mais le lien que ça a créé avec les gens, ce que je n'aurais jamais imaginé. Ce qui me rend vraiment heureuse quand on parle de mes livres, c'est lorsqu'une ado, par exemple, me dit qu'ils l'ont aidée à traverser des obstacles dans sa vie. C'est ce qui me fait le plus plaisir. Si tu me parles de chiffres de vente, c'est sûr que ça me fait plaisir, c'était inattendu et ça m'a permis de vivre de mon métier, mais je ne voudrais jamais que d'écrire des livres devienne *une business* pour moi, que ça devienne mon but dans la vie. Pour moi, il faut que ça reste tout le temps des projets de cœur puisque c'est le lien avec les lecteurs qui me rend heureuse. Ça me fait plaisir quand des personnes me disent qu'ils ont commencé à lire avec mes livres, mais mon vrai but relève davantage du domaine de l'émotion.

« Ce qui me rend vraiment heureuse quand on parle de mes livres, c'est lorsqu'une ado, par exemple, me dit qu'ils l'ont aidée à traverser des obstacles dans sa vie. C'est ce qui me fait le plus plaisir. »

Qu'est-ce que tu veux dire ?

Je suis une personne hypersensible et j'ai vécu plein de choses dans ma vie. Quand j'étais adolescente, comme plein d'autres, j'ai eu de grosses émotions que je n'arrivais pas à contrôler et que je ne comprenais pas. J'ai voulu, avec mes romans, aider les ados à traverser cette période. Or, quand on me dit que ça a fonctionné, que ça les a aidées, ça me remplit de joie.

Et ça fait déjà plus de dix ans que ton premier roman a été publié ?

Oui, en 2006, et il y a encore des petites filles qui continuent de l'acheter. Jamais je n'aurais pu penser ça. Même que dans les premiers *Aurélie*, je mettais des références culturelles parce que je pensais que mes livres allaient avoir une durée d'un an. Mais là, dix ans plus tard, il y a plein de choses datées et jamais je n'aurais pensé à l'époque omettre ces références pour donner au roman une certaine intemporalité. *Aurélie* a été et est encore une grande source de fierté et de bonheur pour moi, et j'ai une grande reconnaissance envers les jeunes.

Être aussi émotive, c'est bon ou pas pour ton bonheur ?

C'est sûr que je vis en montagnes russes et que mes émotions sont à fleur de peau. Il y a des choses qui m'affectent, comme certaines nouvelles que je lis dans le journal, ou quand je n'arrive pas à écrire comme je le voudrais, quand j'ai des petits blocages dans mon écriture. Mais je me pense quand même assez facile à vivre.

Qu'est-ce qui te rendrait plus heureuse ?

J'ai 40 ans et sur le plan professionnel, je suis vraiment contente et satisfaite. Je suis comblée, je ne pourrais demander mieux et ce n'est pas terminé parce que j'ai encore plein de projets. Et si ces projets

ne fonctionnaient pas aussi bien que je m'y attends, je serais capable de l'accepter parce que je me trouve déjà choyée. Je suis reconnaissante face à ça, et je sais que dans la vie, tu ne peux pas toujours avoir le même rythme, le même succès. Je suis contente de ce que j'ai et je n'aurais pas la prétention de demander encore plus. Si ça arrive, ce serait vraiment un cadeau, je serais vraiment contente. Mais ce qui manque à mon bonheur, c'est d'avoir un enfant. C'est le petit côté qui me manque. J'ai été presque dix ans célibataire et j'avais hâte de rencontrer quelqu'un, de vivre un amour simple. Ça manquait à mon bonheur, il y avait un déséquilibre dans ma vie parce que dans ma vie professionnelle, ça allait très bien. Je me suis concentrée sur le travail parce que sur le plan affectif, je trouvais les relations amoureuses trop difficiles. J'ai un *chum* formidable, un grand complice de vie, et j'ai atteint un bel équilibre entre ma vie personnelle et ma vie professionnelle, ce qui est pour moi un bel accomplissement.

C'est le plus beau cadeau que je me suis fait. Si tu ne fais que travailler, et même si ça t'apporte beaucoup de valorisation, à un moment donné, tu ne vois plus la vie passer. J'aimerais donc avoir une famille, sauf que ce manque-là ne teintera jamais ma relation négativement, en ce sens que ce serait un plus à mon bonheur si j'ai un enfant, mais si ça n'arrive pas, je vais l'accepter.

Est-ce que tu dirais que tu as vécu ta large part de petits et grands moments de bonheur ?
Dans mon aventure d'*Aurélie*, il y en a plein ! Je pense aux rencontres incroyables faites avec des lectrices, ma rencontre avec Marianne Fortier qui a interprété mon personnage (dans les deux films) et qui est devenue une grande amie. Je me trouve tellement chanceuse d'avoir vécu ça, avec les romans, les films, c'est dur à battre ! Il y a eu aussi des moments inattendus, entre autres quand mes livres m'ont fait voyager, quand j'ai gagné un prix en Italie pour *Le Noël de Marguerite*. Et il y a ces autres moments qui semblent anodins, mais qui me restent en tête, comme celui-ci par exemple, vécu avec ma grand-mère. J'étais chez elle, j'étais stressée et je lui parlais de mon travail. Tout à coup, elle a mis sa main sur ma main. J'ai été surprise, et elle m'a simplement dit : « Je trouve que tu en avais besoin. » Pour moi, c'était un moment tellement mignon. Ma grand-mère, qui est décédée, me téléphonait tout le temps pour me souhaiter bonne fête, et je gardais ses messages sur mon téléphone parce que je trouvais ça trop *cute*. J'en ai mis un sur ma *playlist* et quand j'écoute ma musique, je tombe sur le message de ma grand-mère et ça me fait du bien.

En somme, ce sont souvent des moments simples qui te comblent de joie ?
Oui, ça peut être de discuter avec ma mère, d'être avec des amis, avec ma sœur et son fils et d'aller marcher dans le bois avec lui. Il y a des petits moments qui peuvent me rendre heureuse, parfois ce sont des grands moments comme une première de film ou de gagner un prix. C'est bien à la mode de vivre le moment présent, ce que j'ai de la difficulté à faire, mais j'aime revisiter le passé, voir ce qui a changé en

quelques mois, en quelques années. Je suis vraiment fascinée par ça. Ça m'arrive parfois d'être nostalgique.

Tu rencontres régulièrement des jeunes qui boivent tes paroles, qu'est-ce que tu leur dis concernant la vie, l'avenir, le bonheur ?

Je fais souvent des conférences et c'est très à la mode de leur dire, entre autres, que tout est possible. C'est vrai que tout est possible, mais pour ceux qui sont capables de s'adapter. Si tu vis un échec, peut-être qu'il y a un autre chemin pour toi. Poursuis ton désir jusqu'au bout, et si ça ne fonctionne pas, après avoir tout essayé, peut-être qu'il faut que tu considères un autre chemin, pour voir si l'horizon mène plus loin. C'est comme si on disait aujourd'hui que la seule façon d'être heureux est de réaliser ses rêves, alors que parfois il arrive que les rêves ne se réalisent pas, ce qui ne veut pas dire que ta vie ne sera pas belle pour autant. C'est comme ça la vie, tout est en mouvement, et il faut être capable de s'adapter à ce qui se présente à nous. C'est ce que je veux transmettre dans mes livres et ce que je répète dans mes conférences. Personnellement, j'ai vécu beaucoup d'échecs, je me suis lancée dans plein de projets qui n'ont pas fonctionné, ce qui m'a rendue capable de bifurquer quand c'est nécessaire. Je me disais que s'il y avait un mur devant moi, j'irais voir juste à côté s'il n'y aurait pas un chemin qui va un petit peu plus loin. C'est ce qui m'a amenée à être auteure, parce que j'essayais d'autres choses qui ne fonctionnaient pas. Si elles avaient fonctionné, je n'aurais peut-être pas tenté d'être auteure, alors qu'aujourd'hui, c'est le travail qui me rend vraiment heureuse et qui est le plus près de ce que je suis. Chaque jour, quand je me lève pour écrire, je remercie la vie.

Le bonheur se trouve dans la détermination ?

Je n'ai pas peur de mes rêves, de mes projets, et je n'ai pas peur non plus de vivre l'échec parce que je l'ai vécu souvent. Je n'ai pas peur d'y faire face et de changer mes plans. Si ça ne marche pas, je vais passer à autre chose.

Les moments heureux...

« Quand j'étais célibataire, la chose qui me rendait le plus heureuse était de passer une soirée en pyjama, au cours de laquelle je me louais un film de fille. J'allais m'acheter des *cupcakes*, je me faisais une salade, et je regardais mon film avec une doudou. C'était ma soirée parfaite de célibataire et quand je repense à mon célibat et à ce qui me rendait heureuse, je repense à ces soirées-là. C'était un moment avec moi-même, c'était un cadeau que je me faisais. »

Et aujourd'hui ?

Ça me rend vraiment heureuse quand mon *chum* et moi avons des projets pour notre maison. Ça nous remplit de joie et de fierté, on est une super bonne équipe là-dedans. Tu vois, je repense à un moment : un jour, mon *chum* transportait seul du bois pour aménager notre terrasse. J'ai appelé mon ex pour lui demander s'il pouvait venir l'aider, et le temps de le dire, il était chez nous. Et je regardais mon ex qui aidait mon *chum* à travailler sur la terrasse, et ça m'a rendue heureuse. J'ai réalisé que j'étais vraiment chanceuse d'être bien entourée comme ça. On entend plein d'histoires d'horreur sur d'anciennes relations, et moi j'ai pensé que j'avais deux gars formidables qui s'entraident et qui s'entendent bien. C'est mon passé et mon présent qui se côtoient et tout le monde s'entend bien. Ces moments-là sont précieux, je n'en demande pas beaucoup à la vie.

Ingrid Falaise
Toucher au bonheur la tête haute

Lorsque j'ai rencontré la comédienne Ingrid Falaise en juin 2016 pour réaliser cette entrevue sur le bonheur, son mariage avait eu lieu dix jours auparavant et elle flottait encore sur un nuage. Une bonne candidate puisqu'elle venait d'épouser l'homme de sa vie, Cédrik Reinhardt, et que le succès lui souriait à titre d'auteure, avec son livre *Le monstre*, publié en 2015, lequel relate une période traumatisante de sa vie qui l'a marquée à jamais.

« Mon mariage, ça a été un moment de bonheur inoubliable, confie-t-elle. J'ai encore du mal à me concentrer, je revois toutes les images de la journée dans ma tête. Il n'y avait pas un moment qui n'ait été pensé, réfléchi et coordonné. C'était vraiment un moment magique que d'être entouré de 102 personnes que tu as choisies et qui ont toutes répondu à l'invitation. Tout le monde était là pour nous, pour célébrer notre bonheur et pour applaudir notre union. C'était un rêve de princesse, un vrai conte de fées. J'avais toujours rêvé de me marier et c'était magnifique et grandiose, je ne l'oublierai jamais. »

Un bonheur immense qui survenait huit mois après la parution du livre qui a fait couler beaucoup d'encre, et qui relate un moment cauchemardesque de sa vie. « Ce livre a complètement changé ma vie, comme si un poids s'était soulevé de sur mes épaules, parce que lorsqu'on vit quelque chose d'aussi intense, la première étape, c'est de briser le silence, de parler. C'est comme si toutes les boules d'émotion qui sont restées prises dans mon corps étaient sorties et que je n'en avais plus. Je faisais des cauchemars auparavant, je me réveillais la nuit et j'aurais pu tordre les draps tellement ils étaient trempés. Je vivais beaucoup de blessures intérieures, beaucoup d'anxiété, de crises d'angoisse et de panique. Maintenant, c'est comme si cette histoire ne m'appartenait plus. Je l'ai vécue et je peux m'en dissocier, je l'ai écrite pour les autres. Ma motivation était d'aider les autres. Mais je ne pouvais me contenter d'écrire ce livre, de faire cette sortie-là et de ne plus en parler. Des centaines de personnes m'ont écrit, m'ont dit que je leur avais sauvé la vie, que grâce à moi, elles s'en étaient sorties. Je ne peux pas les laisser tomber, mais ce qui est génial, c'est que ça ne m'appartient plus, je ne le revis plus en-dedans.

Le processus d'écriture, de tout raconter, a été difficile ?

Ça n'a pas été un grand bonheur de faire mon livre, mais plutôt une délivrance. Ça a été ardu, je l'ai écrit en deux mois et demi. Je m'assoyais à la maison avec la pile de documents que mon père m'avait apportée, des choses que je n'avais jamais sues ou dont je n'avais jamais pris connaissance, notamment des rapports de police, mon profil psychologique. Mes parents avaient gardé tout ça. Et de replonger là-dedans a été extrêmement difficile. Ça n'a pas été un bonheur de l'écrire, j'ai revécu des moments, des souvenirs ressurgissaient. Je n'aurais jamais été

« Parfois, je me dis que je méritais d'être heureuse. J'ai tout fait pour l'être et je ne me suis jamais apitoyée sur mon sort. »

prête avant, je n'avais pas la force de caractère que j'ai maintenant. J'ai fait un cheminement, il y a eu la thérapie, et le moment était bien choisi pour écrire le livre.

Ton livre est devenu un *best-seller*, tu as accordé énormément d'entrevues, on a beaucoup parlé de toi. Ça t'a étonnée, cet intérêt pour ton histoire ?

Je pensais qu'il allait rester sur les tablettes, et ça me dépasse que ce soit devenu un succès. Je me rends compte qu'il y a vraiment un besoin criant de dénoncer la violence conjugale et de mettre la lumière là-dessus. Et moi, je crois beaucoup aux missions qu'on a dans la vie, quand il faut lâcher prise et que tu ne t'attends à rien. J'avais des craintes tout juste avant la sortie du livre, parce qu'en me mettant à nu devant tout le Québec, en racontant des moments d'horreur, je ne me mettais pas en valeur. Et j'ouvrais mon cœur aussi, je devenais vulnérable. Je pense que tous les outils que j'ai accumulés au fil des années m'ont aidée à passer à travers tout ça, la tête haute et les épaules fières.

Tu étais une toute jeune femme lors des événements que tu racontes. Comment fait-on, après un épisode aussi traumatisant, pour croire encore au bonheur et à l'amour ?

C'est long pour arriver à croire que c'est possible de faire de nouveau confiance à un homme ou à une relation amoureuse. Ça prend de la reconstruction, et moi j'ai fait semblant que tout allait bien, je me suis lancée dans le travail, dans des histoires amoureuses à gauche et à droite. Finalement, j'ai été cinq ans avec un homme qui était mon meilleur ami. Et puis quand j'ai rencontré Cédrik, j'ai compris que je pouvais toucher à l'amour vrai, sain et authentique. Pouvoir être vulnérable, être soi-même sans porter un masque, c'est super beau de trouver ça. La plupart des femmes qui ont vécu de la violence conjugale ont tendance à se mettre un masque au visage ; par peur, elles ne veulent plus être vulnérables.

Avec ton livre qui t'a même amenée à voyager, et bien sûr ton mariage, as-tu l'impression que tu prends en quelque sorte une revanche sur la vie ?

Est-ce que la vie me devait ça, me devait quelque chose ? Parfois, je me dis que je méritais d'être heureuse. J'ai eu des années difficiles, j'ai tout fait pour être heureuse, je ne me suis jamais apitoyée sur mon sort. Même si j'ai eu des moments de panique, des moments de crise, je me suis toujours relevée et j'ai fait les pas nécessaires pour être heureuse. Le bonheur peut être facile, mais il faut faire les pas pour y arriver. Je crois que la vie nous redonne sans cesse et que rien n'arrive pour rien. La vie est faite de cycles, et quand ça ne va pas, c'est que tu as des choses à apprendre de l'expérience.

Mis à part ton mariage, est-ce qu'il y a eu des moments où tu as vraiment eu l'impression de toucher au grand bonheur ?

Oui, je me rappelle quand j'ai tourné dans le film *Elles étaient cinq*. Le tournage a duré 30 jours, et j'ai été heureuse durant ces 30 jours, je jubilais ! Quand j'ai décroché un rôle dans *Virginie*, je criais de bonheur lorsque j'ai reçu l'appel, et je me suis pincée chaque matin en allant travailler, tellement j'étais heureuse de faire ce travail et de jouer ce personnage-là. Il y a eu ce moment aussi quand j'ai envoyé un courriel à mon éditrice, avec les 25 premières pages de mon livre sur lequel je travaillais depuis dix ans. Et ça a été un gros moment de bonheur quand j'ai signé mon contrat d'édition. Et la France, tu te rends compte ? Je suis allée faire la promotion de mon livre là-bas, alors que Flammarion m'a fait signer un contrat avant même que le livre ne paraisse ici. On a sorti le champagne ! Et puis il y a bien sûr eu mes fiançailles, la demande en mariage de mon *chum* qui a été une surprise totale.

Raconte comment ça s'est passé…

C'était en mai, le jour de mon anniversaire. Mon *chum* m'avait dit qu'il avait organisé quelque chose dans un restaurant, et il m'a bandé les yeux parce qu'il ne voulait pas que je sache où on allait. On a fait une heure de route, je ne savais pas du tout où j'étais. Je marchais sur du gazon, j'entendais les oiseaux, des cris d'enfants. Je pensais que nous étions dans un parc, je trouvais ça *l'fun*. Il m'a dit à l'oreille : « Tu sais que je veux que tu sois dans ma vie pour toujours et dans celle de mes enfants pour toujours… » Puis, il m'a dit d'enlever mon bandeau. Il était agenouillé devant moi, avec une bague, et il y avait ma famille et mes amis les plus importants qui étaient là, en demi-cercle, autour de nous. Et tout le monde tenait des fleurs blanches entre leurs mains. Nous étions chez ma sœur, dans son jardin. J'ai reculé de cinq pas, mes genoux ont lâché, j'ai pleuré et je n'ai pas répondu. J'étais sous le choc total. J'ai dit oui et s'en est suivi un *party* extraordinaire. Je flottais, c'était un grand moment de bonheur. Il est extraordinaire, c'est un grand romantique. Un an et un mois plus tard, le 11 juin, le jour de son anniversaire, nous nous sommes mariés.

Ouf ! Un moment chargé d'émotions ! Tu as vécu de belles choses…

Oui, tout ça, ce sont des gros moments de bonheur. Mais tu ne peux pas être toujours au summum du bonheur, c'est impossible. En général, j'ai le bonheur assez facile et je m'émerveille encore des petites choses. Je pense que c'est important et, quelque part au fond de moi, je suis encore une petite fille. Je vais voir un spectacle ou mon *chum* me fait un souper et je suis émerveillée. Le bonheur, ça peut être aussi quand j'arrive à imposer mes limites. J'atteins un petit moment de bonheur quand je réalise que je me suis tenue debout, que je me suis respectée, que j'ai dit non à l'abus ou à quelque chose qui ne me convenait pas. Ça me rend super heureuse.

Qu'est-ce qui te rend heureuse ? Donner ou recevoir ?

J'adore donner et ça a été long avant que j'apprenne à recevoir. C'est une psy qui m'a dit un jour qu'il fallait que j'apprenne à recevoir pour être capable de donner. C'est très important, et ça fait plaisir aux autres quand tu apprends à recevoir. J'adore quand on me fait des surprises, quand on me gâte, et j'aime aussi gâter les gens autour de moi.

Le bonheur à retrouver, après des étapes difficiles...

« Tu as deux choix dans la vie. Tu peux choisir d'être une victime toute ta vie, ou d'aimer à nouveau. Et moi, j'ai choisi d'aimer à nouveau. Il y a des gens qui se complaisent dans leur malheur et c'est néfaste, mais c'est dur de toucher au bonheur, de décider d'être heureux dans la vie. C'est beaucoup plus facile d'être en dépression toute ton existence et d'être "marabout", de choisir de rester là-dedans. Essayer de s'en sortir et de faire un pas vers le bonheur, c'est plus difficile. Je pense qu'il faut se lever le matin et choisir d'être heureux pour la journée qui vient. Plus on sourit, plus la vie nous sourit et je pense qu'on attire ça. Quelqu'un qui est toujours négatif et qui chiale contre tout, ça n'attire pas des gens positifs autour de lui et ça n'attire pas non plus de l'énergie positive. Il faut aller de l'avant, il faut travailler sur soi, aller en thérapie, consulter... Les choses peuvent changer, on n'est pas condamné à vivre de telles situations toute sa vie et j'en suis la preuve vivante. »

Charles Lafortune

Vivre de près le bonheur des autres

Charles Lafortune mène trois carrières de front. Celle d'animateur, de comédien de temps à autre pour la télésérie *Karl & Max*, et aussi celle de producteur, laquelle occupe la majeure partie de son temps. Ajoutez à cela une vie familiale et sociale, et vous avez l'exemple type — comme pour plusieurs autres personnalités rencontrées pour ce projet — de quelqu'un qui n'a pas assez de 24 heures dans une journée pour faire tout ce qu'il souhaiterait.

«Quand tu me demandes à quel échelon mon bonheur se situe sur une échelle de 1 à 10, je te dirais qu'il est à 8. Les deux points qu'il me manque, ce serait d'avoir plus de contrôle sur mon temps. Prendre du temps juste pour moi, pour voir des amis, aller jouer au golf un mercredi après-midi, des choses que j'ai rarement le temps de faire. J'essaie d'en faire un peu, mais c'est souvent au détriment d'autres occupations. Sinon, ma vie familiale, ça va bien, on est dans une bonne passe. »

Au fil du temps, notre vision du bonheur change habituellement beaucoup selon ce que l'on vit. Tu as vécu ces étapes ?

À 25 ans, comme bien d'autres, j'entrais sur le marché du travail, j'espérais faire de grosses affaires, d'être la nouvelle saveur du mois. Pour nous, les comédiens, nous sortons de l'école et c'est très clair : c'est oui ou c'est non ! C'est un travail de mercenaire quand tu fais des auditions et cette course effrénée fait partie du cheminement classique d'un comédien. J'ai commencé par faire des émissions jeunesse, ensuite j'ai fait de l'animation, toujours pour les jeunes et, par la suite, de l'animation adulte d'émissions que personne ne voulait faire. Même à cette époque-là, mes affaires fonctionnaient, mais je voyais mes amis qui jouaient dans des films comme *Octobre* de Pierre Falardeau, et moi j'avais l'impression que je faisais de la télévision mineure. Quand tu fais ce genre d'émissions, tu as l'impression d'être dans la Ligue américaine et non dans la Ligue nationale. Pourtant, au contraire, je réalise aujourd'hui qu'il est vraiment important de commencer ainsi. Ça te permet de bâtir des assises, ça te crée un public et tu apprends à faire ton métier. Ma quête du bonheur était là.

Après ça, j'ai été en couple durant une longue période, puis je me suis séparé. Je me souviens que c'était durant la crise du verglas, en 1998. Elle avait gardé la maison et je me suis retrouvé dans un deux et demie. Comme j'habitais près de l'Hôpital Notre-Dame, je n'ai pas manqué d'électricité, contrairement à mon ex. Je me suis senti un peu vengé durant ma peine d'amour. J'ai été seul durant un an et demi, mais ce n'était pas super, ma vie n'était pas cadrée. Par la suite, j'ai rencontré Sophie (Prégent) et quand mon fils est né, ça a été un grand moment de bonheur qui a été ébranlé quand on a eu le diagnostic de

son autisme. Ça a vraiment mis le bonheur à rude épreuve, mais ça a fait en sorte qu'avec le temps, je me rends compte qu'il y a beaucoup de moments qui ne me semblaient pas des instants de bonheur, mais qui l'étaient vraiment. La normalité, pour moi, la vie simple, c'est du bonheur. Quand mon fils va en répit[1] dans un camp durant trois, quatre ou cinq jours, nous on tombe en vacances. Mais quand je suis à la maison seul, avec ce silence qui est normal pour tout le monde, mais qui pour moi est angoissant, il y a comme une espèce de vide : il n'y a pas de bruit, je ne suis pas en train de vérifier s'il dort. C'est étrange, ce n'est pas ma normalité à moi. Sophie et moi, on ne s'aperçoit pas à quel point on est claqués, chaque fois on s'écrase et on dort. Ça change ta perception de la vie. Quand il y a des gens autour de toi qui se plaignent, t'as envie de leur dire : « Arrête d'angoisser, tu as juste à t'occuper de toi, ça va bien, ton affaire. »

Aujourd'hui, qu'est-ce qui te rend heureux, où trouves-tu ton bonheur ?

Je te dirais que le bonheur est beaucoup dans la quiétude, dans le calme, quand il n'y a pas de crise et que tout est vraiment *smooth*. Quand je peux m'asseoir dans la même pièce que mon gars et lire pendant trente ou quarante minutes pendant qu'il regarde un film et qu'il est calme, je savoure pleinement ce moment.

Il y a aussi des moments de bonheur lorsqu'une éducatrice l'oblige à faire des choses que moi je ne prends pas le temps de l'obliger à faire, comme par exemple de l'habituer à prendre son linge sale et à le mettre au lavage. C'est plus simple de le faire moi-même. Mais elle est là pour lui apprendre à le faire, ça et d'autres choses, et c'est un moment de bonheur parce qu'on s'aperçoit qu'il existe en dehors de nous, c'est *l'fun* de voir que ton enfant a sa propre vie, ses propres affaires, ses propres objectifs. Autant je pouvais écouter de la musique forte avant, autant j'aime le silence maintenant, ou la musique calme. Peut-être que c'est l'âge aussi ! C'est cliché, mais effectivement, ce sont plusieurs petits moments que je savoure.

Et Charles de raconter à quel point il est gratifiant de voir son fils faire des progrès. Des petites victoires qui constituent de grands moments de bonheur, de joie et de fierté. « C'est exactement le même feeling *que lorsque tu vois ton enfant marcher pour la première fois », dit-il.*

As-tu l'impression qu'on se creuse trop souvent la tête pour trouver le bonheur alors qu'il est parfois tout près ?

Je ne sais pas si les gens confondent le vide existentiel avec l'absence de bonheur. Chez certains, c'est comme s'ils avaient un trou à l'intérieur d'eux et qu'ils voulaient le remplir, mais je pense que c'est une carence qu'ils doivent parvenir à régler. Ça n'a pas rapport avec le bonheur, ça peut être parce que tu n'as pas été aimé, que tu as été traumatisé. Et puis, il y a des gens qui ont le bonheur facile, qui se lèvent de bonne humeur et qui sont hop la vie ! Parfois, avec les concurrents de *La Voix*, par exemple lors des duels, je leur dis quand ils arrivent le matin : « Tu as deux choix : ou bien tu te dis *j'espère que je ne vais pas fausser, il y a 2 millions de personnes qui vont m'entendre ; j'espère que n'oublierai pas mes paroles ; j'espère que je ne vais pas être éliminé…* ou bien tu te dis *je suis quand même à La Voix aujourd'hui, c'est quand même beau ! Je m'en viens faire l'affaire que j'aime le plus au monde, chanter devant des millions de personnes comme peu*

> « C'est une chance de se nourrir du bonheur des autres, et c'est important d'en tirer parti. Il y a quelque chose de contagieux à ça. »

1 *Possibilité pour les personnes handicapées (enfant ou adulte) d'être accueillies dans un établissement médico-social pour une durée limitée, à temps complet ou partiel, avec ou sans hébergement, y compris en accueil de jour.*

peuvent normalement le faire dans leur carrière, et ça c'est probablement la chose que je réussis le mieux dans la vie… »

Comment réagissent-ils ?

Ça les calme ! Personne ne va mourir, il n'y a aucun danger, il n'y aura pas d'accident, et le public est assis là et ils ne demandent qu'à aimer ça. Ils veulent seulement être heureux, que ce soit *l'fun*. En partant, tu es gagnant.

Et en parallèle avec l'émission, il y a ceux qui la regardent et qui trouvent du bonheur à faire part de leurs opinions, positives ou négatives, sur les réseaux sociaux.

Je pense qu'il y a un bonheur à se mettre en représentation à l'aide des médias sociaux. C'est égocentrique de faire ça, mais en même temps, ce que je trouve bien, c'est que plein de gens ont accès à ces commentaires et qu'ils peuvent les partager. Et il s'agit d'une opinion qu'ils n'ont plus à voir à travers le prisme d'une vedette de cinéma, d'une célébrité, comme c'était le cas auparavant. Et puis ça leur donne peut-être du bonheur de voir le malheur de quelqu'un et de pouvoir se dire qu'ils ne sont pas les seuls. Je le vois quand je parle de mon gars sur les réseaux sociaux. Au début, j'étais réticent à le faire, j'avais l'impression d'être dépossédé de quelque chose, qu'on pouvait croire que j'essayais de me bâtir un capital de sympathie. Lorsque j'animais à la radio, je me disais que je devrais raconter ma fin de semaine, mais que veux-tu que je raconte ? Que je suis allé en hippothérapie[2] avec mon fils ? C'est tellement champ gauche[3]… Mais c'est ma vie. Je reçois des courriels chaque jour, des gens qui se posent des questions, mais je ne peux pas leur poser un diagnostic sur Facebook. En même temps, il n'y a tellement pas

---

2 L'hippothérapie est une technique de réhabilitation qui utilise le mouvement du cheval comme moyen de thérapie. Le cheval, lorsqu'il est en mouvement, permet au cavalier d'améliorer l'équilibre, le tonus musculaire, le contrôle postural : la posture s'améliore, les muscles se détendent.

3 Peu conventionnel.

de services et, comme la question de l'autisme est compliquée, je me dis que je dois en parler, lui donner une voix. C'est sûr qu'à un moment donné, je vais faire quelque chose de beau avec ça, une œuvre pour la télé. Je ne peux pas avoir vécu ça et ne pas le raconter d'une manière ou d'une autre.

La naissance de ton fils, tu le disais, a été un grand moment de bonheur, est-ce que tu as vécu d'autres moments de grande plénitude, de bonheur intense ?

Oui, il y a eu des moments, et c'est souvent quand on démarre un projet. Ça m'avait fait ça avec *La classe de 5ᵉ*. J'avais vu ça à la télé, j'avais téléphoné à quelqu'un à TVA, à la programmation, pour leur dire que si jamais ils avaient l'intention de faire cette émission, j'aimerais vraiment en être l'animateur. Ils ont acheté les droits, ont bâti le décor et quand je suis entré dans le studio, je me suis dit : *ok, ils l'ont acheté, maintenant faut le faire !* Même chose pour *La Voix*, quand je suis arrivé dans le studio avec Stéphane Laporte et le réalisateur Jean Lamoureux, j'ai réalisé que c'était une grosse affaire. Je pense aussi à Céline Dion qui avait participé avec les enfants à *L'École des fans*. C'étaient des moments où je sentais vraiment que je touchais à quelque chose.

En plus, tu as l'amour du public, comme on l'a souvent constaté à l'occasion de la présentation du Gala Artis !

Remporter un trophée *Artis* pour la personnalité de l'année, ça c'est *weird* ! Je l'ai gagné trois fois et c'est étrange. Quand tu gagnes un trophée comme meilleur animateur, meilleur acteur, c'est pour quelque chose que tu as accompli. Mais gagner pour toi, pour ce que tu es, c'est étrange. Tu remercies, mais tu sens qu'il y a quelque chose d'un peu excessif. Même que je suis un peu *plate*, je me dis que c'est sûr, je fais une émission quotidienne, je travaille avec des enfants… Et Sophie me dit : « Arrête, veux-tu bien le prendre, arrêter de l'analyser et de le déconstruire ! C'est sûr que les gens te voient tous les jours ; c'est un sondage et ton nom risque de sortir plus qu'un autre, mais *enjoy*, parce que ça ne durera pas toute ta vie. »

Quand tu animes *La Voix*, quand les candidats participent aux auditions à l'aveugle, on te voit avec les membres de la famille et c'est comme si tu étais l'un des leurs, en quelque sorte le grand frère. On sent beaucoup d'empathie de ta part.

Je suis animateur, mais j'ai une formation de comédien et quand tu apprends à être comédien, tu passes la première année à te concentrer sur le moment présent. C'est quoi le moment présent ? C'est d'être entièrement avec une personne, de devenir sensible à tous les détails, de sentir que tout s'arrête autour de toi. Quand je fais ça dans mon métier d'animateur, je n'ai pas de filtre, je me connecte avec la famille. Et j'ai la chance que les gens me laissent entrer dans leur bulle, qu'ils me laissent faire. Il y a une proximité. Au début, je me disais qu'il fallait que je garde une distance, mais j'en étais incapable. J'ai la chance de vivre de grands moments de bonheur avec ces gens autour de moi. Un auteur de fiction peut écrire une scène qui arrache le cœur, une scène de tristesse, de tragédie, de drame, mais écrire une scène où l'acteur doit sincèrement pleurer de joie, de bonheur, ça c'est difficile. C'est ce que j'ai vécu avec *La Voix Junior*, c'est arrivé à répétition. Tu pleures de joie, de bonheur de voir un petit garçon ou une petite fille de 10 ou 11 ans entrer sur scène, ils ont peur puis ils se mettent à chanter. Les parents sont avec toi et *capotent*, ils te disent : « Mon Dieu, il va tomber, c'est trop gros ! » Le junior, ce n'est que l'âge des participants, ça demeure *La Voix*. Après, je leur dis : « Toi, si tu es ici, c'est parce que tu chantes bien. Comment tu te sentais avant d'aller chanter ? » Ils me répondent alors qu'ils étaient vraiment nerveux. Je leur réponds alors : « Tu viens d'apprendre une grande chose : tu chantes bien même quand tu as peur. Et ce n'est pas ton père, ce n'est pas ta mère, ce n'est pas ton *coach* de hockey qui l'a fait, c'est juste toi ! » Ce bonheur-là, c'est une chance de se nourrir du bonheur des autres, et c'est important d'en tirer parti. Il y a quelque chose de contagieux à ça. De relever les yeux de ton nombril et de voir les gens heureux, ça se reflète sur toi. Les gens vont vers les personnes qui ont une propension au bonheur. C'est rassurant aussi.

C'est une émission où justement il y a du bonheur en quantité, et par ton métier d'animateur, quoi que tu fasses, tu procures aussi du plaisir aux gens...

Je fais un métier qui me permet d'être dans un moment de grâce et c'est la même chose pour les téléspectateurs. Les gens regardent *La Voix* en famille, on me le dit souvent, et c'est rare maintenant. C'est un *show live*, c'est comme du sport. C'est du bonheur pour moi de savoir que les gens décrochent en écoutant cette émission, ils s'abandonnent. Je te dirais aussi qu'il y a des moments privilégiés qui m'apportent beaucoup de bonheur. Je vais toujours me souvenir de ce jour où j'étais assis à la salle de maquillage, et qu'Isabelle Boulay était à côté de moi ; elle a fait allusion à une chanson qu'elle s'est mise à me chanter à l'oreille. Je l'ai regardée et j'ai pensé : *ok, j'ai vraiment Isabelle Boulay qui est en train de me chanter une toune dans l'oreille ! Il y a du monde qui payerait cher pour ça !* Et là tu as Marie-Mai qui est là, qui embarque, et toutes deux se mettent à faire des harmonies. C'est normal pour elles, mais quand tu prends du détachement et te rends compte du moment que tu vis, c'est un bonheur ! Parfois, j'ai le bonheur de me dire, de penser dans un moment de lucidité : *qu'est-ce que je fais ici ? Comment ça se fait que je sois rendu ici ?* Mon père était agent d'immeubles, ma mère était prof...

Tu réalises la chance que tu as ?

Oui, et ça m'a fait la même chose quand j'ai tourné *Karl & Max*. Je suis producteur mais là, de me retrouver comme acteur avec les autres... Mon bonheur de producteur est de mettre en forme du vent, de faire en sorte qu'un projet prenne vie.

Quels sont les bonheurs que tu recherches, ceux qui sont sur ta *bucket list*, les choses importantes à tes yeux pour être heureux ?

Le numéro un est de faire en sorte que l'avenir de

mon fils soit assuré. C'est l'item angoissant de ma *bucket list*, de me demander ce qui va arriver lorsque je ne serai plus là. Est-ce qu'il va être dans un CHLSD, qu'est-ce qui va se passer ? Je veux m'assurer que quelqu'un va en prendre soin, qu'il va avoir des sous. Je veux vraiment être en paix avec ça, c'est la première chose qui compte. Ensuite, je te dirais que c'est de réussir mon couple, malgré toutes les intempéries qu'on a pu vivre, les nuits blanches, et qu'on réussisse à se retrouver et à vieillir ensemble, pouvoir continuer à construire cette relation-là.

Après ça, j'ai des rêves de fou. J'aimerais faire de la fiction en anglais, il y a beaucoup d'opportunités, c'est accessible aujourd'hui (Charles agit notamment à titre de producteur à la maison de production Pixcom depuis quelques années). On en est rendus à une étape où, quand Xavier Dolan réalise le clip d'Adele, on trouve ça normal, et c'est un grand bonheur de trouver ça normal. Avant, on voyait André-Philippe Gagnon passer au *Tonight Show* et on trouvait ça extraordinaire, ça n'avait pas de sens. C'est maintenant normal que des gens d'ici s'illustrent à l'étranger.

Ça me procure beaucoup de bonheur de travailler sur différents projets, de me retrouver ici, chez Pixcom où travaillent maintenant cinquante employés.

Tu te nourris donc de tous ces petits bonheurs professionnels, de ces rencontres que tu fais comme animateur, du bonheur que tu vois chez les autres ?
Oui, et quand je suis dans mon automobile et que j'entends une chanson d'Alexe Gaudreault ou de Charlotte Cardin à la radio, c'est le bonheur ! De voir des artistes arriver gênés, puis de les voir se déployer, s'émanciper, acquérir de la confiance en eux et changer, c'est vraiment *l'fun*.

Je vais te raconter un autre moment de bonheur dont je vais toujours me souvenir. Après le jugement de la Cour suprême concernant Claude Robinson, c'était la Journée mondiale du livre et la LNI présentait une

partie dont les profits allaient être remis à Claude Robinson. Il venait de gagner, mais ce n'est pas parce qu'il venait de gagner qu'il allait être payé ! On joue un match d'exhibition : Marc Hervieux vient chanter l'hymne national de la LNI et, en surprise, Gilles Vigneault arrive et chante « Mon cher Claude, c'est à ton tour… ». Moi, je regarde la scène, on a tous chanté ça à quelqu'un : « Mon cher Daniel… », en donnant un gâteau, mais là c'est le vrai, c'est Gilles Vigneault qui est là, à trois pieds de moi, comme dans un film. Et après, il me regarde et me dit : « Hé, salut, Charles ! » Tu te dis : *voyons, comment se fait-il qu'il sache mon nom ?…* Ça, c'était un moment de bonheur spécial.

France D'Amour

S'employer à rendre les autres heureux

France D'Amour, chanteuse et femme entière, a conservé l'enthousiasme et la fraîcheur de ses 20 ans.

Comment se vit le bonheur chez France D'Amour ?
Je suis capable de créer mon bonheur très facilement, un rien m'émerveille. Pour moi, le bonheur est quelque chose qu'on invente, c'est une création humaine, et je pense que le bonheur est dans le mouvement, dans l'action. Ce n'est pas quelque chose de statique pour moi, c'est un flot, et je suis assez douée pour me garder en mouvement. Pour moi, le bonheur, c'est diamétralement opposé à l'apathie, à la contemplation ou à l'attente. Il y a un peu d'expectative aussi, ce sont des projets, c'est quelque chose que tu planifies. Quand tu mets tes rêves en branle, tu es dans l'action. Je trouve que ça ressemble plus au bonheur que d'être dans la contemplation, l'attente et le repos — ce qui est nécessaire aussi —, mais ce n'est pas là que tu as accès au bonheur. Le bonheur, pour moi, ça se mesure parce qu'il existe, à mon avis, des degrés de bonheur. Tu peux être de plus en plus heureux ou de moins en moins heureux, ou toujours heureux, juste un petit peu moins ou juste un petit peu plus. Il n'y a pas d'absolu, il n'y a pas de limite dans le bonheur, c'est exponentiel.

As-tu l'impression qu'on se met beaucoup de pression pour être heureux, et heureux dans tout, autant en amour qu'au travail, à vouloir la maison, l'auto, les vacances, le dernier gadget…
C'est intéressant ce que tu dis, je pense que le bonheur n'est pas d'avoir ces choses-là. Plus que de les avoir acquises, c'est de travailler pour arriver à le faire. Je le pense vraiment. Par exemple cet espèce de pétillement, les papillons dans le ventre, toute l'excitation qu'on ressent avant de faire un *show*, ou

même quand on tombe en amour, ça ressemble au bonheur. Une fois le *show* terminé, tu retombes dans une espèce de sérénité ou d'apaisement. Mais quand tu rentres chez toi, déjà le bonheur est en train de disparaître. Tu as davantage touché au bonheur en le préparant et en travaillant sur ton projet, et une fois que tu l'as atteint, une fois que tu l'as obtenu, c'est autre chose. Ce n'est pas ce que tu possèdes, mais les projets sur lesquels tu travailles afin de les réussir.

Et le grand bonheur, on y accède de quelle façon selon toi ?
Pour atteindre le bonheur ultime, le plus grand bonheur, une sensation de grande joie, il faut que plein de secteurs de ta vie soient comblés. Pour ma part, je ne pourrais pas être absolument comblée par mon travail et par ma vie familiale, et voir des gens souffrir autour de moi pendant que je suis dans un état de béatitude extatique. Ça ne se peut pas. Je pense que tous les gens que je connais et toutes les personnes sur la planète vont connaître un certain bonheur, mais on plafonne dans la mesure où il y a encore des injustices. Je pense que pour goûter pleinement au bonheur, on n'a pas le choix que de s'impliquer et de faire en sorte que les autres aient aussi leur portion de bonheur.

Les gens te semblent-ils individualistes ?
Tu as raison, les gens sont plus individualistes, plus repliés sur eux-mêmes, mais je pense que c'est peut-être parce qu'ils ont essayé plusieurs fois de tendre la main à des amis, à des gens, et que leur aide a été refusée. Que l'on refuse l'aide que tu offres est, à mon

avis, le pire affront que l'on puisse te faire. Quand tu donnes un bon conseil et que la personne te crache au visage, ou quand tu aides quelqu'un, que tu lui donnes de l'argent et qu'il l'utilise pour aller prendre une bière ou acheter un joint, tu te sens trahie parce que tu as voulu aider et que la personne a pris ton aide et te l'a relancée au visage. Je pense que c'est à la base de beaucoup de problèmes. À force d'essayer d'aider et d'être rejeté, tu te refermes sur toi-même. On sait que notre bonheur est dans la plénitude de tout le monde, mais parce qu'il y a des humains qui ne veulent pas aller mieux et qui ne veulent ni aider, ni s'aider eux-mêmes, on est obligé de se fermer les yeux parce que c'est trop difficile, c'est trop souffrant de voir ça.

Tu es vraiment dans l'idée de donner plus que de recevoir et de répandre le bonheur autour de toi?

J'ai remarqué que je bénéficiais de la bonne humeur des gens et de les sentir heureux autour de moi. Si ça va et que les autres à mes côtés ne sont pas bien, j'ai du mal à me sentir aussi bien que je le pourrais. Quand les gens ont du plaisir, qu'ils rient, qu'ils sont heureux, mon bonheur est décuplé. C'est ce que j'ai compris et je me suis dit que j'allais m'employer à rendre les autres heureux, ce qui va par la bande me rendre plus heureuse. Finalement, c'est parti d'un besoin égoïste et c'est devenu de l'altruisme.

Tu as vécu beaucoup de moments heureux grâce à ta carrière, plus que tu ne l'avais espéré?

En fait, ma carrière m'a apporté des choses auxquelles je ne m'attendais pas, j'ai dû faire face entre autres au stress de devoir être bonne, de toucher les gens. Quand je chante devant 100 000 personnes, ça demande beaucoup de courage pour ne pas m'effondrer, même chose quand je fais de la télévision. Tout ça m'a amenée à me dépasser et à faire appel à un courage que je ne savais pas que j'avais. J'admire les gens qui ont ce courage, qui se dépassent, je les trouve fabuleux. Moi, j'ai réussi à développer ça avec le temps et je suis certaine que n'importe qui peut faire de même, avec du travail et les années. Ça fait que je m'aime, je me dis que j'ai été

tough, j'ai été courageuse, j'ai fait les bonnes affaires. Je ne suis pas parfaite, mais mon estime de moi a augmenté à mesure que je faisais face à des défis inattendus. Ce métier-là, en résumé, m'a confrontée à des situations qui m'ont rendue meilleure.

Il y a des moments où tu as réalisé que tu vivais un beau grand instant de bonheur, quelque chose qui t'a vraiment comblée?

Oui, j'ai eu des moments de plénitude. Je me rappelle m'être levée un matin et même mes rêves étaient joyeux! Quand tu dors et que c'est *le fun*, c'est bon signe. Il y a dix ou douze ans, je n'aurais jamais pensé que la vie aurait pu être aussi agréable, que j'aurais pu avoir autant de plaisir. Me lever le matin et rire? Ayoye! Et quand tu touches au bonheur — et ça m'est arrivé plusieurs fois —, à un moment donné tu atteins un sommet, et quand tu atteins le vrai bonheur, tu as alors une confiance totale en l'humanité. Tous nos doutes, nos incertitudes, notre méfiance et notre cynisme, pendant ces moments, ces fractions de seconde de bonheur vrai, s'évaporent. Quand tu es vraiment dans un état serein et que tu es en parfaite harmonie avec ton environnement et que tu te dis *j'suis sûre que tout va bien aller*, tu es beaucoup plus dans le futur que dans le passé. Je pense qu'il ne faut pas s'accrocher aux échecs du passé, il faut se dire qu'on peut toujours se *revirer de bord* et faire quelque chose pour avancer. Malheureusement, ces moments ne durent pas et on retombe dans nos affaires, mais quand on y touche, ces moments de grand bonheur amènent beaucoup de confiance en soi et envers les autres, et ça c'est très beau.

On sait très bien que le bonheur fluctue, tu peux être parfaitement heureuse et cinq minutes plus tard, te retrouver au bord des larmes…

Oui, ça fluctue, on pourrait dire qu'il y a comme une échelle sur laquelle le bonheur est au sommet et le malheur en bas. Et tu te promènes entre les deux, mais il n'y a pas de limite, tu peux toujours aller plus loin, et c'est la même chose dans le malheur. J'ai déjà eu une peine d'amour quand j'étais jeune et jamais je n'aurais pu imaginer que ça puisse être aussi sombre, aussi *dark* dans ma tête. Mon Dieu! Je n'étais jamais allée si creux! Et quand j'ai connu des grands moments de bonheur, je me suis retrouvée dans un état fantastique.

Tu fais carrière depuis un peu plus de vingt-cinq ans (son premier album, *Animal*, est paru en 1992), tu as toujours été très généreuse sur scène, tu distribues du bonheur!

C'est vrai que je me donne beaucoup, mais je n'aurais pas de raison de ne pas donner, parce que j'ai tellement reçu! Je reçois tellement d'amour et d'admiration. Je connais des gens qui ne donnent pas beaucoup, qui ne sont pas généreux, mais ils ont reçu tellement peu d'amour qu'ils ne savent pas ce que c'est que d'en donner. Ces gens-là, je me dis qu'il faut que tu les aimes davantage en n'attendant rien en retour. Peut-être que, comme pour une plante, ça va les faire revivre!

Parle-moi du bonheur d'être mère, de ta relation avec ton fils…

Tu tombes en amour avec ton enfant et ça n'arrête pas quand il devient adulte, c'est une autre sorte de bonheur. Au moment où on se parle, c'est de voir qu'il est en amour avec sa blonde. Et quand la blonde de mon fils me dit: «La première fois que je l'ai vu, j'ai su que c'était le bon», là elle me fait plaisir. Avec le temps, on dirait que la relation avec ton enfant s'inverse. Maintenant, c'est: «Maman, as-tu besoin d'aide? Es-tu correcte? J'ai hâte qu'on se voie, je m'ennuie…» C'est moi qui ai fait ça pendant tant d'années et là, tranquillement, ça vient de lui. Je regrette d'avoir eu juste un enfant, j'aurais voulu en avoir d'autres parce que j'adore être maman, mais ça

n'est pas arrivé. Et j'ai hâte d'être grand-maman! Je suis très proche de lui dans tous les sens du terme parce qu'il habite tout près de chez moi. On se parle presque tous les jours, on s'envoie des textos. Je suis une mère très compréhensive, très à l'écoute, qui ne porte pas de jugement, et je suis couveuse. Un petit peu trop même. En 2015, je lui ai acheté un gros cadeau de fête, un vélo haut de gamme, et il trouvait que c'était trop, que ça n'avait pas de sens. Je lui ai dit que s'il avait eu un frère ou une sœur, le cadeau aurait été séparé en deux ou en trois, alors endure, moi je me défoule!

Tu es foncièrement heureuse, qu'est-ce qui te permettrait de l'être encore plus?

Je continue à travailler tout le temps, c'est un métier où il y a toujours à apprendre, et là non plus il n'y a pas de limite, pas d'absolu. Pourquoi suis-je encore là après 25 ans? Je n'annule pas de spectacles parce que j'ai mal à la tête et j'ai fait une semaine de spectacles avec une capsulite à l'épaule et personne ne l'a su. J'essaie d'évoluer aussi, et je dirais que les albums jazz m'ont apporté une crédibilité. Beaucoup de gens de l'industrie qui ne me prenaient pas au sérieux ont découvert que je ne fais pas seulement de la pop ou du rock. C'est ce qui fait aussi que tu dures. Tu es là et il y a un certain respect qui s'établit, c'est aussi le discours que je tiens depuis les premières années: il y a un certain bonheur à voir dans l'œil de l'autre le respect qu'on te porte. Je n'ai pas fait semblant non plus, je me suis investie et quand les gens m'engagent, je fais la *job*, je livre tout le temps ce à quoi ils s'attendent de ma part. Et si on parle des bonheurs que j'espère, j'aimerais que la vie me fasse de belles surprises, qu'elle m'envoie de beaux projets inattendus.

Guillaume Lemay-Thivierge
Prendre le contrôle et faire des choix

Guillaume Lemay-Thivierge prône depuis toujours les bienfaits de l'activité physique, l'importance de bien manger et le dépassement de soi. Enseigner très tôt aux jeunes quels sont les bons aliments et ceux qui sont nocifs, leur faire découvrir le bonheur d'être en forme ont toujours été au cœur de ses préoccupations. Et lorsqu'on aborde avec lui le thème du bonheur, le comédien puise dans son vécu et ne se fait pas prier pour faire part de sa façon de voir les choses.

« Il y a trois règles essentielles que j'ai retenues et que j'aime transmettre. Naturellement, la première est qu'il faut arrêter de se taper sur la tête, de se dire qu'on n'est pas bon. On fait tous du mieux que l'on peut, il faut partir avec cette idée en tête. Deuxièmement, il faut comprendre qu'on va toujours aller vers l'inconfort connu *versus* le confort inconnu. C'est naturel, on retourne vers ce qu'on connaît, et ce n'est pas nécessairement parce qu'on l'a choisi. On a souvent tendance, par exemple, à retourner vers une situation stressante parce qu'elle nous est familière. Et la troisième chose, c'est de rester dans l'action. Pour prendre les guides de ta vie, il faut que tu fasses un mouvement, que tu te fasses confiance et que tu bouges. Je pense qu'à partir du moment où tu as accepté ces trois choses-là, et que la dernière est de passer à l'action, c'est une porte de garage qui s'ouvre comme tu n'en as jamais vu s'ouvrir. C'est une découverte, et plus tu entres dedans, plus tu te rends compte que tu avais cette possibilité que tu n'as pas utilisée, et tu n'auras plus le goût de revenir en arrière une fois cette étape franchie. Mais tant que tu ne décides pas de bouger, de faire un *move*, tu stagnes dans tes bibittes. Il faut absolument que tu fasses le pas déstabilisant et il n'est jamais trop tard pour le faire. Ça a l'air facile à dire et ce n'est pas facile à faire, mais ça marche. »

Quels sont les éléments qui doivent être en place chez toi pour que tu sois heureux ?

J'en ai l'air, mais je n'ai pas le bonheur si facile que ça. Il faut que je sois dans le dépassement personnel pour être dans le bonheur. Il faut que je sois dans le silence du corps. Pour moi, la forme physique, c'est le silence du corps, ça veut dire que tu n'as pas mal au genou, que tu n'as pas mal au dos, que ton corps est dans un calme zen. Si le conflit, le mal, la négativité sont silencieux, je suis dans le bonheur. Et le bonheur, c'est aussi de la douceur, des trucs positifs, de l'entraide, du respect et l'absence de conflits intérieurs qui amènent de l'angoisse. Je n'ai pas besoin de gagner une fortune, mais je suis dans l'absence d'inquiétude côté monétaire parce que j'ai du travail. Pour moi, c'est tout ça la

définition du bonheur. Plus je vieillis, plus je me dé-
barrasse des conflits, des biens matériels et du stress
pour aller vers l'essentiel et vers ce que ma mère m'a
toujours dit et que j'ai mis des années à comprendre :
« Fais-toi une belle vie ! » Je le comprenais, mais
pour le mettre en pratique, c'était autre chose. Et se
faire une belle vie, ce n'est pas d'acquérir des choses
et d'en avoir toujours plus, et ce n'est pas non plus
d'être dans le tourbillon tout le temps pour faire des

nouvelles affaires. C'est d'abord de faire les choses
avec plaisir et bonheur.

L'essentiel, finalement, c'est de prendre le contrôle de sa vie, de faire des choix ?

Absolument, et ça ne vient pas des autres, il faut que
tu le fasses toi-même, que tu prennes les guides. Il
y a tellement de personnes qui font des choses dans
lesquelles elles ne sont pas bien, simplement pour

faire plaisir à plein de monde. Mon plaisir est parfois de dire, sans avoir à me justifier, que je n'irai pas là, que ça ne me tente pas. Et tu sais quoi ? Les gens voient que tu es en train de choisir le bonheur et ils respectent ça. Et ils aiment ça, ce n'est pas vrai que tu déçois les gens quand tu dis non. Mais on sait que c'est dur de prendre les guides, ça fait peur, on n'a pas l'habitude de prendre vraiment le contrôle de notre vie. C'est comme les gens qui retombent toujours dans un malheur. De l'extérieur, c'est facile de dire : « Arrête de faire ça, tu te fais du mal ! », mais c'est extrêmement difficile d'arrêter parce qu'il faut que tu décides que tu prends le contrôle. Si tu ne l'as jamais fait, tu te dis que tu ne seras pas capable, il faut avoir confiance qu'on peut y parvenir.

Pour Guillaume, les petits bonheurs de la vie passent par une foule de choses, notamment ses enfants, sa relation amoureuse, son métier de comédien, le parachutisme, l'entraînement et ses diverses activités sportives et sociales. Avide de découvrir de nouvelles choses — il rêve notamment d'aller en Norvège où l'on peut faire du base jumping du haut de falaises —, il ne manque pas une occasion de vivre des moments qui lui procurent du plaisir.

C'est sûr que je goûte à du bonheur plus puissant lorsque mon cœur s'active. Par exemple, en 2016, j'ai commencé à faire du surf à Montréal, à LaSalle. Il y a une vague continue qui refoule, toute petite, et tu peux surfer dessus. Tu loues une planche de surf, t'es à Montréal mais t'as l'impression d'être complètement ailleurs. Tu vois, le plaisir est que j'apprends quelque chose de nouveau, c'est du dépassement personnel et je fais une activité physique. Je suis dans le calme, sur l'eau, je ne peux pas être plus heureux.

C'est un petit bonheur personnel que je vais me permettre, comme d'aller dans un spa, de trier des outils ou encore, d'aller porter du linge dans une maison d'entraide. Quand j'étais jeune, ma mère nous achetait de nouveaux vêtements et, du même coup, elle en donnait. J'aime faire ça, ça me fait du bien quand j'aide les gens, au même titre que lorsque je fais une activité pour une bonne cause, que ce soit d'aller rencontrer quelqu'un à l'hôpital Sainte-Justine, ou de donner une conférence dans une école de jeunes défavorisés.

Par ton travail et par tes activités physiques, tu rejoins beaucoup les jeunes, ça a toujours été important pour toi d'être près d'eux et d'être en quelque sorte un grand frère qui leur donne des conseils.
Oui, mais je ressens toujours du stress, avant une conférence par exemple. Je me demande toujours ce que je vais leur dire et si ça va leur être utile. Je n'ai pas le syndrome de l'imposteur, mais je me demande quand même parfois ce que je fais là, je me dis : « J'suis qui, moi, pour leur dire comment ça marche dans la vie… » J'explique mon parcours, je réponds à des questions et quand je sors de là, j'suis tellement *boosté* !

Et les grands bonheurs de ta vie ?
Moi, je suis un amoureux, alors je te dirais que les rencontres amoureuses que j'ai faites dans ma vie ont été des bonheurs. Être en amour pour moi est un bonheur et ce n'est pas quelque chose que tout le monde connaît. Le grand amour est encore plus rare et j'ai la chance d'y avoir goûté. Bien sûr, il y a le bonheur d'avoir des enfants, c'est une fierté, comme d'entendre ma fille me dire : « À l'école, il y a une nouvelle à qui les autres ne parlent pas beaucoup, alors je suis allée la voir et elle est devenue mon amie. »

Dans mon cœur de père, j'ai fait : *Yes ! la fille que j'ai mise au monde est allumée, elle a des belles valeurs, et elle va en transmettre à ses enfants.* Pour moi, c'est ça avoir des enfants, c'est d'assurer la continuité. Je viens d'une bonne lignée et j'essaie d'en créer une à mon tour.

Justement, en 2016, il y a eu des changements dans ta vie, notamment l'annonce que tu allais être papa pour une quatrième fois.

Je suis tellement content et c'est beau que la vie me réserve des surprises, et je sais que je n'ai pas fini d'en avoir. Je ne suis qu'un spectateur qui attend de voir la suite et je vais essayer de faire en sorte que ce soit dans le bonheur, parce que les mauvaises surprises de la vie et les malchances arrivent toutes seules. Tu ne choisis pas d'avoir un enfant malade, de te casser un pied, alors choisis le mieux et le meilleur possible de ce que tu peux contrôler et le reste, il faut faire avec. Si je retourne en arrière, il y a deux ans, dans mon histoire, c'était terminé pour moi les enfants. La vie a fait en sorte qu'une page s'est tournée et que dans la nouvelle page blanche, il y avait l'arrivée d'un autre enfant. Je suis content et je pense qu'il faut protéger son bonheur. Les gens peuvent penser ce qu'ils veulent, mais n'essaie pas de *péter* ma bulle de bonheur.

Les changements, bons ou mauvais, sont inévitables dans la vie, dans tous les domaines, et il faut s'y faire !

Ma mère m'a toujours dit : « Le monde est en changement, si tu ne changes pas, si tu ne t'adaptes pas, tu ne seras plus de ton temps. » Je trouve ça beau de voir les plus vieux s'adapter aux changements qui peuvent survenir dans leur vie. Et il a fallu que je m'adapte à ce que je suis. Moi j'ai été en couple très jeune. J'ai commencé à être casé à 18 ans, ça a été une relation de deux ans et demi, trois ans. À 21 ans, j'ai eu une relation de sept ans, et ensuite, une relation qui a duré 15 ans. Ce sont de longues relations. J'ai fait le tour de mon histoire en sept ans avec la mère de ma fille, puis en 14 ans avec Mariloup et j'espère que je vais mourir à côté d'Émily (Bégin).

Au fond, d'une relation à une autre, tu es allé où ton bonheur t'amenait ?

Oui, et quand j'ai changé de situation — c'est arrivé trois fois —, j'avais l'impression d'avoir fait le tour et d'être allé jusqu'au bout. À 18 ans, quand tu finis une relation de deux ans et demi, c'est important quand tu passes à autre chose, tu laisses derrière toi une partie importante de ta vie. J'aurais tendance à dire aux gens qui vivent des relations qu'il faut qu'ils aillent au bout de leur histoire, qu'ils ne peuvent pas abandonner. Ça se peut que ton histoire soit finie au bout de deux ans, mais est-ce que tu sens que tu es allé au bout de cette histoire ? Si la réponse est non, travaille encore. Tant que la flamme est encore existante, même si elle est petite, ça peut repartir et j'y crois à cent milles à l'heure parce que sur une relation de quatorze ans, il y a des hauts et des bas. Et la flamme peut remonter, mais quand elle s'éteint, il faut que tu passes à autre chose, il faut que tu acceptes que c'est fini. J'ai fait une thérapie fermée et intense durant une semaine. Et ils utilisaient l'expression *dépine ton trailer*. C'est une belle image pour se sentir allégé. Quand tu vas être près de mourir, tu vas dire que tu as transporté trop longtemps et inutilement quelque chose sur tes épaules. Pour moi, c'est là que le changement s'impose, quand tu as fini ton chemin, quand tu sens que tu as fait le tour.

Ton bonheur est aussi et vient toujours de ton métier, que ce soit à la télé, au cinéma ou sur scène ?

La *job* que j'ai faite dans la vie m'a apporté un grand bonheur. J'ai eu du plaisir chaque fois que j'ai essayé des nouvelles choses, entre autres quand j'ai fait des films d'action. Et j'ai tellement aimé réaliser, ça a été un grand, grand bonheur. Souvent, le bonheur est dans l'attente, le désir. Je me souviens, quand j'ai eu mon permis pour conduire un scooter, ça a été un grand bonheur de liberté. J'ai gardé mon scooter dans ma chambre durant huit mois ; je m'étais fait un calendrier et, tous les jours, je faisais un x jusqu'à ce que j'aie enfin 14 ans et que je puisse le conduire. Je trouve ça super beau de désirer quelque chose, c'est pas mal extraordinaire.

Isabelle Maréchal
Tout peut changer en un instant

De l'énergie, Isabelle Maréchal en a à revendre. On a affaire ici à une tornade blonde, enthousiaste et dynamique qui n'a pas la langue dans sa poche, et qui multiplie les projets, à la fois dans sa vie professionnelle et personnelle. Ce qui contribue à la rendre pleinement heureuse, même si elle n'hésite pas à brasser les cartes si des obstacles à son bonheur se présentent. Isabelle est une femme d'action qui n'attend pas que le bonheur lui tombe dessus.

« Pendant des années, je détestais qu'on me demande si j'étais heureuse. Je trouvais que c'était *niaiseux* comme question. Le bonheur… c'est quoi le bonheur finalement? Ce n'est pas important de savoir si on est heureux ou pas, l'important, c'est de vivre ! De 20 à 30 ans, j'ai vraiment beaucoup vécu. J'étais reporter à Radio-Canada, je travaillais sans compter, j'étais passionnée, j'ai beaucoup voyagé, j'étais toujours partie quelque part. Je vivais vite, je ne me posais pas trop de questions et je pense, *a posteriori*, que j'étais heureuse. »

Et aujourd'hui, ta vision du bonheur doit forcément être différente…

Je te dirais que ce sont beaucoup de petits bonheurs que j'accumule et qui font un gros tas de bonheur. Je continue à penser un peu comme lorsque j'étais adolescente, c'est-à-dire que finalement le bonheur peut être un concept bien abstrait. On vit tous des moments difficiles au cours de notre vie, et ce sont ces moments qui te ramènent à ce qui est important pour toi. Ça peut paraître bien cliché, mais moi, ce sont mes enfants et mon conjoint et le fait qu'on soit bien ensemble qui me rend heureuse. Je suis bien dans ma relation amoureuse et ça, c'est vraiment un grand bonheur. On se tient la main la nuit et quand je le regarde, je réalise que je suis chanceuse. En fait, je suis chanceuse encore plus aujourd'hui qu'il y a trois ans parce qu'il est vivant. J'aurais pu devenir veuve ! C'est incroyable comme douleur, juste d'y penser. Pour moi, le bonheur, c'est beaucoup la présence de Thierry. Ça a fait quinze ans en 2016 que nous nous sommes rencontrés, et nous avons aussi célébré notre dixième anniversaire de mariage.

Que s'est-il passé il y a trois ans ?

Thierry a appris qu'il avait un cancer du foie incurable. Il lui fallait une greffe à tout prix, sinon il allait mourir. Les médecins ne lui donnaient que six mois à vivre. En plus, il s'en est fallu de peu pour qu'il ne puisse avoir cette greffe car sa tumeur était trop grosse. Il y avait aussi un risque important à l'opération et je peux te dire que j'ai beaucoup pleuré quand il s'est réveillé après la greffe. C'est un miraculé ! Aujourd'hui, sa santé va bien, et c'est encore incroyable. Des gens nous disent parfois que ça a dû changer notre vie, mais pas vraiment. Nous l'aimions comme elle était, notre vie. Je n'avais pas besoin qu'elle soit mise en péril pour l'apprécier. Mais ça t'apprend à relativiser. Tout peut basculer du jour au lendemain, il faut donc profiter du temps qui passe.

Est-ce que tu es du genre à t'arrêter, à apprécier et saisir tous les petits moments de bonheur qui peuvent se présenter dans ta vie ?

J'ai longtemps été incapable d'apprécier le moment présent. D'une certaine façon, Thierry m'a beaucoup aidée à savourer le moment présent. Il est du genre à faire confiance à la vie. C'est un éternel optimiste. Moi, je suis Gémeaux et il semble que ce soit l'une des caractéristiques de ce signe : je suis du genre à penser à ce qu'on va faire demain, à avoir une foule de choses en tête. Maintenant, j'essaie de me dire *demain c'est demain*, mais ce n'est pas évident parce qu'on est toujours dans la planification, entre autres à cause de mon métier. Je pense à mon émission du lendemain, ou à celles de la semaine suivante, je dois prévoir. Même chose avec mon travail de productrice, puisque je fais des séries et des documentaires qui seront diffusés dans plusieurs mois. En ce moment, je vends des émissions qui seront en ondes dans deux ans. Imagine, pour moi qui suis plutôt im-

patiente, qui aime que les choses se passent maintenant, c'est tout un défi. Disons que j'ai plutôt l'énergie qui va de l'avant. Que ce soit avec mon émission de radio ou la télé que je produis, je suis très souvent confrontée aux malheurs des autres, je recueille les témoignages de gens inspirants qui ont su relever des défis majeurs. Forcément, ça me confronte à mes propres défis et ça me donne l'occasion d'apprécier la chance incroyable que j'ai. C'est la beauté de grandir en âge, je suis enfin capable de regarder mon parcours et de l'apprécier. De laisser tomber les peurs et les regrets. Je répète souvent à mes filles qu'il est important d'avoir de la gratitude, de dire merci à la vie, aux gens qui sont autour de nous, et d'être de bonnes personnes. C'est tout ça qui contribue au bonheur finalement. Quand tu es bien, et que tu es bonne avec les autres, on ressent immanquablement un sentiment de bonheur.

Crois-tu qu'à force d'être dans la gratitude, d'être une bonne personne, de poser de beaux et nobles gestes, la vie se charge de nous le remettre ?

Comme une sorte de karma ? Je pense que oui. En même temps, il y a vraiment de mauvaises personnes qui, malheureusement, ne sont pas assez punies à mon goût par le karma. Faudrait que le karma travaille un peu plus fort ! Mais je pense que oui, il y a des avantages à faire du bien. Il serait illogique que ça ne donne rien. Il faut au moins qu'il y ait un sentiment de plénitude. Pour moi, le bonheur, c'est un bien-être, un sentiment d'accomplissement. C'est une foule de choses en même temps, c'est comme un tout. Au fond, il n'y a jamais une seule chose qui te rend malheureux dans la vie, il y en a plusieurs qui s'accumulent. C'est la même chose pour le bonheur. Finalement, je peux dire aujourd'hui que je suis une fille heureuse.

Tu as en tête des moments où tu as vraiment été heureuse ?

À plusieurs reprises. Je te disais que j'avais beaucoup voyagé pour le travail, ce qui m'a permis de partir deux ou trois mois par année, beaucoup en Asie. J'ai, entre autres, dévalé des rivières en Thaïlande, escaladé des volcans en Indonésie, roulé ma bosse en Inde. J'ai vraiment *trippé* à faire tout ça, ce sont de beaux souvenirs qui ont été de grands moments de bonheur. C'est sûr que mes plus grands moments, et c'est super cliché de dire ça, sont reliés à mes enfants. Les gestes marquants, les premiers pas. J'ai toujours su que j'allais être mère un jour. J'ai adoré être enceinte.

Crois-tu qu'il y a toujours moyen de goûter au bonheur, peu importe sa situation?

J'ai été mère monoparentale pendant cinq ans et ça aurait pu être une situation fort déplaisante. Il y a eu des moments difficiles, entre autres quand je n'avais pas assez de travail et pas assez d'argent pour meubler mon appartement. Mais durant cette période où je n'étais qu'avec ma fille Audrey, j'ai vécu de grands moments de bonheur. Je revois encore notre premier Noël ensemble. Pendant des années, je me suis dit que mon bonheur allait passer par ma fille — que j'aimais passionnément — et par mon travail. Je me disais que, finalement, l'amour ce n'était pas pour moi, j'étais certaine que ça n'arriverait pas, et donc, je ne le cherchais pas. Et puis Thierry est arrivé alors que j'avais vraiment mis une croix sur le bonheur amoureux. Alors, finalement, j'ai envie de dire aux lecteurs et lectrices de ton livre que tout peut changer dans ta vie en un instant. Je me souviens de moments, à une époque, où je me suis dit: *ok, c'est assez…* Tu sais, quand on est vraiment déprimé… Après coup, tu n'en reviens pas d'avoir pensé ne plus vouloir vivre. Aujourd'hui, je sais qu'il n'y a jamais rien de vraiment si tragique, sauf la mort d'un proche. Ça, je sais que c'est extrêmement douloureux. Mon père est la seule personne que j'aie perdue parmi mes proches, et je pense à lui tous les jours. Je n'étais pas du tout préparée à vivre cette situation, ce fut un accident aussi tragique que soudain: il s'est tué avec son arme de calibre .12 alors qu'il était à la chasse. Quand Thierry a dû être opéré, je me liquéfiais à l'idée qu'il puisse mourir. Je manquais d'air, je me disais que ça ne se pouvait pas que je vive ça. Tu n'es plus dans le bonheur dans une telle situation, tu es dans l'urgence de vivre et de tenter de trouver une solution.

Il faut donc garder espoir, croire que nos actions vont nous amener une meilleure situation?

Je suis proactive, en cela j'ai l'énergie de mon père qui était un entrepreneur. Je peux avoir un cinq minutes d'abattement, mais je reprends le dessus parce qu'une des seules choses que je connais bien, c'est le travail. C'est ma façon de m'en sauver. Aujourd'hui, j'ai beaucoup moins peur qu'il y a dix ans, parce que je sais que je peux faire ce que je veux dans la vie, je n'ai qu'à le décider. Et c'est ce que je dis à mes enfants. Ça contribue drôlement à mon bonheur de penser ainsi. Ça me rassure. Pourquoi est-on malheureux dans la vie? C'est finalement peut-être plus facile de répondre à cette question que de donner les vraies raisons pour lesquelles on est heureux… On est malheureux parce qu'on se met des idées noires dans la tête, parce qu'on se cale et qu'on se dénigre. Tu finis par t'enterrer dans ton propre drame, essaie après ça de te déterrer tout seul! Ce n'est pas évident, il faut être fort, il faut être bien entouré. Il faut surtout que tu aies une raison de vivre et que tu puisses aller de l'avant.

Le bonheur se trouve facilement à ton avis?

J'ai lu quelque part: « Cessons de parler du bonheur comme d'une chose. Cessons de rêver le bonheur, ce n'est pas le but du chemin, c'est le chemin. » C'est vraiment ça ma pensée. Ce n'est pas incarné, le bonheur, ça s'incarne dans un paquet de petites choses. Mon bonheur passe aussi par les autres, je suis bien quand je fais du bien à autrui. Je sais aussi que pour que les autres soient bien, je dois l'être d'abord. La mère joue un rôle important dans une famille et les familles vont se calquer sur l'humeur de la mère. Dans ma famille d'origine, c'était comme ça. J'en suis consciente et je me suis toujours dit que j'allais être une mère joyeuse, pas déprimée, qui allait être une conjointe dynamique et joyeuse pour son *chum*. Si je n'arrivais pas à ça, je ne serais pas heureuse.

Les autres peuvent contribuer à notre bonheur, mais ce n'est malheureusement pas toujours le cas.

J'ai eu des relations avec des proches qui ont été des rendez-vous manqués. La notion de ton bonheur *versus* le bonheur des autres... Mon bonheur passe par celui des autres, mais longtemps mon malheur arrivait par les autres. Si j'avais un conseil à donner, je dirais aux gens de se débarrasser des personnes toxiques. Ça a contribué à mon bien-être même si c'est très dur à faire, surtout quand ce sont des personnes très proches de toi qui te drainent ton énergie. Mais à un moment donné, il faut que tu réalises que dans ta vie, tu ne peux pas être pleinement heureuse parce que ces rapports avec ces personnes te remettent toujours dans un état où tu ne te sens pas

bien. Ce n'est pas un ménage qui se fait naturellement, ça m'a pris du temps avant d'y arriver. J'ai vécu cette situation avec des gens proches et ça a été un deuil très dur à faire.

Il faut en somme se demander si certaines personnes que l'on côtoie ou certaines actions que l'on pose contribuent à notre bonheur ?

Je me fais souvent ce raisonnement-là, je me demande si je vais être plus heureuse si je parle à telle personne, si je lui permets d'être dans ma vie. Est-ce

que ça va m'apporter du bonheur ? Si la réponse est non, *that's it* ! Je pense qu'il faut toujours se demander ce qui est bon pour soi. Ce n'est pas toujours évident de regarder la vérité en face. Quand tu réalises qu'une ou plusieurs personnes ne te rendent pas heureuse, il faut agir.

Isabelle, en vrac…

- « J'adore la photographie, l'un de mes rêves est de refaire des cours de photo et d'avoir vraiment un bon appareil, car pour l'instant je fais des photos avec mon iPhone. J'aimerais aussi prendre un cours de poterie, de yoga. »

- « Pour moi, c'est un grand bonheur d'être chez moi, j'aime ma maison, c'est comme un cocon et j'y suis bien. Et le fait d'être bien, ça définit pas mal ma zone de bonheur. »

- « J'achète plein de magazines de décoration, je découpe des choses que j'aime, je me fais des scrapbooks. Avec toutes ces idées, on a aménagé notre cour l'été dernier ; on a *trippé*, je me couchais le soir et j'avais hâte de me retrouver dans la cour, à prendre mon café avec Thierry, avec les enfants. On a vraiment planifié chaque coin de la cour et on s'installe là pour discuter. Jaser avec mon *chum* est un bonheur, on peut se parler pendant des heures, on ne voit jamais le temps passer. »

- « Je m'efforce d'être dans le moment présent, c'est important, mais ça me prend des projets. Métro, boulot, dodo, pour moi c'est trop routine, et la routine m'étouffe et me tue. Pour être heureuse, il faut que je sois dans l'action, il faut que ça bouge, que je voie du monde. Je peux être contemplative un peu, mais pas longtemps. Je m'exprime, je ressens, tout ça passe beaucoup par les émotions et la communication. »

- « J'ai la chance d'avoir trois enfants uniques, mes deux filles et mon beau-fils, c'est une belle famille recomposée. C'est aussi un bonheur de réussir ça. »

- « Le bonheur, c'est… la famille, les voyages, les soupers entre amis, le champagne… et le soleil ! Tu veux savoir si je vais être de bonne humeur et heureuse ? Regarde dehors ! S'il fait soleil, ce sera une super bonne journée. Et quand il pleut, c'est un peu comme s'il mouillait dans ma tête. Je suis très, très sensible au temps qu'il fait. Je suis comme une Brésilienne dans un corps de Française », dit-elle à la blague.

Jean-François Breau

Ne rien tenir pour acquis

Jean-François Breau a une belle carrière, une belle blonde, et une petite fille née en 2016, voilà de quoi le combler. «Je suis en santé, ma blonde et moi, on vit un bonheur quotidien à la maison, et ça grandit de jour en jour. On se le faisait expliquer avant que notre fille arrive, mais tu ne comprends pas tant que tu ne le vis pas. Le bonheur, il est souvent dans les petites choses. Ce matin, je regardais ma fille s'amuser avec un jouet et faire des ballounes avec sa bouche. Les rayons du soleil entraient dans sa chambre par la fenêtre, et j'étais couché par terre à la regarder. Pour moi, c'était un moment de bonheur. »

Fais-tu une différence entre les plaisirs et les bonheurs?

Ce ne sont pas tous les plaisirs qui sont bons, et les plaisirs excessifs ne sont pas nécessairement bons pour toi, comme l'expliquait l'auteur Frédéric Lenoir que j'ai vu à *Tout le monde en parle*. Mais un plaisir équilibré fait en sorte que tu as un bonheur quotidien. Je crois à ça, comme je crois à la quête du bonheur. Un enfant qui arrive dans ta vie te ramène à l'enfance, et il est là, le secret du bonheur. C'est d'être émerveillé, d'être en extase. Quand t'étais petit, tu t'émerveillais de choses simples et, en tant qu'adulte, on peut s'émerveiller de la même façon d'un paysage en Espagne, ou du plaisir de manger des pâtes en Italie. Un grand bonheur te submerge et cette sensation de bonheur complet, tu peux la retrouver tous les jours, dans les petites affaires. Et quand on arrive à prendre conscience de son existence, ça veut dire qu'on est à la bonne place. C'est ce vers quoi je veux aller.

Es-tu du genre *hop la vie*? Le bonheur est-il facile pour toi?

Contrairement à Marie-Ève, je ne suis pas un lève-tôt. Quand je m'éveille, ça me prend une heure avant de comprendre que je suis de bonne humeur. Je tiens de ma mère et de mon grand-père: je ne parle pas beaucoup et ça me prend un temps de silence. Marie-Ève, elle, ouvre les yeux le matin et tout de suite, elle est du genre: « Yé! La vie commence! » Pas moi. Le sang n'est pas encore rendu à ma tête! Après trente minutes ou une heure, je sais que ça va être une belle journée.

Tu as déjà goûté au gros bonheur, à un moment magique?

C'est sûr que *Don Juan*, sur le plan professionnel, que ce soit au Québec, en France ou en Corée, ça a été quelque chose. Surtout en Corée: chanter de l'autre côté de la planète pour un public francophile qui *trippe* sur la musique francophone sans nécessairement connaître toutes les subtilités de la langue, c'était extraordinaire. J'étais à l'autre bout du monde, j'exerçais mon métier — qui est ma passion —, ma blonde était sur le *show* et on vivait ça ensemble, nos visages apparaissaient en gros sur les autobus de Séoul… Et à la fin des *shows*, quand les gens applaudissaient à tout rompre, je *trippais*, j'avais l'impression d'être au summum de ce que mon métier pouvait m'apporter.

Je peux te raconter un autre moment heureux: avec Marc Dupré, j'ai écrit la chanson *On s'est aimé à cause* pour Céline. Il m'a invité à venir avec lui, sa blonde et la mienne, voir Céline enregistrer notre *toune* à New York. Ça a été pour moi l'un des grands moments de bonheur de ma vie professionnelle. Comprendre que ce qui est sorti de ta tête est chanté par la plus grande chanteuse au monde m'a vraiment fait vivre un bonheur intense. Il y a un autre moment auquel je pense: quand Roch Voisine a enregistré son album *Confidences*. Roch avait l'habitude d'aller enregistrer ses albums à Nashville avec le réalisateur Chad Carlson, au Starstruck Studio. C'est un gars qui a réalisé quantité d'albums d'artistes connus, entre autres ceux de Taylor Swift, et ce sont les musiciens de son *band* qui enregistraient les chansons de Roch. J'avais écrit quatre, cinq chansons avec Roch pour son disque, et il m'avait invité à me rendre au studio à Nashville. De voir ces musiciens de Nashville, avec leurs têtes grises et leurs casquettes John Deere jouer du piano, de la guitare *pedal steel,* j'en pleurais de joie; c'était une jouissance professionnelle, un moment de bonheur qui m'a marqué.

Selon toi, y a-t-il une recette au bonheur, des façons de l'attirer?

J'ai découvert le gourou indien Deepak Chopra grâce à Oprah Winfrey et je l'écoute beaucoup. Sa philosophie enseigne entre autres à savoir lâcher prise et à faire confiance à la vie. Quand on vieillit, on a tendance à vouloir garder ce qu'on a acquis, à ne pouvoir se détacher de notre existence de luxe, mais la mentalité bouddhiste permet de se dire: «Je laisse aller les choses, sachant que je suis capable de rattraper autre chose.» Je trouve que c'est se libérer d'un terrible fardeau que d'être capable de faire confiance à la vie. J'écoute ce que la vie m'envoie comme message et ce que je peux en retirer. Je n'en suis pas encore à la capacité de lâcher prise, mais c'est quand même ma philosophie. Et il en va de même de la spiritualité. La spiritualité, pour moi, ce n'est pas nécessairement d'être religieux, je ne vais pas à la messe, mais je prie tous les soirs à genoux à côté de mon lit. Et je remercie Jésus, mes grands-parents, le frère de Marie-Ève, je parle à mon monde qui nous surveille et je leur dis merci de nous avoir donné une belle journée, en espérant que demain sera encore plus beau. Je pense qu'il ne faut jamais tenir pour acquis ce que l'on a et toujours rendre grâce à quelqu'un, quelque part, et

sentir qu'on n'est pas tout seul là-dedans. C'est ma façon de viser le bonheur.

On peut dire que généralement, tu es de nature positive et que tu vois le bon côté des choses?

La première fois que j'ai eu un gros coup de pied… ça a été à cause des critiques de *Don Juan*, au tout début. *Don Juan* a eu le succès que l'on connaît, mais il y a eu deux ou trois critiques négatives. Le lendemain de la première, je n'avais pas dormi de la nuit et je suis sorti de ma chambre d'hôtel pour aller chercher le journal et lire la critique. On disait que tout était bon… *sauf Don Juan qui manque d'expérience et n'incarne pas le rôle*, écrivait-on. Je suis tombé en convalescence durant trois jours, j'étais détruit, démoli raide! Puis il a fallu que je remonte sur scène, que je rebâtisse ma confiance, soir après soir. Ça me faisait du bien chaque fois que j'entendais les gens applaudir, je me disais qu'ils aimaient ça, et ma confiance remontait la côte petit à petit. Mon niveau de bonheur était moyen à ce moment-là, mais je suis un gars assez positif dans la vie: je m'apitoie sur mon sort durant vingt-quatre heures, puis à un moment donné je décide que c'est assez.

Où puises-tu tes petits bonheurs, quels sont les moments qui te font du bien?

J'aime voyager et découvrir un nouveau pays, j'aimerais aller en Irlande. Mais le bonheur, c'est surtout de découvrir un autre endroit à travers les yeux de ma blonde, de ma fille, et de les voir s'exclamer sur un paysage, une bouffe ou une plage. Je ne pense alors à rien d'autre. J'aime voir le bonheur des autres, quand je sens que ceux qui m'entourent sont bien, je suis bien. Je tiens ça de mon père. Il a le bonheur facile et il est heureux quand les autres sont bien. C'est la même chose pour moi. Et quand je vois que les autres ne vont pas bien, je suis mal. C'est un peu contradictoire, mais je me rappelle quand j'étais petit et que je pleurais dans ma chambre pour une quelconque raison, je laissais la porte entrouverte pour que ceux qui passaient dans le corridor se rendent compte que j'avais de la peine, que je faisais pitié.

J'avais de la peine et il fallait que la planète le sache. Et aujourd'hui, quand je vais au Nouveau-Brunswick et que je suis *sur le party*, je ne veux pas fêter tout seul. Si on est vingt-deux dans la maison, c'est sans doute mon côté acadien, je veux que les vingt-deux fêtent aussi fort que moi et aient du plaisir. Quand j'avais de la peine, il fallait que les autres le sachent, et aujourd'hui, quand je suis heureux, je veux que les autres autour de moi le soient aussi.

Un de mes grands bonheurs dans la vie survient à la fin juin chaque année. Il est trois heures et demie, quatre heures du matin, je pars de Granby et je prends la 20, direction est. Le soleil se lève, je mets ma musique *country*, j'ai mon gros café à côté de moi et je fais huit heures et demie de *char* pour aller passer une semaine au Nouveau-Brunswick. Pour moi, ça vaut vingt voyages dans le Sud, je m'en retourne chez nous, c'est un bonheur.

Tu es papa pour la première fois, tu aimes ce nouveau rôle ?
Je pensais être plus stressé et que ce serait plus compliqué que ça ne l'est. Je vis bien avec toutes les petites inquiétudes qu'on peut avoir avec un bébé, parce que ça se passe bien. Elle sourit tout le temps, sur commande, c'est un *happy baby*! Mon moment d'extase

personnel, je l'ai vécu à la naissance de ma fille. J'ai été avec Marie-Ève du début à la fin, elle a été *top* championne et ça a pris cinq heures et demie. Quand la petite s'est présentée, et que sa tête est sortie, c'est moi qui l'ai touchée en premier, puis je l'ai prise et déposée sur Marie-Ève. Je pensais que j'allais pleurer comme un enfant, mais ce n'est pas ce qui est arrivé, même si j'avais les yeux pleins d'eau. Je n'ai jamais vécu un moment aussi intense. Le niveau de bonheur était à 100 %, à son maximum.

As-tu une liste de choses que tu veux absolument faire et qui pourraient constituer pour toi de grands bonheurs ?
C'est ta question la plus difficile parce que tout ce que je peux te répondre, c'est que je souhaite que ça dure encore longtemps comme ça. Je travaille, j'ai une belle fille, c'est ce que je souhaitais, et j'ai une blonde que j'aime et qui m'aime. Et notre vieux chien est encore là. On a une belle petite maison qui est notre nid, et nos familles, la sienne et la mienne, qui sont encore là et qui nous soutiennent dans tout ce que l'on fait. Je pourrais te dire un voyage de plus par année, mais c'est vraiment difficile, il ne me manque rien, je suis heureux. Un bonheur qui pourrait arriver serait une surprise dans mon métier, un projet super emballant dans lequel je plongerais.

Julie Bélanger
Être responsable de son bonheur

L'animatrice Julie Bélanger l'avoue elle-même : elle a tout pour être heureuse! Un métier qu'elle adore, un mari formidable, des proches et des amis qui lui sont chers, un entourage qui lui permet d'être heureuse. Mais attendre que le bonheur «nous tombe dessus» n'est pas toujours la meilleure des solutions : il faut le travailler, décider qu'on y a droit, entreprendre de faire bouger les choses pour que notre vie soit plus heureuse.

Est-ce que le bonheur est pour toi une notion concrète ou abstraite?

C'est très concret, c'est très, très ancré dans mon quotidien et, en vieillissant, je fais de plus en plus d'efforts pour reconnaître les moments de bonheur quand ils se pointent. On est souvent pris dans notre tête et nos préoccupations; le bonheur est présent, mais on ne s'en rend pas compte. J'essaie vraiment de faire un petit temps d'arrêt et de constater que je vis un bonheur quand ça passe, d'en prendre conscience. Je pense qu'on est tous déjà passés par là et je prends conscience de choses aussi simples, par exemple, que le plaisir d'allumer plus souvent des bougies à la maison. J'aime l'éclairage des bougies le soir à la maison mais, comme ma mère, j'avais l'habitude de les garder pour «les vraies occasions», quand on avait des gens à la maison. Maintenant, je ne me prive plus de ce plaisir. Il y a les grands bonheurs, mais aussi les petits, au quotidien, comme celui de me faire une tasse de thé, ou de prendre un bon bain chaud. Ça me rend de bonne humeur et quand tu accumules ces moments, ça finit par faire un beau gros bonheur.

Par ton travail à la radio et avec ton blogue, tu es en contact avec des dizaines de milliers de femmes : selon toi, quel est le plus gros obstacle qui les empêche d'accéder au bonheur?

Je pense qu'elles sont elles-mêmes leur plus gros obstacle, dans le sens que le bonheur fait partie d'un apprentissage. Je pense qu'il va de pair avec le fait d'apprendre à s'aimer et de se dire qu'on le mérite, ce bonheur-là. Il faut avoir en tête qu'on a le droit de profiter d'une petite pause, d'un petit moment agréable sans se sentir coupable, comme si on ne le méritait pas. On a tous tendance à se culpabiliser facilement et le bonheur a été un apprentissage pour moi, un travail que j'ai fait sur moi-même pour apprendre à m'aimer plus. On dirait que tu réalises que oui, tu y as droit toi aussi, et que les autres ne sont pas toujours obligés de passer avant toi. Il faut se donner le droit au bonheur.

As-tu l'impression qu'on vit à une époque où, plus que jamais, on court après le bonheur?

Je ne le vois pas comme une course, plutôt comme une urgence de s'ouvrir les yeux. Entre autres, plus on vieillit, plus on perd des proches, des gens qui tombent malades, qui décèdent. Il y a un gars que je connaissais, un amour de jeunesse, qui est décédé en 2015 à l'âge de 41 ans. Quand tu apprends ça, tu te dis que ça n'a pas de sens. Ce sont des choses que l'on sait en théorie, mais quand ça t'arrive pour vrai, ça te frappe de plein fouet et tu réalises qu'il n'y a pas une minute à perdre. On est très doué pour perdre notre temps en pensant qu'on va être là jusqu'à 80, 90 ans, mais il n'y a rien qui nous le garantit! Alors oui, le bonheur est à la portée de tous, mais c'est une décision à prendre, ça ne vient pas tout seul. Il y a des

gens que je connais qui s'attendent à ce qu'un gros bonheur leur arrive sur un plateau d'argent, mais il y a des choses pour lesquelles tu dois travailler. Il faut aussi s'attarder à sa façon de voir les choses, de réagir. Dans mon cas, quand je vis des épreuves, j'essaie vraiment tout de suite de voir la leçon que j'ai à tirer de ça, plutôt que de m'apitoyer sur mon sort, de me dire « pauvre de moi! », de jouer à la victime. Je l'ai déjà fait par le passé, mais ça ne marche pas! On n'arrive pas à beaucoup de bonheur avec cette attitude-là... Alors je pense que c'est un mélange de plein de choses: le temps qui passe, le fait que tu travailles sur toi-même et que tu te rends compte que tu veux être heureux. Il y a une grande partie de ce bonheur qui dépend de toi-même.

Est-ce qu'il y a des bonheurs auxquels tu aspires, qui pourraient rendre ta vie encore plus heureuse?
Je ne peux pas répondre à ta question parce qu'en ce moment, je suis vraiment dans une bonne période de ma vie, il ne manque rien à mon bonheur. La seule chose vraiment importante à mes yeux est que je souhaite que les gens autour de moi demeurent encore longtemps dans ma vie. Je suis vraiment bien entourée de gens que j'aime et qui m'aiment et qui contribuent à me rendre heureuse. Mes parents sont en santé, mon frère, mon *chum*, mes amis, et même si je sais que ça ne se peut pas, je ne voudrais jamais perdre qui que ce soit, c'est une chose qui m'angoisse et à laquelle j'essaie de ne pas penser.

Pour être heureux, il faut souvent revoir ses priorités et même faire le ménage autour de soi, ça a été ton cas?
Je pense que ça se fait tout seul au niveau des gens qui sont dans ta vie. Je ne peux pas parler pour tout le monde mais, dans mon cas, j'ai réalisé à un certain moment que pour être bien et plus heureuse, il y avait certaines relations qui devaient cesser parce qu'elles me minaient, elles me tiraient vers le bas. Tu le sens quand les gens ne sont vraiment pas heureux et ça se propage, c'est un peu comme un petit poison qui se répand. J'essayais d'être bien et de travailler

sur moi, et l'énergie de ces gens-là était tellement négative qu'elle m'empêchait d'accéder à un mieux-être. Il y avait sans doute un peu de jalousie aussi là-dedans, alors maintenant, je n'endure plus ce type de relations, je me protège de ces gens qui pourraient ternir ce sur quoi je travaille depuis longtemps pour être heureuse.

Tes grands moments de bonheur se vivent de quelle façon?
Ce sont toujours des moments où je suis entourée des gens que j'aime. Je pense à l'été dernier, alors que j'étais chez moi, sur la Côte-Nord, avec mes parents, mon frère, et la petite de mon frère, la plus belle petite fille du monde qui me fait capoter! Nous avons passé une journée ensemble à la plage, fait un pique-nique, et ça s'est terminé par une grosse bouffe à la maison. C'était une journée magique et un grand moment de bonheur. En somme, mes plus beaux moments se passent soit avec mon mari, avec les membres de ma famille ou avec mes amis les plus proches; on se retrouve autour d'une table, on mange, on boit du bon vin et on réinvente nos vies.

Tu parles de ton mari, j'imagine que ton mariage a compté parmi les plus beaux moments de ta vie?
Oh oui! J'avoue que c'est assez exceptionnel dans une vie. J'étais pas mal stressée ce jour-là, il y avait beaucoup de choses auxquelles je devais penser, mais je me souviens surtout, évidemment, du regard de mon amoureux. Nous avons vécu une connexion hallucinante ce jour-là. Et je me rappelle aussi les yeux de mon père qui était tellement beau, tellement ému! Tout le monde était beau, tout le monde s'était mis sur son 36, il y avait quelque chose de magique à cette journée.

On peut chercher le bonheur mais aussi en répandre autour de soi, comme c'est le cas avec toi, par ton travail à la radio et à la télé...
C'est de la belle reconnaissance d'avoir des témoignages du public et je vois ça comme une confirmation que je fais la bonne chose et que je suis à la bonne place. Ça me fait vraiment plaisir. Il y a beaucoup de

gens qui me téléphonent chaque jour quand je fais de la radio, et il y a des liens très étroits qui se créent avec des gens que je n'ai jamais vus de ma vie, mais à qui je parle régulièrement. Tu vois, un jour, une dame dont je connaissais le parcours, les épreuves, m'a téléphoné pour me dire qu'elle avait décidé d'aller en thérapie. J'étais tellement fière d'elle! Elle me disait qu'il y avait un peu de moi là-dedans, et je me suis dit «mission accomplie»! Je pense qu'on a le choix dans la vie, on peut prendre le chemin super difficile où il fait noir, cheminer en plein bois, avoir de la misère. Rien de super agréable! Ou on peut prendre un chemin plus facile, on n'est pas obligé d'aller tout le temps dans la *bouette*. Donc je suis contente quand je réussis à inspirer ça à quelqu'un, c'est un beau cadeau. Ça fait peut-être *culcul*, mais je fais juste écouter mon cœur quand j'anime ou lorsque j'écris pour mon blogue, c'est de l'intuition pure. Je suis seulement à l'écoute de ce qui monte à l'intérieur de moi et c'est ce que j'ai le goût de livrer en ondes ou par écrit. J'ai vraiment envie d'être très authentique et je pense que ça rejoint les gens. Je n'ai pas envie non plus de faire la fille qui est parfaite, qui a une vie parfaite et qui a tout compris, parce que ce n'est pas ça du tout. J'aime partager mes beaux moments mais aussi ceux qui ont été durs et ce que j'en ai retenu. Si quelqu'un se sert de ça pour en faire quelque chose de son côté, je suis super contente, ça donne un sens à tout ça.

La peur : un obstacle au bonheur

J'ai connu il y a longtemps un couple qui, toute sa vie, a rêvé de posséder sa propre maison, d'être propriétaire, mais la peur les a toujours empêchés de passer à l'action. Tous deux avaient peur de ne pas y arriver financièrement, d'avoir trop de pression sur les épaules, en plus de craindre le déménagement, la perte d'amis, les difficultés pour le transport, etc. Il y avait toujours des «oui, mais…», ils étaient incapables de laisser les aspects positifs prendre le dessus sur leurs craintes, même s'il s'agissait d'un rêve qu'ils caressaient et que des proches et des amis avaient réalisé avant eux. Bref, la peur d'avoir peur, avec comme résultat qu'ils y ont renoncé et ont toujours habité en logement. Une décision regrettée plus tard, au moment où l'idée de faire l'acquisition d'une maison n'était plus pertinente.

«On a souvent des rêves, mais on attend parce qu'on a peur, on n'ose pas, confie Julie Bélanger. On peut se trouver un paquet de raisons pour ne pas bouger, et on sait qu'on est capable de se mettre inutilement des bâtons dans les roues quand on veut! Mais dès que tu amorces le processus, que tu es dans l'action, peu importe le résultat, il y a du bonheur là-dedans et c'est extrêmement nourrissant. Tu ne sais pas le chemin que ça va prendre, mais ce n'est pas grave: simplement le fait de bouger et d'aller vers ses rêves, ça contribue à te rendre heureux. Je sais évidemment qu'il y en a qui encaissent des coups vraiment durs de la part de la vie, que les claques sur la gueule sont grosses, et tu ne peux pas toujours être dans la gratitude et dire "Merci mon Dieu, merci la vie pour cette belle épreuve!" Tu as le droit d'être en maudit et d'avoir de la peine, tout ça fait partie du processus. Par contre, à un moment donné, je pense qu'il est important de se sortir de là, de ne plus se voir comme une victime. Il faut alors penser aux leçons qu'on peut retenir de tout ça et voir le positif qu'on peut en tirer.»

Louis-François Marcotte
Ne pas attendre après les autres

Louis-François Marcotte a saisi toute la précarité de la vie en 2016. Il était à bord de son camion en compagnie de son fils lorsqu'il a été victime d'une crise d'épilepsie, puis d'un accident. Pour celui qui dit ne pas avoir le bonheur facile, cet épisode marquant — «un cauchemar», dit-il — lui a permis d'apprécier sa chance et les bonheurs qui font partie de sa vie.

«Je travaille sur mon bonheur. Contrairement à Pat — Patricia Paquin, son épouse depuis le 28 juin 2014 — pour qui tout est beau, tout est rose, tout est parfait, moi je suis moins comme ça. J'ai plus d'appréhensions et je me pose beaucoup de questions. Le hamster roule constamment, contrairement à elle qui a le bonheur plus facile. On est vraiment yin et yang à ce niveau-là, on se complète bien », raconte-t-il.

Il y a des années plus marquantes que d'autres, on peut dire que 2016 t'a fait vivre beaucoup d'émotions ?

Ça a été une année de transition pour moi. Mon émission à TVA a pris fin après quatre ans, ce qui représente 450 émissions au total sur ces quatre années. Quand ça s'arrête, au début tu te demandes s'il va y avoir un vide, si ça va être bizarre. Et moi, puisqu'il faut que je sois toujours occupé et que j'ai besoin de défis, je me suis protégé à ce niveau. Il y a eu l'association avec *La Cage*, avant que mon émission ne se termine, ce qui tombait à point. J'ai aussi fait de la radio avec Marie-Élaine Proulx à Rouge FM, puis est arrivé l'accident d'auto avec Gabriel. Ça a vraiment été un pot-pourri de transitions au cours de cette année, dont j'ai émergé très serein et très heureux. C'est un apprentissage nécessaire que celui de savoir ralentir un peu.

Le 2 avril 2016, alors qu'il allait faire des courses, accompagné de son fils Gabriel, Louis-François a eu un accident avec son camion, après avoir été victime d'une crise d'épilepsie. Ce fut un moment très angoissant et très difficile à vivre. «Il y avait neuf ans que je n'avais pas fait une telle crise. Je suis très bien contrôlé, mais j'avais fait de la fièvre cette semaine-là et, sans que je le sache, la fièvre avait évacué la médication de mon système, ce qui a provoqué cette crise. Et paf! je me suis tapé un accident pendant que Gabriel était avec moi. Ça a été *rushant*, il y a eu une grosse remise en question à la suite de cet accident. » Transporté à l'hôpital, Louis-François a vécu des minutes pour le moins inquiétantes. «Durant quinze minutes, je pensais que mon gars était mort parce que je ne l'avais pas vu et qu'on ne me disait rien.

Attaché sur une civière et sans savoir que j'avais fait une crise d'épilepsie, j'étais en panique. Si je n'avais pas été en forme, je pense que j'aurais pu me claquer un arrêt cardiaque. Quand je suis arrivé à l'hôpital, j'ai pu voir Gabriel, il était correct et j'ai été soulagé, mais ces quinze minutes d'attente ont été violentes pour le mental. Ça, ça te joue dans la tête longtemps après, et encore aujourd'hui. Ça change aussi tes perspectives quand tu frôles la mort dans un ac-

cident. Tu peux avoir vu la mort de près, lorsque des proches disparaissent, mais passer proche de la mort soi-même et ne rien avoir, c'est très étrange. En bout de ligne, je me dis que j'aurais pu tuer mon gars. Ça a été un cauchemar, c'est comme si ma vie s'écroulait d'un coup. Heureusement, ni Gabriel ni moi n'avons été blessés », ajoute le chef qui n'a pu conduire de véhicule durant six mois à la suite de cet accident.

Quelle est ta perception du bonheur ?

Personne ne peut te rendre heureux comme tu peux le faire toi-même, c'est à toi de prendre des décisions. Dans mon cas, je me dis qu'il faut que je ralentisse, que je passe du temps à la campagne et que je savoure mon quotidien. Ces trois règles-là sont importantes pour moi et je pense vraiment qu'il ne faut pas compter sur les autres pour être heureux. Il faut travailler sur soi-même et cesser de s'accrocher à des bouées de bonheur momentanées qui ne durent jamais. Lorsqu'elles disparaissent, tu réalises que tu n'étais pas vraiment heureux. Tu regardes les gens qui ont une vie simple, et souvent ils sont plus heureux que d'autres qui ont plus de sous et qui sont dans une grosse vie compliquée. Ce sont les modèles les plus intéressants pour moi et je pense qu'il faut se créer son bonheur.

Tu parles de ralentir et pourtant, tu sembles toujours très accaparé par ton travail !

J'ai besoin d'avoir des défis et d'être occupé, j'ai de la difficulté avec les temps morts. Je ne suis pas vraiment contemplatif. Par contre, la campagne, c'est mon pH équilibré. Et il y a plein de petites choses qui font mon bonheur. Par exemple, j'ai reçu un texto de mon gars qui travaille sur le terrain, à la maison de campagne, pour me dire que les chevaux aimaient beaucoup mieux le sel blanc depuis qu'on a changé la couleur du bloc de sel. C'est le genre de chose qui me fait *tripper*. Tout arrête, je peux être surexcité pour des niaiseries comme ça, il y a une petite flamme qui s'allume. Et quand j'arrive au chalet, j'ouvre les portes qui donnent accès au terrain et, chaque fois, je ressens un grand sentiment de paix. À la suite de l'accident, je n'ai pas eu le droit de conduire mon automobile, alors j'ai dû faire appel à un chauffeur et je trouvais ça vraiment difficile d'être passager. Pour moi, conduire mon auto, mon camion, le quatre-roues, le tracteur, c'est un grand plaisir. La campagne, les animaux, c'est mon gros *fun*, et j'ai compris au fil du temps que j'avais vraiment besoin de ça dans ma vie.

Ton travail de chef — il occupe le poste de vice-président restauration à *La Cage* — est l'un des grands bonheurs de ta vie ?

Oui, parce que je me considère comme privilégié d'avoir la chance de vivre de ma passion. Je vis de la bouffe, de l'art de la table, mon métier est la restauration et, au quotidien, c'est clair que c'est une dose de bonheur récurrente. Si on parle de grands moments de bonheur, je m'étais donné le défi de faire le *Grand Défi Pierre Lavoie*, moi qui ne faisais pas de vélo, et je me souviens du bonheur d'avoir terminé la première année au 1000 kilomètres qu'on fait en équipe. T'es claqué, tu n'as pas dormi pendant trois nuits, tu as pédalé et roulé sur de grandes distances et tu arrives à la ligne d'arrivée et tout le monde est là : tu es exténué, mais t'es tellement fier ! C'est de l'entraînement et encore de l'entraînement, c'est dur à décrire comme sensation, c'est vraiment d'une grande puissance. Ce n'est pas du travail, c'est un investissement sur soi, sur sa santé aussi, alors ça a vraiment été un grand moment pour moi. Je l'ai fait trois fois et ça m'a beaucoup alimenté. Faire du vélo est vraiment un luxe pour moi. Tout arrête à ce moment-là, l'euphorie de faire de l'exercice est tellement gratifiante. Ça me fait du bien, comme lorsque je vais bûcher dans le bois. Quand je passe un avant-midi à bûcher, j'ai du plaisir, je suis dans ma bulle et ce moment est important pour moi.

À tout ça s'ajoutent bien sûr Patricia, les enfants…

Quand j'ai rencontré Patricia, je lui avais demandé au début si elle voulait d'autres enfants parce que c'était un critère important pour moi. Je voulais des enfants, je voulais une famille. On a une belle gang, on a une belle vie, je trouve qu'on est privilégiés. Benjamin va bien et, socialement, avec son frère et sa sœur, ça a fait une belle dynamique. C'est parfois beaucoup pour Benjamin, parce que ça bouge, ça va vite, ça parle fort et ça crie, mais il s'est habitué. Gabriel, c'est le petit doux, et en même temps, c'est un peu le grand frère pour Benjamin. Et Florence, c'est une mini-Patricia !

Toi qui voulais des enfants, ta famille te procure beaucoup de satisfaction ?

C'est vraiment à la hauteur de mes attentes, et ce n'est jamais ce que tu penses que ça va être ; ça amène des défis énormes. J'ai des *chums* qui avaient des enfants et qui me disaient : « À compter de demain, ta blonde va accoucher et tu vas être inquiet pour le restant de tes jours. » C'est ça la réalité et tu y penses. C'est sûr que ça s'ajoute à mon « cumulatif » d'inquiétudes, mais je suis comme ça et j'arrive à gérer le tout. On

a un bon contexte aussi. Pour en revenir à la campagne, quand nous y sommes les fins de semaines, la télé n'est jamais allumée et Gabriel s'amuse à l'extérieur, il attrape les poules, il fait du cheval, il a les ongles noirs ! Patricia répète souvent qu'on crée des souvenirs aux enfants et c'est exactement ça.

Le 28 juin 2014, vous vous êtes mariés, Patricia et toi, quels souvenirs conserves-tu ?

Ça a été un moment extraordinaire, en ce sens qu'on a fait ça à notre image, à la campagne avec la réception sur notre terrain. Tous les détails avaient été orchestrés, j'avais construit les tables, on avait pris le temps de tout préparer comme nous le voulions. Ma blonde était nerveuse, c'était tellement un gros morceau pour elle. À l'église, il a fallu que je lui dise de se calmer et de profiter du moment, elle était très émotive. C'était vraiment très beau.

Et le chef dans tout ça ? Qu'est-ce qui te procure le plus de plaisir côté bouffe ?

La réponse est variable, mes meilleures bouffes sont associées à des moments. Je peux faire des pâtes aux champignons à l'huile d'olive et à l'ail avec du parmesan, et le résultat est magnifique, délicieux. Mais si tu t'assois pour manger avec du monde *plate*, ton plat va être un peu moins bon. Souvent, mes bouffes vont être accompagnées d'un moment joyeux avec plein de monde, avec qui ça connecte et, soudainement, ton plat qui était ordinaire devient excessivement bon. C'est LE moment qui constitue la meilleure bouffe. Quand il y a douze personnes assises autour de la table à la campagne et qu'ils *trippent*, que je sens leur plaisir gustatif, je m'accote avec mon verre de vin et c'est jouissif pour moi de les regarder manger, boire du vin, savourer le repas. C'est mon moment fort du souper.

Sinon, moi, j'ai le plaisir de vivre dans la bouffe à temps plein, j'évalue et je juge des saveurs au quotidien. L'aspect gustatif occupe beaucoup de place dans ma vie, alors quand je ne travaille pas, j'opte souvent pour la simplicité dans nos repas.

Marie-Ève Janvier

Apprécier son quotidien et les gens qui nous entourent

Marie-Ève Janvier est une femme foncièrement heureuse. Elle mène une belle carrière et a connu, en 2016, le bonheur de devenir mère. Par contre, quand on est perfectionniste, qu'on a tendance à être plutôt critique envers soi-même, le bonheur peut être parfois un peu plus difficile à savourer. «Je te donne un exemple qui explique bien mon sentiment: il n'y a que quelques spectacles de Don Juan — sur les 350 auxquels j'ai participé — où, à la toute fin, je me suis dit: Oh yes!, ou je me suis donné une tape dans le dos parce que je m'étais trouvée hot. Je suis très difficile avec moi-même, et j'ai un défaut qui est une qualité par moments; j'ai tendance à mettre en lumière ce qui n'a pas bien fonctionné, ce qui fait en sorte que ça atténue ma capacité d'apprécier ce qui a bien marché, tout ce qui va bien. Je pense aux choses à corriger, celles qui me fatiguent, et ça altère mon bonheur. »

As-tu appris avec le temps à composer avec cette façon de penser, à voir les choses autrement?

Je vais être cliché mais, depuis six mois, avec un enfant, c'est du *day to day*. Ça se passe là. Je prends davantage conscience, en voyant ma fille grandir tellement vite, que je dois vivre chaque moment qui passe parce que ce ne sera plus la même chose demain, ça sera déjà du passé, et ça passe vite! J'ai toujours travaillé fort pour vivre le moment présent, mais mon bonheur survient souvent après coup, quand je réalise ce qui s'est passé ou ce que j'ai vécu. Et à ce moment-là, je vais me dire: «Quelle belle tournée on a eue, quel beau moment, ah qu'on était bien!», et ça, ça me rend heureuse. Je me dis que lorsque je serai vieille, je vais sûrement être super heureuse parce que je vais repenser à tout ce que j'ai fait, tout ce que j'ai vu. J'ai donc tendance à mettre l'accent sur ce qui s'en vient, ce qu'il faut que je change et peaufine. Mais mon enfant, ma fille, me déstabilise là-dedans, elle me fait du bien et me fait voir les choses différemment.

Est-ce qu'il t'arrive de regretter de ne pas avoir assez profité, sur le coup, de certains beaux moments que tu as vécus?

Peut-être, je vais mettre ça sur le dos du manque d'expérience et de la jeunesse. Je pense tout de suite aux spectacles de *Don Juan* que nous sommes allés présenter en Corée. Je ne réalisais pas à ce moment-là que je ne retournerais peut-être jamais en Asie. C'était tellement déstabilisant et tellement *l'fun*. Et j'y repense et je me dis que j'ai vécu une expérience de feu, mais est-ce que j'en ai assez profité au moment où j'étais là? Je ne le pense pas. Avoir su, je serais allée me promener toute seule, j'aurais fait plus de choses. Si j'y retournais aujourd'hui, ce serait autre chose. J'étais plus jeune, je n'avais pas 12 ans non plus, mais j'étais tellement concentrée sur les spectacles et l'obsession d'être bonne que je n'en ai pas vraiment profité. D'autant plus que nous présentions quand même 8 à 9 spectacles chaque semaine, alors physiquement, c'était exigeant, et le peu de temps qu'on avait, on dormait.

Alors peu importe la ville où tu te serais trouvée, tu n'en aurais pas plus profité?

Je pense que non. Je repense à ce moment où nous avions été invités avec les producteurs dans un super resto situé en montagne. C'était débile comme c'était beau, on nous servait de la bouffe coréenne typique, et moi je ne faisais que penser qu'il était tard, que nous étions fatigués, que je n'avais pas le goût de boire du vin et que je devrais aller me coucher parce que nous avions un spectacle le lendemain. Je suis une fille qui se donne à 100 % quand j'ai quelque chose à faire, mais on dirait que je mets vite de côté mes petits plaisirs et mon bonheur pour faire place au travail que j'ai à accomplir.

Donc, si je te demande si tu as le bonheur facile ?

Ça dépend ! Je pense que oui, mais mon côté cartésien prend vite le dessus et cet aspect-là n'est pas toujours conciliable avec mon bonheur parce que j'ai tendance à planifier tout ce que j'ai à faire. C'est ensuite, en bout de ligne, si tout s'est bien passé, que mon bonheur va se manifester. Je suis certaine que mon *chum* te dirait complètement le contraire, parce que nous sommes complètement différents sur cet aspect, et c'est ce qui fait que ça marche entre nous. Je lui donne une structure et lui, je l'appelle « le flou », il me brouille les cartes souvent et ça me fait du bien. Tu vois, lorsque nous sommes en vacances, je suis la partenaire parfaite parce que mes *switches* sont à *off* ! Mon téléphone ne fonctionne pas et je suis partante pour faire une foule de choses. Quand nous sommes allés en Italie, il y a un peu plus de deux ans, ça a été notre voyage de joie ultime et j'en ai profité à fond, j'avais du bonheur à ce moment-là. J'ai goûté aux plaisirs dont j'avais envie, nous partions avec notre sac à dos le matin en nous disant que nous allions dormir quelque part en chemin, ce qui n'arriverait jamais ici, parce que tout doit être planifié à l'avance, qu'on sache à quel hôtel nous allons, etc. Mais en vacances, je suis comme quelqu'un d'autre et mon bonheur arrive beaucoup plus facilement.

Dans tes souvenirs, personnels ou professionnels, est-ce que tu as déjà ressenti un très grand bonheur, vécu un moment unique ?

Oui, c'est un moment survenu quand j'ai fait mon premier album, en Bretagne, à Belle-Île-en-Mer. J'ai enregistré à la maison du réalisateur Rémi Lacroix, où il habitait avec sa femme et leur petite fille de 2 ans. On enregistrait les chansons dans une petite chambre et moi j'habitais dans une auberge, pas très loin. J'étais sur un *high* absolument fou : je venais de finir *Don Juan*, et j'étais à cet endroit aux paysages magnifiques, pour faire mon premier album. Je capotais raide, j'étais au sommet du bonheur. Une journée où il faisait super beau, j'étais au volant de mon automobile et j'ai décidé de faire le tour de l'île, d'aller explorer l'endroit. Au sommet d'une côte, j'ai aperçu le paysage, les rochers, la mer, c'était extraordinaire ! J'ai ressenti un immense bonheur devant la vue qui s'offrait à mes yeux, le tout jumelé à mon état de bien-être de me trouver à cet endroit pour faire mon album. Je te jure, je me suis mise à crier de bonheur dans l'auto, ce qui n'est tellement pas dans ma nature ! Et il n'y a personne qui me manquait. Souvent, dans ces moments-là, on va penser tout de suite qu'on aimerait ça que son *chum* soit là, mais non, c'était MON moment, j'en profitais à fond. Ça a été l'un des plus beaux moments de bonheur de ma vie. Ça me fait du bien de repenser à cet instant. Durant mes cours prénataux, on mettait l'accent sur la visualisation et on disait : « Lorsque tu vas être en souffrances et en douleurs, va retrouver un moment de bonheur que tu as en tête, pour t'amener dans une zone qui va te faire du bien et te rassurer. » Et c'est à cette image-là, gravée dans ma mémoire, à Belle-Île-en-Mer, que j'ai repensé.

Ta vision du bonheur a changé ces dernières années ?

Mon bonheur est aujourd'hui dans les petites choses, alors qu'il y a dix, quinze ans, je rêvais de grandes choses. Je trouvais surtout mon bonheur dans mes aspirations en tant que chanteuse, il y avait plein de choses que je voulais faire. Maintenant, c'est sûr qu'avec Léa, le bonheur se vit au quotidien, en commençant par le matin quand elle me fait un sourire. Avant, ça pouvait être aussi simple que de m'installer en mou, le soir, à regarder un film avec un verre de vin, ou de faire de la bouffe. Ce n'est pas que je n'ai plus de rêves, je dirais que j'apprécie plus mon quotidien. Je me sens chanceuse d'avoir ce que j'ai, des gens qui m'entourent. Depuis que j'ai perdu mon frère (en février 2013), ça m'a fait prendre conscience que la vie n'est pas éternelle.

Est-ce que ça t'a amenée à avoir une urgence de vivre ?

La première année, oui, mais ça s'est calmé ensuite, avec l'idée en tête de profiter de ce que j'ai. Ma sœur et moi, on se disait qu'on voulait voyager, faire le chemin de Compostelle, mais ces idées-là ont duré un an. J'ai davantage eu le goût d'avoir ma famille autour de moi, d'avoir des enfants, de partager des moments avec mon *chum*. On a une belle carrière, mais il faut nourrir notre couple qui doit prendre plus de place. Entre autres en refusant des projets *trippants*, mais en l'assumant, en étant en paix avec ces décisions parce que je veux faire autre chose. C'est ce que la trentaine m'a amené.

Est-ce que ton rôle de mère te rend encore plus heureuse que tu ne l'avais imaginé au départ?

Complètement. Et mon bonheur va en grandissant. Il suffit qu'elle fasse des choses aussi simples que de se retourner et je capote! Pendant plusieurs années, je disais que ce ne serait pas grave si je n'avais pas d'enfant. Je ne suis pas gaga avec les bébés, je ne vais pas me précipiter vers un bébé pour le prendre. Je ne suis pas comme ça et j'avais des doutes, je me demandais si j'allais avoir l'instinct maternel, si j'allais être capable d'en prendre soin et d'être une bonne mère. Je ne sentais pas auparavant qu'il manquait quelque chose à ma vie en n'ayant pas d'enfant, et si je n'en avais pas eu, je n'aurais pas vécu avec une grande tristesse. Je me faisais tellement dire ça souvent : « Tu ne sais pas ce que c'est tant que tu ne l'as pas vécu… ». Et effectivement, quand tu sais ce que c'est que d'être mère, tu peux comprendre le manque qu'il peut y avoir à ne pas l'être. Même enceinte, je ne pouvais pas imaginer ce que c'était. Et puis ce petit être humain arrive dans ta vie, tu ne le connais pas, et tu prends ton temps pour le découvrir. Aujourd'hui, je ne pourrais pas imaginer ma vie sans elle.

J'imagine qu'en plus, tu vois le bonheur que cette petite fille procure autour de toi?

Ça, ça me remplit de bonheur de voir mes parents heureux. Je pense juste au moment où on leur a annoncé que j'étais enceinte. Nous avons attendu un bon mois avant de leur dire, et j'avais tellement hâte de voir leur réaction. Avec Léa, ils sont devenus grands-parents pour la première fois. Maintenant, je découvre des facettes de mes parents que je n'avais jamais vues. J'ai une super belle relation avec mon père et ça a toujours été plus dans les gestes que dans les paroles. On est des gens de peu de mots et une bonne tape dans le dos, ça veut dire: « J'taime, ma grande, j'suis fier de toi! ». Et moi je le sais, et c'est correct comme ça. Mais là, avec ma fille, les mots sortent! J'ai mon bonheur, mais d'en créer autour de moi me rend encore plus heureuse,

c'est assez spécial. Être parent est vraiment un privilège, et ça amène comme une pression, parce que je veux qu'elle soit ma *fan* numéro un, que ma fille capote sur moi! Et Jean-François disait qu'il voulait être un papa parfait et il se faisait demander ce que c'était, un papa parfait, et il répondait qu'il ne le savait pas encore! Je me rends compte maintenant que ta perfection, elle est naturellement là pour ton enfant. Je suis la meilleure mère pour ma fille, la meilleure personne pour elle, et mon *chum* est le meilleur papa pour elle, c'est sûr. Quand tu comprends ça, ça t'enlève un stress et ça te met dans un état de bonheur parce que tu te dis que tu n'as qu'à en profiter et à écouter ton instinct.

Que dirais-tu à ceux qui sont en quête de bonheur?

Je pense que le problème est qu'on le cherche trop. C'est à la mode d'être heureux, de trouver le bonheur, comme d'être en forme, de bien manger et d'aller au gym. On veut être bien, mais on se stresse pour être bien. Je pense que c'est déjà une chose que d'arrêter de le chercher. Moi, je ne le cherche pas beaucoup et je pense que le bonheur est un choix. Je me suis souvent fait dire par mes parents: « Quand tu te lèves, tu as le choix d'être de bonne humeur ou de mauvaise humeur. » Et ils ont bien raison. Ça se peut que tu te lèves du mauvais pied, mais tu as le choix de continuer comme ça ou de changer d'attitude. On a tous de mauvaises journées, des périodes plus difficiles, des périodes de stress. Et par notre métier et nos différents projets professionnels, Jean-François et moi vivons souvent du stress en même temps, entre autres quand on sort un album ou avant un spectacle. On s'est donc créé une façon de s'arrêter pour remettre les pendules à l'heure. On se regarde dans les yeux, on se brasse les épaules un peu et on se dit qu'on ne doit pas se laisser envahir par le stress et que tout va bien aller. C'est efficace!

Tu as en tête des choses que tu veux réaliser pour ajouter à ton bonheur?

Il y en a plusieurs. La première chose sur ma liste est d'arrêter de remettre les choses à plus tard. Je prends comme exemple ma grand-mère que j'entends dire, depuis que je suis toute petite, qu'elle aurait donc aimé aller à Disney World. Et elle n'y est jamais allée pour plusieurs raisons. Je veux donc mettre en application ce qu'il y a sur ma liste de projets et de rêves. J'aimerais entre autres « oser » faire une pause de cinq ans pour avoir un *Bed & Breakfast*. C'est un rêve que nous avons, Jean-François et moi, et nous avons plein d'idées. Je ne peux pas faire ça demain matin, mais en même temps, je n'ai pas le goût de le réaliser dans vingt ans. Ça fait partie de mes rêves, je sais que je vais être heureuse là-dedans et qu'il y a du bonheur pour moi dans ce fantasme-là. J'aimerais aussi voyager, je veux retourner en Italie. J'y suis allée à deux reprises et j'ai adoré! J'ai dû avoir une vie antérieure à cet endroit, parce que je m'y sens tellement bien! Je veux apprendre l'italien pour être capable de parler avec les gens, et j'aimerais aussi avoir l'audace de décider qu'on s'y installe durant un an. J'aimerais vraiment ça. Et je veux bien sûr voyager avec ma fille, lui faire découvrir le monde.

Au fond, comme plusieurs, tu t'emploies à profiter de tous ces petits moments heureux qui arrivent dans ta vie?

Exactement. Je te raconte: avec ma grand-mère maternelle dont je te parlais tantôt, on a maintenant quatre générations dans la famille et hier, nous avions un souper chez ma mère et nous avons décidé de donner le bain à ma fille. Nous étions dans la salle de bain, je lavais ma fille qui faisait des mimiques et elle n'arrêtait pas de rire; je riais aussi et derrière moi, j'entendais ma mère et ma grand-mère rire également. Écoute, ce moment-là est dans ma tête pour le reste de ma vie!

Tu parlais de ne pas avoir de regrets, mon frère était comme ça. Il avait le goût de faire quelque chose? Il le faisait. Il était en train de tout vendre, il voulait aller au Venezuela, vivre un *trip*, aller leur montrer à faire du montage vidéo, un domaine dans lequel il excellait. Avec lui, c'était: « *Go, go, go*, on fonce, arrête d'avoir peur! » Il n'avait peur de rien.

Et tu as retenu cette leçon-là de ton frère Louis-Philippe?

Ah complètement! Il était venu avec nous en vacances au Nouveau-Brunswick et il avait imposé, chez les amis

de Jean-François, le NSN, le *never say no*. Pendant toute une journée, tu n'as pas le droit de dire non à quoi que ce soit qu'on te demande. Veux-tu une bière? Oui! Ce n'était pas juste pour l'alcool, évidemment. C'était sa philosophie : on ne dit non à rien, *go*, il faut vivre. En 26 ans, il a vécu des choses qui pourraient prendre 75 ans à quelqu'un d'autre. J'ai cette image-là de lui en tête.

Es-tu arrivée, avec le temps, à faire la paix avec son absence, à ne plus crier à l'injustice?

Oui. Moi, j'étais sa sœur, peut-être que mes parents ne diraient pas ça. Je pense qu'ils le vivent différemment, c'est quand même leur enfant et je peux un peu comprendre la tristesse qu'ils peuvent ressentir, mais jamais comme eux. Moi, j'ai perdu mon frère, mon ami, nous n'avions qu'un an et demi de différence. Tous les bonheurs que nous avons eus ensemble, qu'on a eu la chance de vivre, ça compense quand même beaucoup pour tout ce qu'on ne vivra plus. C'est sûr que parfois, j'ai une boule de tristesse qui monte en moi, quand je pense entre autres que jamais mon frère n'aura pris ma fille dans ses bras. Ça n'arrivera jamais. Ça, ce sont des bonheurs que je ne goûterai pas, mais en même temps, je ne m'accroche pas à ça parce que ça me rend triste de penser aux bonheurs que tu ne peux avoir.

Te connaissant, tu vas sûrement parler de ton frère à ta fille…

Oui, j'ai déjà commencé! Quand ma fille fixe un coin de mur où il n'y a rien et qu'elle rit toute seule, je lui dis: « C'est-tu mon oncle Philippe qui te fait des blagues? » Moi, je crois à ça, je pense qu'ils se sont sûrement rencontrés dans l'au-delà avant qu'elle ne vienne dans ma vie. Je lui parle de Philippe, je vais lui montrer toutes les *niaiseries* qu'il a faites. On a fait un super voyage, Jean-François, ma sœur, son *chum* et mon frère et moi, juste avant qu'il ne soit malade. On a vécu ensemble une semaine à Cuba et ça a été un cadeau de la vie incroyable. Tu vois, ça c'était le genre de choses qu'on se disait qu'il faudrait bien faire un jour. C'est lui qui a été à l'origine de ce voyage, qui nous a demandé si nous étions libres de telle date à telle date, et on a réservé le voyage. On ne fait pas assez ce genre de choses.

Qu'est-ce qui te fait plaisir, quels sont tes petits ou grands moments où tu te sens bien et heureuse ?

Moi, je suis une fille de bois et en arrière de chez nous il y a un boisé avec des sentiers, c'est vraiment *cool*, et quand j'étais enceinte, j'aimais aller y marcher. J'aime surtout y aller l'hiver et j'avais vraiment mes moments de bonheur dans le bois. Je me sentais comme dans une bulle, parce que tu es comme tout le temps dans un état second lorsque tu es enceinte, et je savourais ces moments. Le silence, le son de mes pas sur la neige, mon *chum* avec moi, ma chienne qui était tellement contente d'être dehors et de fouiller dans la neige. C'est bien simple et ça ne coûte pas cher de me rendre heureuse ! J'aime aussi être en *gang*, mon travail m'amène souvent à l'être et ça touche plus mon côté expressif, mais mon bonheur à la maison est vraiment dans le calme, le *cocooning*. Je suis un peu sauvage. Une journée parfaite serait une journée d'hiver, on irait d'abord marcher dans le bois puis, au retour, on allumerait le foyer, et ma famille, ma sœur, mon père et ma mère, tout le monde souperait à la maison et on aurait du bon vin. Ça, là, je ne peux pas être plus heureuse que ça. Et encore plus : ils restent à coucher et on se réserve un voyage dans le Sud tout le monde ensemble ! C'est cliché, mais c'est du gros bonheur. J'ai besoin de cet équilibre entre celle que je suis au travail et celle que je suis à la maison.

Jean-François et toi êtes ensemble depuis douze ans, est-ce que vous planifiez beaucoup de choses pour l'avenir ?

On a compris au cours des dernières années que si notre couple va bien et que nous sommes heureux, on peut essayer ce que l'on veut, il n'y a pas de limite. Mais si ton couple n'est pas super en santé, tes projets ne marcheront pas vraiment. On a vécu de belles années avec *Don Juan*, puis on a commencé à faire de la musique ensemble pour le plaisir, à faire des spectacles, un album, à avoir l'attention du public et à voir le succès s'installer. Ça nous a procuré du bonheur, mais à un moment, on s'est arrêtés à se demander : « Est-ce qu'on est heureux parce qu'il faut être heureux et que notre travail nous rend heureux, ou bien on est vraiment

heureux et ça rayonne sur le reste de notre vie ? » On a eu besoin de se lancer un défi à ce niveau-là et on a vécu une année sans faire de musique ou de spectacles. J'ai eu une émission à *V* le matin, *Au-delà du clip*, en plus de *L'amour est dans le pré*. On a loué un condo à Montréal, et ça a fait du bien de brasser les cartes, ça nous a confirmé que le bonheur existait entre nous et qu'on pouvait le faire rayonner sur nos projets professionnels. On a eu comme une chance de la vie qui nous a dit de faire attention à notre noyau en premier. Un peu comme si on nous avait dit : « N'encouragez pas le reste, encouragez-vous en premier ! »

Aujourd'hui, après toutes ces années, mon bonheur est dans la réussite du couple que je forme avec Jean-François. Mon bonheur aujourd'hui réside dans la chance d'être en couple avec quelqu'un depuis longtemps et d'avoir créé une base solide. Et en plus, avoir un enfant avec un gars que je connais bien, et chez qui je découvre encore des choses depuis l'arrivée de notre fille, c'est incroyable. On veut un deuxième enfant, on crée notre famille et c'est un bonheur. Après, de se dire qu'on va chanter ensemble, aller faire des spectacles au Canada anglais, ou aller en Europe, ça ne me fait pas peur parce que je pense que j'ai le bon gars pour le faire.

Marina Orsini
Le plaisir de procurer du bonheur

Le temps de partager un repas à la cafétéria de Radio-Canada, Marina Orsini et moi avons vécu de belles retrouvailles afin de réaliser cette entrevue. On peut difficilement avoir devant soi une femme plus sincère, plus à l'écoute des autres et plus préoccupée du bonheur de ceux qui l'entourent que l'animatrice et comédienne.

On se connaît depuis longtemps toi et moi, et il m'a toujours semblé que tu avais une belle propension au bonheur, un bel optimisme face à la vie. J'ai raison?

En général, j'ai le bonheur facile. Je suis heureuse, je suis là où j'ai envie d'être et j'ai l'impression d'être vraiment sur mon X dans la vie. Avec la vie que je me suis construite et ma carrière, j'ai beaucoup baigné dans le bonheur et c'est formidable. Je pense que le bonheur est un choix que l'on fait jusqu'à un certain point, dans le sens où l'on est responsable de son bonheur. C'est sûr qu'il y a les imprévus et les épreuves qui surviennent; on ne les a pas nécessairement choisis et on doit y faire face, mais je pense qu'on peut aussi choisir le bonheur chaque jour.

Les imprévus, les malchances, les gens qu'on perd, ça t'affecte grandement ou tu remontes la côte facilement?

Je pense qu'on doit regarder la vie dans son ensemble. Je suis de celles qui croient qu'on est souvent là où on doit être dans la vie parce qu'on a des apprentissages à faire, un chemin à parcourir. Tout ça à des degrés différents.

Ce que j'ai vécu avec ma mère pendant quatre ans, on aurait tous pu s'en passer, et j'aurais surtout pu me passer de perdre ma mère à 75 ans. J'ai beaucoup profité de sa présence parce que nous étions tellement proches, mais je regarde d'autres personnes qui ont des parents âgés de 78, 80 ans, ceux qui lancent: «Ma mère a 85 ans et elle conduit encore», et je me dis que j'aurais eu encore tellement de choses à vivre avec elle. Je me console en me disant que, lorsqu'elle est partie, il n'y a rien qui n'avait pas été dit, il n'y a pas eu de «j'aurais donc dû». C'est cliché de dire ça, mais ma seule consolation est de me dire qu'elle ne souffre plus. Alors, quand tu parles du bonheur, c'est sûr que tu te demandes pourquoi c'est arrivé, mais en même temps, il faut accepter que c'est ça la vie. C'est un grand mot, le bonheur, et quand il y a des journées plus sombres, il y a des raisons pour ça et c'est correct. Les journées sombres nous font apprécier les journées de soleil. Je crois que plus on vieillit, plus il faut capturer les moments de bonheur, en provoquer, savourer ceux qui sont là et savoir les reconnaître. Je trouve que souvent on passe à côté du bonheur, on pense tellement qu'il est ailleurs. Il faut profiter de chaque instant au moment où on le vit.

Tu as toujours beaucoup travaillé, j'imagine que lorsque tu as vécu cette période difficile, ça n'a pas été évident de concilier le travail et ta vie personnelle?

Je me suis dit à un moment: «Oh mon Dieu, comment j'ai fait pour passer à travers ça?» J'avais mon fils, une mère malade et deux quotidiennes: *30 Vies* et mon émission à la radio. J'avais un horaire fou et j'étais surtout habitée par une grande tristesse à la base, mais je devais toujours remonter à la surface, voir quand même le soleil. Quand je faisais de la radio, on aurait dit que ma vie se mettait en pause.

Il faut tellement que tu sois dans le moment présent à la radio que ça devenait thérapeutique pour moi. En fait, le travail a vraiment un aspect thérapeutique parce que je dois être présente et entière, et ça pouvait me permettre aussi de m'évader. Mais après, je retombais dans la réalité et la vie continuait.

Mais quand tu fais tes bilans, tu repenses tout de même aux bons moments?

Oui, je reconnais les moments de bonheur et les réussites du passé, mais je ne suis pas nostalgique. Pour moi, le processus est plus important que le résultat, c'est au moment où je suis dedans que je le vis, c'est à ça que je me rattache plutôt qu'à un résultat. Je repense entre autres aux *Filles de Caleb*. Oui, ça a été une magnifique série qui vieillit d'ailleurs merveilleusement bien, mais mes souvenirs, ce sont les 190 jours de tournage sur deux ans, tout ce que j'ai vécu durant cette période, et toutes les rencontres que j'ai faites. Les rencontres que l'on fait sont les plus belles choses dans la vie, c'est ce qui reste : les liens qu'on a tissés et les amitiés.

Tu vois, je travaille avec des jeunes qui sont au début de la vingtaine, je les regarde et je trouve ça tellement

beau, tellement inspirant, tellement grand. Pour moi c'est ça le bonheur, prendre conscience de ce qu'il y a autour de moi.

Le bonheur des autres t'apporte beaucoup?

Je suis heureuse quand les membres de mon équipe se sentent heureux, et je suis contente de contribuer à leur bonheur, de savoir qu'ils sont fiers. J'aime travailler avec des personnes heureuses autour de moi, des personnes qui sont contentes de travailler avec nous. J'aime travailler dans l'harmonie avec l'équipe et le public en studio, c'est du grand bonheur.

Tu es attentive aux bonheurs qui surviennent dans ta vie, mais que dirais-tu aux personnes qui ne les voient pas, qui cherchent des façons d'être heureuses?

Je pense que d'avoir accès au bonheur est beaucoup plus simple qu'on ne le pense. Je trouve que les gens se cassent trop la tête à savoir ce qu'est le bonheur. Ce n'est pas très compliqué, le bonheur, et il faut surtout le vouloir. C'est certain que tu ne peux ignorer la maladie, la perte d'un emploi, les problèmes monétaires, ça fait partie de la réalité de la vie. En même temps, tu vois des gens qui n'ont pas grand-chose et qui sont heureux, ça dépend vraiment de la façon dont tu as été élevé et de la base de tes valeurs. Que tu aies de l'argent ou pas, comment négocies-tu avec tout ça? Comment composes-tu avec les rapports humains, avec l'argent, avec le succès? Il n'y a personne qui fait les choses de la même façon, avec la même vision, le même vécu. Il y a beaucoup de petites joies et de petits bonheurs au quotidien et ça part de là. Je trouve que lorsqu'on sait saisir ces moments, ça ne peut que se multiplier. Sais-tu ce qu'est le succès? On a toujours plus de succès que quelqu'un d'autre, et on a toujours moins de succès qu'un autre. On est toujours le riche de quelqu'un et le pauvre de quelqu'un d'autre. On est influencé par le monde dans lequel on vit, on est dans une société de consommation et je suis moi aussi une consommatrice, mais il faut se questionner à savoir quelle est la base de sa vie. Ma base, c'est ma famille, ça a toujours été ça. Et je pense que c'est ma base qui fait en sorte que le reste peut exister et être extraordinaire. J'essaie de perpétuer ça.

La famille étant aussi importante dans ta vie, tu serais passée à côté d'un bonheur si tu n'avais pas eu d'enfant?

Je pense que oui, ça aurait été impossible pour moi de ne pas avoir d'enfant. Je ne me suis jamais posé la question, c'était clair. J'avais 35 ans quand j'ai eu mon fils, il était désiré, j'étais rendue là. Ça a été un grand moment de bonheur, et je crois que la racine du bonheur, ce sont ces petites choses de la vie qui t'arrivent et qui te procurent de la joie ou du plaisir. Le reste, c'est ce que tu crées, ce que tu provoques. C'est un grand cliché, mais je pense que ce que tu envoies dans l'univers finit par te revenir. Dans ma vie, je me suis toujours dit que je voulais envoyer du bon, du beau, du positif et de l'amour dans l'univers, et ça me revient, c'est ce que je vis.

Être heureux, tu dirais que c'est aussi une volonté qu'il faut afficher et travailler pour que ça arrive?

Oui, le bonheur s'apprivoise, ça se cultive et ça se désire. On a tous des histoires à raconter, on a tous des blessures d'enfance et un passé avec lequel il faut vivre. Mais un jour, il faut s'arrêter et se demander ce qu'on peut faire dans sa vie pour être plus heureux. Il faut être proactif. Ça peut arriver que le bonheur surgisse tout à coup, mais il faut en prendre soin. Tout est dans l'angle sous lequel tu regardes la vie: d'un certain angle tu vois l'ombre, mais sous un autre angle tu vois la lumière. Qui que tu sois, malgré ton passé et ta réalité, le bonheur peut être là, il faut que tu saches le reconnaître. C'est peut-être aussi que certains ne regardent pas à la bonne place!

Tu vis une histoire d'amour avec le public depuis plus de trente ans, les gens t'ont toujours aimée et, surtout, n'ont jamais cessé de t'aimer…

Effectivement, ils m'ont aimée à travers mes rôles et moi aussi je les ai toujours aimés, mais ce n'est pas juste ça. C'est une relation humaine. J'ai toujours dit que je n'avais pas de mérite parce que j'aime le monde, je suis comme ça. J'aime m'arrêter pour parler aux gens, j'aime qu'ils se sentent spéciaux et qu'ils voient que je les écoute, qu'ils sentent que nous vivons quelque chose ensemble. Je le vis tous les jours avec le public en studio. Je sais que les jeunes filles qui viennent en studio vont me voir un peu comme une grande sœur ou comme une mère, ou les plus âgées agissent un peu comme si j'étais une sœur, leur fille, leur petite-fille, ou leur amie. On a un rapport qui est toujours sincère. Depuis que tu me connais, Daniel, j'ai toujours été la même, ça vient du terreau dans lequel j'ai grandi. Alors moi, je pense qu'on récolte ce que l'on sème. Quand je fais des bonnes choses, je ne m'attends pas à ce qu'on me le rende. Mais quand je vois le bonheur que je peux procurer autour de moi, ça me rend heureuse. Le rapport entre le public et moi a toujours été très sincère.

On le sait, quand le public aime quelqu'un, c'est souvent de façon inconditionnelle…

Il faut être conscient, dans le métier qu'on fait, avec tous ces gens qui nous reconnaissent et nous suivent dans notre carrière, que c'est un privilège que d'être remercié pour son travail et de réaliser ce que ça leur procure. On en a à la pelletée des marques d'amour, et ils sont rares ceux qui en reçoivent autant, qui reçoivent des tapes dans le dos pour ce qu'ils font. Combien de fois par jour me dit-on: «On aime tellement ce que vous faites; vous me faites plaisir; vous me faites du bien»? Peu importe le métier que l'on fait, il faut apprendre à recevoir les mercis, les appréciations, et à réaliser la chance qu'on a. Mon travail me permet de gagner ma vie et, en la gagnant, il me permet de vivre des moments, de me procurer des choses, de partager avec les gens. Le bonheur vient à moi sous bien des formes. Le plus grand luxe qu'on a, c'est de pouvoir faire des choix et il faut, autant que possible, demeurer maître de sa vie. Ça nous amène alors souvent à des bonheurs qui prennent forme à la suite de nos décisions.

Cela dit, il y a beaucoup de personnes qui vivent des moments difficiles, qui sont à la fois malchanceux ou malheureux et qui cherchent des solutions…
Quand tu es capable de plonger en toi pour te demander ce qui te rendrait heureux parce que tu es dans une situation difficile, tu dois faire des choix, surtout quand tu as des enfants. C'est sûr qu'on n'aime pas se séparer, par exemple. Personne ne le souhaite, mais en même temps la vie va vite et on a une responsabilité face à notre vie et face à nos enfants. Il n'y a pas un enfant qui mérite de vivre dans la misère, il faut se donner toutes les chances. Ça passe par des prises de décisions qui vont bousculer, qui vont peut-être faire du mal à certaines personnes, mais quand ça y va de ton bonheur profond, il faut que tu t'écoutes aussi. Je pense que si tu as le goût d'être heureux dans la vie aujourd'hui, il y a moyen de l'être en ayant recours à tous les services auxquels on a accès. Aller chercher de l'aide pour être heureux est une responsabilité qu'on doit assumer…

Il y a des choses qui ajouteraient à ton bonheur?
J'aimerais écrire, faire une maquette de chanson, simplement pour me faire plaisir et pour *triper* avec des musiciens. Je voudrais aussi voyager plus souvent. Je pense aussi qu'en étant mère d'un enfant, ça change

la donne. Mon fils Thomas est au haut de ma liste, le plus grand rêve de ma vie est de réussir à élever un enfant qui soit épanoui, responsable, heureux, et qui sache faire les bons choix pour lui-même. Je souhaite pouvoir accompagner mon fils jusqu'au bout, jusqu'à ce qu'il vole de ses propres ailes. J'ai eu la chance de vivre en Afrique pour mon rôle de la Dre Lucille Teasdale et on aime l'Afrique et les animaux, Thomas et moi. J'aimerais beaucoup faire un safari avec lui là-bas. Mais je n'ai pas vraiment de liste de rêves à réaliser. J'aime ce que je fais, j'ai eu la chance de voyager partout dans le monde pour mon métier, j'ai pu rencontrer des gens fascinants dans toutes sortes de milieux, de vivre des moments vraiment spéciaux, de faire de la radio durant dix ans, alors je me considère comme vraiment chanceuse et heureuse en repensant à tout ça.

Tu parlais de l'importance d'apprécier tous les petits moments de bonheur, quels sont ceux que tu te donnes en cadeau?
Avoir du temps est un cadeau. On est habitués à un horaire de fou et le fait d'avoir du temps pour moi, pour aller au théâtre, par exemple, ne pas être attendue quelque part et ne rien avoir à l'agenda, c'est du gros bonheur. Ça me rend heureuse aussi quand je suis avec la famille à la campagne, avec mes tantes, mes cousines, habillée en mou à jouer dehors, à profiter d'une bonne bouffe. Je dis que le temps c'est du bonheur, mais en même temps, je ne me plains pas parce que si je n'ai pas de temps, c'est que je suis avec des gens que j'aime et que je fais ce que j'aime.

On en a tous des blessures, mais mes désirs sont plus grands que mes peurs. Il faut essayer, il faut faire des choix, faire bouger les choses. Le bonheur, c'est aussi de ne pas avoir de regrets. S'il n'y a presque rien dans la colonne des regrets le jour où tu pars, c'est que tu auras réussi ta vie. Si tu n'es pas heureux dans ce que tu fais, change, fais-le, le changement. C'est sûr que ça peut faire peur, et je sais que ça prend du courage. Tu bouges évidemment à la hauteur de tes capacités, mais peu importe jusqu'où tu peux aller, si ça va dans le sens d'améliorer ta vie et ta situation, il faut le faire!

Isabelle Huot
S'émerveiller devant les petites choses

Depuis plus de dix-huit ans, Isabelle Huot mène une brillante carrière de nutritionniste qui l'a amenée notamment à faire de la télévision, à écrire des livres, à signer des chroniques et à donner des conférences. Son bonheur passe avant tout par son métier auquel elle consacre de nombreuses heures chaque semaine et par l'aide qu'elle apporte à quantité de gens en leur enseignant à mieux s'alimenter, à faire de meilleurs choix et à perdre du poids.

Isabelle, entrons dans le vif du sujet: est-ce que pour toi être heureuse passe par la bouffe?

Oui, l'un de mes grands bonheurs est de manger et de boire du vin. Je suis extrêmement gourmande, j'aime donc bien manger, mais de bonnes choses, de bons fromages, de grands vins, des repas gastronomiques. Le plaisir de manger est vraiment au cœur de mes grands bonheurs.

Par ton métier de nutritionniste, tu aides les gens à mieux s'alimenter, à faire de bons choix pour leur santé, c'est du bonheur pour toi?

Ça me rend heureuse quand je me fais dire par quelqu'un: «Grâce à toi, ça va bien, tu as changé ma vie.» Des témoignages du genre sont vraiment très stimulants. Je suis spécialisée en anorexie et en boulimie, et tout ce qui est trouble alimentaire est mon dada parce que le volet psychologique m'intéresse et que j'aime aider les gens. Il y a cette fille à qui je pense qui souffrait d'anorexie. Sa mère allait la voir toutes les nuits, elle pensait que le lendemain elle ne se lèverait pas. Aujourd'hui, elle est en santé, elle a un *chum*, elle se sent bien et pour moi, de l'avoir aidée, c'est la totale.

Les gens en surpoids important me confient souvent que c'est comme une grosse tache noire sur leur bonheur. Ils me disent: «Je vais être heureux quand je vais retrouver la santé et mon poids», mais j'essaie de les aider à être heureux tout de suite, à se trouver beaux tout de suite. J'aide beaucoup de femmes et je leur dis: «Ok, vous ne vous trouvez pas

belles? Qu'est-ce que vous aimez le plus chez vous?» Certaines me répondent qu'on leur dit qu'elles ont de beaux yeux, alors je leur dis qu'on va mettre l'accent là-dessus, j'essaie de rehausser leur estime de soi sans attendre. Elles peuvent être heureuses tout de suite et quand elles auront plus d'énergie, elles pourront faire encore plus d'activités et être plus heureuses.

Es-tu émotive quand des gens se confient à toi?

Oui, j'ai les larmes aux yeux tout le temps, j'essaie de me contrôler. Tu sais l'hyperphagie chez les femmes, ça vient souvent d'abus sexuels. C'est l'une des causes, et ça vaut aussi pour la boulimie. Les femmes se confient et même si je ne suis pas psychologue, j'adore cet aspect de la question. Je te dirais que c'est parce que j'ai vraiment l'impression d'aider les personnes et que c'est extrêmement valorisant que je prends de nouveaux cas. Les personnes que je vois ne se sentent pas heureuses parce qu'elles ont un trouble alimentaire ou qu'elles sont en surpoids. Soixante-quinze pour cent des femmes ne s'aiment pas, il y a vraiment une préoccupation excessive pour l'apparence et, plus que jamais, on accorde beaucoup d'importance à l'image que l'on projette.

Tu fais carrière depuis près de vingt ans, tu fais de la télé, des livres, est-ce que c'est un bonheur pour toi d'être dans l'œil du public?

Oui, mais en même temps, on dérange. C'est *plate* à dire, mais je pense qu'il y a beaucoup de jalousie dans les milieux de femmes et qu'au Québec en général, il

y a aussi beaucoup de jalousie face au succès. Quand je suis dans un Salon, les gens viennent me voir et ça me fait toujours plaisir quand ils me disent qu'ils m'écoutent, qu'ils aiment ce que je fais. D'un autre côté, la visibilité vient avec son lot de critiques.

Certains nutritionnistes cherchent la moindre occasion de me descendre et ne se gênent pas pour le faire. Je le vois quand j'avance des propos qui ne vont pas dans le même sens que d'autres théories, mais je pense que je fais rayonner la profession. Il y a une jeune

fille qui m'a écrit, à l'âge de 12 ans, que j'étais son idole. Aujourd'hui, elle en a 20 et fait un baccalauréat en nutrition. Ça c'est un bonheur! Il arrive souvent que des jeunes qui étudient à l'université me disent que c'est à cause de moi qu'ils ont choisi d'étudier en nutrition et c'est vraiment très gratifiant.

C'est une très belle marque d'appréciation!
Oui et tant mieux si j'inspire des jeunes. Ma vie, c'est vraiment ma carrière, je travaille sept jours sur sept et le succès, c'est des efforts, des efforts

et encore des efforts. Ma plus grande qualité est la persévérance.

Que dirais-tu aux gens qui sont malheureux parce qu'ils sont aux prises avec un problème de nutrition, qui veulent perdre du poids, régler leur problème pour être mieux?

N'attendez pas de perdre du poids pour être heureux, soyez heureux maintenant, puis faites une démarche pour être en meilleure santé, sans l'obsession de perdre du poids à tout prix. Quand on en fait une obsession, ça nous rend malheureux lorsqu'on ne maigrit pas et on capote si on prend deux livres. Il faut se dire que si on veut mieux manger, c'est pour avoir plus d'énergie et pour mieux dormir, et moins mettre l'accent sur la perte de poids. Quand on s'en préoccupe moins, le poids diminue.

Quand je demande à mes clientes en combien de temps elles ont pris ce 30 ou 50 livres en trop, certaines me répondent que ça s'est fait sournoisement en cinq ou dix ans, et elles veulent les perdre en deux mois. Je leur dis alors: «Pourquoi est-ce qu'on ne se dit pas qu'on va perdre 20 livres en un an, tranquillement, en conservant des petits plaisirs, mais en améliorant votre relation avec les aliments et en faisant des meilleurs choix?».

Et le bonheur selon toi?

Je pense que le bonheur est la capacité de s'émerveiller devant les petites choses. Ce n'est pas de se dire: «Je vais être heureux quand je vais avoir perdu 100 livres ou quand je vais avoir gagné à la loterie...». Non, le bonheur c'est vraiment dans les petites choses. Quand je suis partie avec mon sac à dos à 18 ans pour faire le tour de l'Europe et que je dormais au sol dans les gares de train, j'étais super heureuse. Le bonheur ne se trouve pas dans l'argent, c'est plutôt de rencontrer les gens et de leur faire plaisir qui procure de petits bonheurs. Je te donne un exemple: l'été, je fais des sandwichs pour des enfants défavorisés et on livre 1 000 lunchs dans des camps de jour pour des jeunes qui, normalement,

ne mangeraient pas ou mal. Le bonheur, c'est aussi beaucoup de donner; je fais du bénévolat depuis l'âge de 16 ans et ça me nourrit énormément. J'aime moins recevoir, je me souviens des *surprises* que ma mère m'organisait quand nous habitions à Ottawa; des amis de Montréal descendaient pour venir chez nous, je capotais, c'était comme trop.

Tu parles de rencontres avec les gens, tu as beaucoup d'amis, ça doit contribuer à ton bonheur...

Moi, j'ai vraiment le bonheur très facile et je me réjouis de tout. Et oui, mes amies contribuent à mon bonheur, ce sont toutes des petites *gangs* différentes et complémentaires: un groupe d'intellos avec qui on fait notre club de dégustation de vin, un groupe de fofolles avec qui c'est tout le temps le *party*. Et tu vois, demain, les filles de l'ancienne *gang* de *Salut Bonjour* viennent prendre l'apéro chez moi et ce sera un moment de bonheur. Je profite vraiment de tous ces instants, de ces rencontres. En plus, j'ai un *chum* extraordinaire que j'ai rencontré à mes 40 ans. Nous ne sommes pas mariés, mais fiancés, et il dit toujours qu'il va me préparer un gros *surprise* pour mes 50 ans. Je pense que nous allons nous marier, on verra...

Je n'ai pas d'enfant, et ça c'est un regret. J'ai le syndrome des ovaires polykystiques, j'ai donc dû faire enlever mes deux ovaires. Je regrette tellement de ne pas m'être tournée vers l'adoption. En vieillissant, j'ai comme réalisé à un moment: *Ayoye! Je n'aurai pas d'enfant dans ma vie...* On voyage beaucoup, mon *chum* et moi, je travaille toujours autant, mais quand tu n'as pas de famille, il me semble qu'il manque quelque chose.

Tu as de la famille?

Ma mère est décédée quand j'avais 40 ans, ça a été une grande perte, j'étais très proche d'elle. Mon père, je ne lui ai pas parlé pendant deux ou trois ans, mais on a maintenant repris le contact. Quant à mon frère, je lui parle une fois par année. Le fait que je n'aie pas d'enfant et que j'aie très peu de famille n'aide pas les choses.

Tu parles de ta mère, j'imagine que ça a été une épreuve très difficile ?

Je me souviens qu'à mes 40 ans, j'étais dans mon auto et je me disais : *Ayoye, ma vie est débile, je trippe !* J'avais vraiment des instants d'extase totale, tout était parfait. J'adorais mon travail, je voyageais, j'avais mes amis, mes parents et j'avais cette belle complicité avec ma mère qui était un vrai rayon de soleil. Sur mon échelle du bonheur, j'étais à 12 sur 10, mais depuis le décès de ma mère, je dirais que je suis plus à 8 ou 9.

Est-ce qu'elle est décédée subitement ?

Écoute, c'est terrible, ça ne se peut pas un sort aussi triste. Ma mère, qui faisait 5 pieds et 100 livres, travaillait à temps plein et n'avait pas de problème de santé. Un jour, elle a mal au foie et on lui diagnostique un problème de vésicule. C'est un problème dans la famille, moi-même j'ai fait enlever la mienne à l'âge de 20 ans. Elle avait des calculs à la vésicule qui n'ont pas été enlevés et qui se sont transformés en cancer ; elle avait des métastases partout dans le ventre. Le médecin lui a clairement dit : « Madame, il vous reste deux, trois mois à vivre, allez faire votre testament. » Aïe, écoute, ça a été le choc ! Déjà, le diagnostic de cancer c'est *tough*, mais là de se faire dire qu'elle n'a aucun espoir ? Aïe, moi tu ne me dis pas ça ! J'ai pris son dossier et je l'ai amené au meilleur hôpital, je suis allée au Royal Victoria, je l'ai envoyé à Saint-Luc, j'ai regardé en Europe. Pour moi, il n'y avait pas de prix, j'ai regardé en Russie, partout dans le monde où il y aurait eu un traitement exploratoire pour ma mère. J'en étais même au point où je voulais l'amener à l'endroit controversé où la femme de Paul McCartney s'est fait traiter. Quand la vraie science dit qu'il n'y a rien à faire, on essaie l'alternative, même si je suis la première à dire que ça n'a pas d'allure ces affaires-là, mais à un moment donné t'es rendue tellement désespérée ! Et puis ma mère m'a dit un jour : « Non, Isabelle, je suis rendue tellement fatiguée, il n'y a rien à faire. » Elle avait 62 ans et elle est décédée très rapidement. Elle était tellement résiliente, elle m'a dit : « C'est correct, j'ai eu une belle vie, je suis rendue là. »

Et toi dans tout ça, ça te donne le goût de profiter un peu plus de la vie ?

Avant la mort de ma mère, je lui ai fait une promesse. Elle m'a dit : « Écoute, Isabelle, tu travailles sept jours sur sept — depuis l'âge de 16 ans, j'avais trois emplois pour payer mes études, j'ai toujours travaillé énormément, c'est dans ma nature —, tu n'as pas de vie ! » Je lui ai promis que j'allais mettre de l'équilibre dans ma vie, que j'irais me reposer plus souvent à notre condo à Magog. Et c'est ce que je fais, je me l'impose, on va passer un minimum de 24 heures là-bas l'été, le week-end. C'est un demi-équilibre dans ma vie.

Que te manque-t-il pour être encore plus heureuse ?

Je serais plus heureuse si je ne voyais plus de pauvreté, d'inégalités sociales, d'enfants qui ne mangent pas à Montréal, au Québec. La méchanceté des gens sur les réseaux sociaux est une chose qui me perturbe : ces personnes qui ont la critique facile et qui se cachent derrière leur anonymat.

Mais toi, ton bonheur personnel ?

J'ai pas mal tout pour être heureuse. J'ai un emploi rêvé, je suis mon propre patron, je suis en amour avec un super bon gars, ça va bien. On a vraiment un bel équilibre et… je mange bien !

Manon Leblanc

Chasser le stress pour faire ce que l'on aime

Manon, tu m'inspires! C'est là le titre de l'une des nombreuses émissions animées par Manon Leblanc au fil des ans, et de celles à avoir certainement inspiré quantité de gens. C'est le travail de Manon de semer des idées qui rendent les gens plus heureux dans leur environnement quotidien.

«Quand j'ai fait mes débuts à l'émission de Clodine Desrochers, je partageais mes trucs, les choses que j'avais apprises et développées dans mon atelier. J'ai toujours pensé que les gens généreux ne sont jamais perdants, alors je n'ai jamais été avare de mes idées; j'ai donné mon savoir et j'ai toujours reçu du public. Je me disais: "Si les gens *trippent* à faire mes affaires, on va avoir du *fun*."

«J'ai ensuite voulu aller au-delà de ça, je voulais aider les gens. Je voulais que les gens pour qui je transformais des pièces aient réellement besoin de ces changements et que ceux-ci les rendent heureux. Ça, c'est bien plus que de la déco. C'est *le fun* de faire plaisir aux gens et tant qu'à faire quelque chose dans la vie, je peux le faire en *trippant*. J'adore ça, c'est créatif, je respecte tout le monde et, Dieu merci, on a des médecins, des comptables, des gens qui font d'autres choses, et moi j'ai la chance de pouvoir faire ce que j'aime et de rendre service aux gens», confie l'animatrice et productrice.

Quelle est ta notion du bonheur?

En pensant qu'on vit 365 jours par année, je me demande toujours comment je peux faire pour être heureuse le plus de jours possible. Je suis vraiment dans le quotidien et être heureuse, pour moi, c'est de m'entourer des gens que j'aime. Je ne peux supporter les ondes négatives, je les sens car je suis très sensible, et les personnes négatives sont contagieuses. Je travaille de près avec certaines personnes depuis plusieurs années et quand on fait des tournages, je garde pas mal la même équipe. Comme je travaille beaucoup, je dois m'entourer de personnes que j'aime et sentir qu'elles m'aiment.

Donc, ton entourage est super important pour que tu sois heureuse?

Je ne suis pas amie avec une personne que je n'aime pas. Je connais plein de monde et je ne porte aucun jugement, ça c'est une chose très importante. J'ai souvent dit à mes enfants, Bianca et Dimitri, de ne pas juger les gens avant de les connaître. Des fois, tu hais quelqu'un à prime abord et cette personne va devenir ta meilleure amie! Que quelqu'un ne soit pas de ton genre et n'ait pas les mêmes champs d'intérêt, ce n'est pas grave, il faut aller au-delà de ça. Je pense que le bonheur vient vraiment du cœur. Je le vois, je rencontre des familles simples dans lesquelles les gens sont heureux et bons. Je pense qu'il faut vraiment agir avec le cœur, ne pas être jaloux et ne pas trop se méfier des autres non plus. Il faut faire confiance à notre jugement et se fier à nos intuitions. Tu n'es pas obligé d'être ami avec tout le monde, mais quand tu pars avec une base positive, une ouverture d'esprit, tu peux aller chercher du bon chez les autres.

Dans tes priorités, sur ta liste pour être heureuse, que retrouve-t-on en première position ?

La santé et l'amour, à égalité. Je ne dirais pas l'argent parce que j'ai tellement vu de monde heureux et d'autres qui ne l'étaient pas, avec ou sans argent. L'argent ne fait pas le bonheur, mais ça rend le malheur confortable, comme ils disent. Ça dépend de ta relation avec l'argent : il y a des personnes qui en ont et qui font du bien aux autres, ils sont heureux et ils *trippent*. Et il y en a d'autres pour qui le défi est seulement d'en faire plus.

Et la santé ?

J'ai eu un cancer de la peau et j'ai été opérée, je faisais de la télé à ce moment-là et j'étais monoparentale.

J'ai eu peur que ça revienne, j'avais peur de perdre ma famille, j'avais peur de tout! Je me disais: «Et si tout à coup ils me perdent? Et si jamais ça revenait?» Ils me l'ont enlevé cinq fois avant de le faire de façon définitive. Quand ça t'arrive, le *hamster* se fait aller, je pensais seulement aux enfants qui étaient jeunes à ce moment-là. Quand ça fait cinq ans que c'est passé, ça ne revient pas, mais je me fais examiner chaque année et j'ai appris à faire attention.

L'amour occupe une place importante aussi dans ta vie?

Je serais super contente de rencontrer un gars avec qui j'aurais une connexion amoureuse, j'habiterais avec lui pour le restant de ma vie, mais ça ne manque pas à mon bonheur. J'ai du plaisir dans la vie, j'ai beaucoup d'amis, je fais plein d'activités, je suis invitée partout, ce n'est pas comme si je m'ennuyais. J'ai eu trois amours dans ma vie et les hommes importants ont vraiment compté. Quand tu as connu «l'amour», tu sais que ça doit te faire vibrer au début et je sais aussi que l'amour peut se transformer au fil des années. Je travaille beaucoup et souvent, le soir, je reste sur les chantiers; j'aime ça et j'ai mes amis, mais peut-être que je ne me mets pas en situation pour rencontrer de nouvelles personnes. Mais en même temps, je me dis que si ça doit arriver, ça arrivera. Je pense qu'on a tort de dire que le bonheur ne passe pas par l'amour, mais il y a toujours moyen d'être super heureuse en attendant.

Tu n'es pas du genre à vivre dans le passé?

Pantoute, je ne regrette rien. Il n'y a personne que j'aie rencontré dans ma vie que je ne suis pas contente d'avoir rencontré. Tout le monde m'a apporté quelque chose, même si c'était négatif.

Qu'est-ce qui te rend heureuse dans la vie de tous les jours?

Mes petits bonheurs, ce sont les soirées où je ris avec mes copines ou mes amis de gars. Le bonheur c'est aussi la présence de Maggy, à qui je lance parfois la balle dans la piscine et que je regarde sauter à l'eau

pour aller la chercher. Les petits moments heureux, c'est aussi des soirs, après de grosses journées, où j'arrête acheter un vin rouge, du prosciutto, une mousse de homard, des petites affaires *cute*. Je me fais des mini dégustations, je mets de la musique, je relaxe, je suis contente et je trouve ça *cool*. Tous les matins, je regarde rapidement la chronique nécrologique, question de voir s'il y a un proche qui est décédé, des amis. Je ne suis pas triste en regardant ça, je vois des personnes qui ont fait leur vie et qui sont parties, des plus jeunes aussi, et je me dis qu'il faut que je profite de la vie. Elle est belle, je suis chanceuse d'être en forme et de pouvoir passer des soirées avec mes amis, de me baigner, de ne rien faire. Parfois, je suis assise avec Maggy et mes deux petits chats, Lili et Nicky, et je trouve ça *cute*. Je savoure tous ces petits moments qui me rendent heureuse.

Tu travailles beaucoup, est-ce que tu te gardes assez de temps pour profiter de la vie?

Je suis en train de diminuer un peu, j'essaie, mais c'est difficile. En même temps, j'ai le goût de voyager, de faire plein d'affaires. Justement, pour faire durer le bonheur, j'aimerais me mettre en meilleure forme physique. Je pense qu'avec les années, le stress est quand même un peu plus présent, je le sens davantage que lorsque j'étais jeune. L'idée est de diminuer mon stress le plus possible tout en continuant de faire ce que j'aime. J'essaie de m'entourer pour me donner un peu plus de corde, pour pouvoir partir plus souvent voir mes amies en Floride. Ça s'en vient, mais il est clair que le bonheur qu'il me reste à atteindre est d'avoir plus de temps pour moi.

Et comment réussis-tu à traverser les moments plus difficiles?

Je vais toujours chercher le côté positif dans ce que je vis: moi, je vois la moitié du verre plein. À une époque, j'ai perdu mes parents, il m'est arrivé aussi à un moment des histoires personnelles et ça m'a atteinte, je suis allée chercher de l'aide, j'ai parlé à des gens qui ont vécu des choses semblables. L'important est d'en parler. Je suis assez forte, les problèmes vont toujours être là, mais il faut apprendre à vivre avec et à être heureux quand même. Ma mère disait souvent que la vie est un combat et elle avait raison. Il arrive souvent des choses difficiles, mais on s'organise pour passer au travers, c'est ça qui compte. Combien de personnes planifient leur retraite et ne peuvent finalement pas en profiter parce qu'ils sont frappés par la maladie ? Je ne veux rien manquer, j'ai le goût de faire une foule de choses.

Tu as un grand rêve que tu souhaiterais réaliser ?
J'aimerais aller en Indonésie, idéalement avec mes deux enfants. Tout le monde m'en parle et tout ce que je vois, les images, le design, la paix, la philosophie, c'est tellement beau !

Mario Tessier

La joie d'être entouré de ceux qu'on aime

Le bonheur se lit dans les yeux de Mario Tessier lorsqu'il parle de son amour pour ses proches. Il faut le voir, ému, quand il insiste sur l'importance qu'occupent ses filles dans sa vie, à quel point il veut être là encore longtemps pour vivre une foule de beaux moments avec elles. Celui qui a passé la majeure partie de sa carrière derrière un micro en studio, avant de se retrouver sur scène et devant les caméras, est de toute évidence un bon vivant qui a toujours en tête, lorsque des moments plus difficiles surviennent, qu'après la pluie vient le beau temps.

« Pour moi, le bonheur est fait de petits moments de plénitude, des moments où je suis vraiment bien. Ça n'a pas besoin d'être compliqué ou de coûter cher. Tu vois, par exemple, ça faisait longtemps que je n'avais pas vu mon frère, et hier il est venu souper à la maison. On a eu du plaisir, on s'est fait des steaks sur le barbecue et j'étais le gars le plus heureux du monde parce que mon frère était avec moi. Le bonheur, c'est de vivre des moments privilégiés et, en vieillissant, tu chéris ces moments-là parce que le cercle des personnes qui te sont chères se précise, et c'est ta famille qui prend la place la plus importante. C'est normal, c'est ce que tu veux et ce qui est sain aussi. Ce n'est pas vrai qu'une personne peut être heureuse à 100 %, vingt-quatre heures sur vingt-quatre. Je n'y crois pas, on voit ça dans les films. Je suis chanceux parce que ça ne va pas souvent très mal; il y a des petites embûches qui surviennent, mais ma philosophie est que lorsqu'il fait mauvais, le soleil va inévitablement finir par réapparaître. Les choses finissent par se tasser et l'important est de ne pas s'angoisser et de ne pas se complaire dans la malchance ou le malheur qui peuvent survenir, parce que c'est le meilleur moyen de les entretenir. C'est toi qui l'éloignes ton bonheur, comme c'est toi qui le fabriques aussi. Si tu te mets d'autres embûches dans la tête, tu tasses du revers de la main les événements qui auraient pu te rendre heureux, parce que tu traverses une période sombre et que tu te fermes à eux. Les petits moments qui peuvent te rendre heureux, c'est comme si tu ne les voyais pas parce que tu ne vois que les choses négatives.

Dans ton cas, dirais-tu que tu es plus attentif aux petits bonheurs du quotidien, et que tu sais mieux les apprécier aujourd'hui qu'il y a dix ou quinze ans?

Oui et ce sont les enfants qui en sont la cause, parce qu'ils te font réaliser que le temps file très rapidement. Ma nièce est maintenant maman et elle a un bébé qui a près d'un an; je la revois encore, à l'âge de 7 ans, sauter avec ma fille sur le trampoline au chalet! Et, et il n'y a pas si longtemps, mes trois filles étaient bébés! Alors oui, ça passe vite et il est important de saisir tous les moments de bonheur qui surviennent. Les enfants sont en quelque sorte le *timekeeper* de ta vie. J'oublie plein de choses dans la vie, mais en ce qui concerne mes enfants, je n'oublie rien: la pre-

mière fois qu'elles ont marché, les premières dents… Je peux me situer dans le temps avec les souvenirs reliés à mes enfants.

J'imagine qu'en étant conscient que ces moments sont précieux, tu essaies de passer le plus de temps possible avec ta famille ?

J'essaie d'être là le plus possible, je travaille encore très fort, mais en même temps je ne fais pas pitié. Tu sais ce que c'est ce métier-là : j'ai des périodes où je peux travailler durant trois semaines consécutives et ne plus avoir de vie, pour ensuite avoir une ou deux semaines plus relax. Je suis chanceux, je ne travaille pas toujours intensément comme dans un autre métier, j'ai des vacances et des moments privilégiés avec mes enfants. Maintenant, ce qui me motive, même si je veux encore travailler et faire des projets stimulants, ce n'est pas nécessairement de penser à mon prochain défi de carrière. Ce qui m'excite le plus et qui me rend heureux est de réaliser que dans trois semaines ou dans deux mois, j'ai du temps réservé à mon agenda pour faire une activité ou un voyage avec mes filles et ma blonde. Pour moi, c'est un horizon de bonheur, des moments précieux que j'anticipe. Mes grands moments de bonheur surviennent vraiment quand toute ma *gang* est là, dans des *partys*

ou toute autre occasion, lorsque tous mes proches, ma famille, ma blonde, mes filles, mon frère et ma mère sont autour de moi.

Tu parles des moments heureux que tu planifies, profites-tu de ceux qui surviennent tous les jours ?

J'essaie de profiter du moment présent, c'est difficile et j'ai lu mille livres là-dessus ! Quand ça va vite dans ma vie, et je pense à l'époque des *Grandes Gueules*, une aventure à la radio qui a duré vingt ans et qui nous a permis d'établir des records de cotes d'écoute, j'apprécie ce que je vis, ce qui m'arrive, mais je suis déjà occupé à planifier le lendemain. C'est au moment où ça se termine, quand j'ai du recul, que je peux mesurer et apprécier ce que j'ai fait. Je revois des moments phares, des événements, et je réalise que je ne les ai peut-être pas savourés pleinement, autant que j'aurais dû le faire, parce que ça allait trop vite. Aujourd'hui, quand il m'arrive de belles choses, ou même de moins belles, j'essaie de prendre le temps de bien les recevoir. Au théâtre, on parle de recevoir la réplique de l'autre. Avant de commencer à parler, tu écoutes la réplique de la personne en face de toi, tu reçois ce qu'elle te dit, et ensuite, c'est à toi de rebondir, de répliquer. Ça, ça veut dire que je suis dans le moment présent et que j'écoute l'autre pendant qu'il me parle.

Est-ce que le fait de vieillir t'angoisse ?

Je n'ai pas de problème avec ça, ce n'est pas de vieillir qui me fait peur, mais de ne pas être là assez longtemps pour ma *gang*. On vieillit tous, j'ai une télé en HD et je vois moi aussi que ma face vieillit, tranquillement pas vite ! J'aime la vie et je veux en profiter au maximum, il n'y a pas assez de vingt-quatre heures dans une journée pour faire tout ce que je voudrais. J'ai mille projets et, avec mes enfants, je me vois faire un paquet d'affaires, mais le cadran continue tout le temps de tourner. Quand tu es jeune, tu vois des gens autour de toi qui disparaissent mais, plus tu vieillis, plus ton cercle vieillit et tu deviens plus susceptible de voir des personnes que tu connais partir les unes après les autres. Tu vois, par exemple, il y a des années que je veux faire un voyage avec mon frère qui a dix ans de plus que moi. Je suis allé en vacances à quelques reprises avec lui, avec nos proches, mais ça fait longtemps que je veux partir seul avec lui. J'aimerais aller en Californie, qu'on passe du temps ensemble, prendre la route 1 avec une décapotable et voir plein de choses. C'est un projet important pour moi et si un jour il arrive quelque chose sans que j'aie pu faire ce voyage avec lui, je sais que je vais m'en vouloir.

En contrepartie du temps qui passe, dirais-tu que l'argent fait le bonheur?

L'argent ne fait pas le bonheur, mais il amène la liberté, mais ce n'est pas garanti que d'avoir de l'argent rende heureux. Sauf qu'on ne se cachera pas que ça me permet de gâter mon monde. Mes filles vont dans les meilleures écoles, et ça me permet de choisir ce qui me rend heureux. Je ne fais plus de choses qui ne me tentent pas, même si j'ai été chanceux dans ma vie et que ça ne m'est pas arrivé souvent. Je fais ce que j'ai envie de faire et quand j'écoute mon cœur, je ne me trompe pas. Ou rarement. C'est bon d'avoir de l'argent, mais seulement si tu peux le partager avec quelqu'un. Si j'étais *cheap* dans la vie, je serais très riche! J'ai à la fois été chanceux et travaillé très fort et je pense qu'il n'y a pas de plaisir à avoir si tu es mesquin et que tu n'en fais pas profiter les autres.

Ton bonheur passe par le bonheur des autres?

Clairement. Celui de mes proches et le plaisir d'apprécier leur présence et d'être spectateur de leur bonheur. Je veux avant tout que mon monde soit bien. Et le plaisir de mon métier, bien sûr. Quand je fais un spectacle et que je vois les gens rire, qu'ils viennent me voir à la fin de la soirée pour me dire que je les ai touchés ou divertis, que mon histoire leur rappelle leur histoire, ça c'est ma paie. Bien plus que l'argent que tu peux me donner pour faire le spectacle. Ma fille Jade va probablement faire ce métier-là, elle étudie en immersion de la scène et elle est très bonne. Quand ce sont tes enfants, tu veux non seulement qu'ils connaissent du succès, qu'ils atteignent le ni-

Une famille tricotée serré

Mario Tessier partage sa vie avec Dominique depuis plus de quinze ans. Ils sont parents de trois enfants. «Quand j'ai rencontré ma blonde, elle avait une fille, Naomi, qui avait 5 ans à l'époque, et son père est décédé quand elle en avait 8. Je l'ai adoptée légalement à l'âge de 10 ans. Elle est ma fille, au même titre que mes deux autres, Jade et Maeva. C'est drôle parce que je me fais souvent dire que Naomi me ressemble!»

veau que tu as réussi à atteindre, mais qu'ils te dépassent et fassent cent cinquante fois mieux que moi. C'est peut-être cliché de dire ça, mais je pense que, pour les parents, notre bonheur se situe d'abord dans l'épanouissement et le bonheur de nos enfants. S'ils sont heureux, il y a de bonnes chances que je sois heureux aussi. Et l'inverse est aussi vrai.

Mis à part les moments en famille, ta conjointe et toi, vous arrivez à vous créer des moments de bonheur en couple?

Ça n'arrive pas très souvent que nous puissions être seuls tous les deux, mais c'est souvent en voyage que nous nous retrouvons, entre autres à New York, notre ville préférée. Je rêve d'ailleurs depuis longtemps d'avoir un appartement à New York. On aime y aller et quand nous nous sommes connus, c'est à New York que nous avons fait notre premier voyage. On voyage énormément ensemble, c'est parmi les moments où je suis le plus heureux. On essaie de partir une ou deux fois par année, et New York demeure toujours l'une de nos destinations préférées. On vit comme des New-Yorkais, on va voir des parties de baseball, des comédies musicales. Sinon il y a aussi de grands moments de bonheur quand nous voyageons avec les filles. Et j'en profite aussi pour faire du sport. Je suis hyperactif, j'ai besoin de bouger, de jouer au golf, au tennis, d'aller m'entraîner. Même en voyage, je m'entraîne tous les jours. Si ma blonde veut lire sur le bord de la piscine, c'est parfait, mais moi, ça m'ennuie comme la pluie, je préfère faire du sport.

Maude Guérin

L'importance des gens qui nous font du bien

Maude Guérin est entière. Passionnée par un métier qui l'a amenée à faire autant du théâtre que du cinéma et de la télévision, elle est clairement très douée pour le bonheur qu'elle vit au jour le jour. «L'ultime but, la recherche que je fais tout le temps, c'est d'apprécier le moment présent, d'apprécier l'instant, surtout dans le monde de performance, de réseaux sociaux, de représentation dans lequel nous vivons. Je ne trouve pas qu'on s'en va vers le mieux au niveau de l'être humain. »

Vous aimez voir jouer la comédienne? Vous seriez aux anges d'avoir l'occasion de vous asseoir avec elle durant une heure, à l'écouter parler du bonheur, de la vie, de ses moments de grâce et aussi de ses angoisses. Une femme qui est un livre ouvert et qui ne donne pas dans la demi-mesure.

Tu as très rapidement su, lorsque tu étais jeune, où tu allais trouver ton bonheur?

J'étais très volontaire quand je suis sortie de l'École de théâtre, j'avais 21 ans, et j'ai toujours cherché le bonheur à travers mon métier, ma passion pour le théâtre, avec pour résultat que je me suis coupée de beaucoup de choses. Quand j'étais jeune, mon but ultime était d'être actrice. Si je n'avais pas mis tous mes œufs dans le même panier, je n'aurais pas réussi à devenir l'actrice que je suis. Il y a beaucoup de jeunes aujourd'hui qui ont mille occupations et c'est parfait s'ils sont capables d'y arriver. Je pense à certains petits Xavier Dolan en puissance qui font tout, touchent à tout et réussissent tout. Ça c'est magnifique, mais moi je n'étais pas comme ça. Je suis de l'époque où l'on décidait de faire quelque chose et on le faisait à fond.

As-tu l'impression qu'en y allant à fond, comme tu dis, tu es passée à côté de quelques bonheurs?

Oui, parce que je m'intéressais moins à la vie. Quand on est jeune, on ne s'intéresse pas à la vie des autres et à la vie en général. Les petits plaisirs de la vie, ces plaisirs qui sont de base, naturels, faciles et qui ne coûtent rien, on ne s'intéresse pas beaucoup à ça quand on est jeune et c'est normal. C'est la jeunesse, volontaire et portée sur l'illusion: on fonce, on veut devenir quelqu'un, on veut accomplir des choses et c'est normal. Mais je suis passée quand même à côté de certaines rencontres, de certains bonheurs simples, faciles et fragiles que j'aurais pu capter au passage tout en suivant ma route. Par exemple, je me trouve un peu «nounoune» — mon *chum* n'aimerait pas ça entendre ça — parce qu'il y a des choses que je n'ai pas apprises étant donné que j'investissais tout mon temps sur ma carrière. Je trouve que je manque de connaissances générales et quand je participe à des émissions questionnaires, je me dis: «Comment ça se fait que je ne sais pas ça?». Mon *chum* me dit: «Ce n'est pas parce que tu es niaiseuse, tu es une fille extrêmement intelligente, mais tu t'intéresses à ton métier, aux auteurs». Et c'est vrai, j'ai investi tout mon temps dans mon métier, mais j'aurais aussi pu apprendre et m'intéresser à autre chose.

Sur une échelle de 1 à 10, dans ta vie en général, ton bonheur se situe à quel échelon ?

Je dirais au moins 7-8, ça dépend des jours. Ce qui me manque pour atteindre le 10, et je pense que c'est un exercice qu'il faut faire dans la vie, est de m'asseoir et de me demander ce que je fais pour les autres, ce que je fais pour moi et quels sont mes réels désirs. À mon âge, j'ai quand même une moitié de vie de faite, je dois me questionner pour savoir ce qui me manque profondément. Pas ce que je n'ai pas accompli, ce n'est pas une affaire de carrière, mais plutôt ce que je désire vraiment, ce qu'il me faut pour être encore plus heureuse. Autour de moi, dans notre métier, il y en a qui ont tout et qui continuent de courir après je ne sais quoi. Je le dis parfois à des gens, à des collègues de travail : « Pourtant tu as tout, tu travailles sans arrêt, tu as la notoriété, la reconnaissance ! » Je pense que mes désirs sont enfouis quelque part et sont probablement dans les petites choses simples auxquelles je ne consacre pas de temps.

Je vais te donner un exemple, je n'ai pas le temps de lire des romans, moi qui adore en lire. Ça m'agace parce que je vois des gens, comme la sœur de mon *chum*, qui ont une vie réglée comme une horloge, qui travaillent sans arrêt et ont des emplois qui demandent beaucoup d'heures, mais ils ont quand même le temps de regarder tous les téléromans québécois et de lire. C'est un mystère pour moi de voir tous ceux qui ont du temps pour faire tout ça.

Le manque de temps est un problème pour bien des gens, qui sont emportés et accaparés par leur vie trépidante…

Tu sais, je suis l'une des actrices les plus privilégiées de mon métier. J'ai toujours eu des rôles de femmes exceptionnelles et si on fait preuve d'honnêteté envers soi-même, le bonheur se trouve dans ce qu'on a réussi à accomplir et dans ce qu'on possède. Je touche au bonheur tous les jours, et je dis merci à la vie tous les jours. Mais tu as raison, c'est le temps qui nous manque, il faudrait arrêter la machine et prendre le temps pour soi et pour les autres.

J'avais une amie handicapée, Geneviève Robitaille, elle est décédée récemment. Elle a étudié avec moi et désirait être actrice. Elle a écrit de belles petites plaquettes, mais souffrait d'arthrite rhumatoïde et, à la fin, elle était paralysée jusqu'au cou. Elle vivait à Québec et quand j'y allais pour jouer les *Belles-sœurs* ou *Sainte Carmen de la Main*, j'allais la voir tous les jours et je jasais avec elle durant une heure. Elle était juste dans les « vraies affaires », elle était dans la lumière, sur la feuille dans son arbre, dans le vent, dans toutes les choses sur lesquelles se portait son attention. Elle voyait l'essentiel et s'y attardait alors que nous on le voit, mais on passe à côté. C'est grave ! Est-ce qu'il faut vraiment attendre d'être en fin de vie pour voir l'essentiel, pour prendre le temps de le voir ?

Il y a des gens qui prennent le temps de s'attarder à ces choses simples, mais effectivement, ils ne sont pas légion…

J'ai comme l'impression que tout ce que veut le monde en ce moment, c'est d'être actuel, d'être dans la représentation. Pourquoi cherche-t-on tout le temps à avoir plus, à obtenir plus, qu'est-ce que ça donne ? En vieillissant, j'essaie de me départir de ce que j'ai pour aller à l'essentiel. Mon *chum* m'a déjà raconté que l'auteur Michel Garneau a un jour décidé de tout vendre, de se départir de tout et de repartir à zéro avec une assiette, une fourchette, un couteau, une tasse et un verre. Mon *chum* a ri quand je lui ai dit que je venais faire une entrevue sur le bonheur, il m'a dit : « Je m'excuse, mais les gens ne sont tellement pas là-dedans, ce n'est tellement pas à la mode, le bonheur ! » Je lui ai dit qu'il avait raison et qu'il fallait justement en parler !

Pourtant, il y a beaucoup de livres qui portent sur le sujet et quand tu regardes autour de toi, tu vois beaucoup de gens qui ont de grands rêves et qui en veulent toujours plus et plus…

Moi, je considère que le bonheur n'est pas là, on se leurre et on rentre dans un mur si on s'en va vers ça. Quand j'étais jeune, il m'importait de côtoyer les gens qui apportaient quelque chose à ma vie. Je suis très, très choyée, pas seulement parce que j'ai eu du travail, mais parce que j'ai travaillé avec des grands, des Jean-Louis Millette, Hélène Loiselle, Catherine Bégin, André Montmorency, Juliette Huot, Yves Desgagnés... Et il y a aussi tous ceux d'une autre génération, les Benoît Girard, Guy Provost, Michel Dumont, avec lesquels, pour la plupart, j'ai eu l'occasion de jouer, et j'ai aussi fait du Victor Lévy-Beaulieu, que j'ai pu côtoyer. Des gens pour qui j'ai beaucoup de considération et qui sont pour moi des sommités, des gens de talent et de grands passionnés qui prenaient leur métier à cœur. C'est ce qui est important pour moi, ça c'était du bonheur. Sur mon lit de mort, je ne me rappellerai plus vraiment les rôles que j'ai joués, mais quand je regarde des photos, je me souviens des gens que j'ai rencontrés, des metteurs en scène, de certains moments, des compagnons acteurs. Ce ne sont pas les rôles qui m'apportent le bonheur, ce sont les gens.

Justement, aux côtés de camarades, par ton métier, tu as souvent touché au bonheur?

Oui, dans ma vie de comédienne, j'ai touché très souvent à des moments de grâce et j'ai travaillé avec des gens extraordinaires. Par exemple, Pierre Colin et Louison Danis qui jouaient mes parents dans *Toute la Vérité*. Chaque fois que je vois Pierre, il est un trésor pour moi, on parle durant quinze, vingt minutes de façon intensive. Nous nous sommes vus récemment et il m'a parlé de ses enfants et de ce qu'on a à transmettre à nos enfants. J'ai appris de cette conversation et je lui ai demandé si je pouvais prendre ses paroles et les mettre dans ma poche. Ça m'aide pour mon fils de 14 ans. Il m'a appris qu'il fallait se battre et que la vie, ce n'est que de la résilience. On peut parfois tomber, parce que la vie est une série d'épreuves, mais tu te relèves, et une fois que tu as réussi à te relever, tu retombes. Et ce qui fait que tu te relèves, c'est la résilience. Il faut apprendre à être résilient, à savoir que c'est ça la vie et qu'elle n'est pas facile.

Tu disais que tu manquais de temps, tu réussis quand même à en trouver pour des petits moments heureux?

Oui, je le fais, j'ai une amie que j'adore et on prend le temps de se voir, d'être ensemble, on joue au Scrabble et on boit des *gins tonic*. Et avec mon *chum*, on joue beaucoup à des jeux, on voyage dans le Sud ou en France. Et je prends quand même le temps de relaxer. On adore nager dans un lac ou une rivière et j'en ressors comme si je m'étais lavée de tout et que je recommençais à neuf. C'est très salvateur pour nous.

J'adore Yvon Deschamps, il nous fait prendre conscience de notre réalité. Je l'ai entendu en entrevue, il disait: « Je devrais être heureux parce que j'ai tout, j'ai ma carrière, j'ai mes deux beaux enfants, j'ai ma femme que j'adore et qui m'adore, mais j'ai le bonheur difficile. Malgré tout ça, j'ai de la misère à être heureux. »

« Pourquoi cherche-t-on tout le temps à avoir plus, à obtenir plus, qu'est-ce que ça donne? En vieillissant, j'essaie de me départir de ce que j'ai pour aller à l'essentiel. »

Je ne sais pas si ce sont les gènes, mais j'ai une famille qui trouve la vie dure; il faut que je me batte constamment contre ça et j'ai de la misère. Les gens dans ma famille ont bien du *fun* à vivre, ce sont des passionnés, des intenses, mais mon père répète souvent: « La vie est pas facile, hein mon loup? » Il me dit ça tout le temps et ajoute: « C'est pas évident, la vie est dure, la vie est *rough*, j'ai pas peur de la mort, j'ai ben plus peur de la vie parce qu'elle est difficile. » Mon père a fait deux faillites dans sa vie, la fierté en prend un coup et je viens de là un peu. Je n'ai pas le bonheur facile et je me bats contre ça. Ça m'aide énormément depuis que je suis avec un amoureux qui a le bonheur très facile, qui a tendance à voir beaucoup plus ce qu'il a que ce qu'il n'a pas et qui n'a pas besoin de beaucoup pour être heureux. C'est un homme terre à terre, mais il voit aussi l'invisible, c'est un poète très concret. Et comme il le dit, la poésie, comme l'invisible, comme la mort, comme la vie, ça fait peur à bien des gens.

Tu parlais de ton amie qui était dans la lumière…

Oui, je prends plus de temps maintenant pour les petites choses. L'autre jour, en fin d'après-midi, j'étais dans le parc avec mon chien et le soleil de l'automne était magnifique. J'ai médité dans le parc durant au moins vingt minutes. C'est miraculeux, c'est de la magie : je ne faisais rien, je ne pensais à rien.

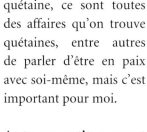

Mon fils et la fille de mon *chum* veulent toujours faire une foule de choses et un jour, alors qu'on venait de jouer au *bowling*, à des jeux de société, et qu'on avait eu une foule d'activités, elle m'a demandé : « Qu'est-ce qu'on fait maintenant ? » et je lui ai dit : « Ben là, ce que tu fais, tu t'ennuies, c'est une belle activité ! » J'ai fait ça durant toute mon enfance, m'ennuyer, regarder les fourmis faire leur chemin dans le sable, me balancer. Je me souviens, j'avais une balançoire accrochée à la branche d'un arbre chez ma grand-mère, je me balançais et je rêvassais, je chantais, j'inventais des histoires dans ma tête. Faut avoir le temps de s'ennuyer et de rêvasser. Il m'arrive parfois de *tomber dans la lune* et je me dis à ce moment-là que j'ai perdu mon temps, que j'ai des textes à apprendre.

Et puis je m'arrête pour penser : *Non, je ne me sens pas coupable.* Surtout quand je suis avec des gens que j'aime, qui me font du bien et me nourrissent. Je veux arrêter de courir comme je le fais, je veux être capable de m'asseoir et d'être en paix. C'est un peu quétaine, ce sont toutes des affaires qu'on trouve quétaines, entre autres de parler d'être en paix avec soi-même, mais c'est important pour moi.

As-tu un petit moment de bonheur récurrent ?

Quand mon *chum* et moi avons une journée juste à nous, ce qui me rend heureuse est de prendre un bon café le matin, d'en sentir l'odeur. Puis, on prend le temps de jaser dans la cuisine et on prend notre deuxième café dans le salon, sur le divan, et on continue de discuter. Parfois on déjeune à la maison, d'autres fois c'est au restaurant. Et après ça, on sort mon chien et on prend une marche dans le parc. Le bonheur !

Tu es une passionnée qui se nourrit de plein de petits bonheurs que tu crées finalement ?

Oui, je suis une passionnée qui aime réellement les gens. Des fois, j'ai des angoisses, je m'inquiète pour mon fils, ma nièce, ma sœur. Mais, quand j'arrive au théâtre ou sur un plateau de tournage, ça me sauve : je laisse tout derrière moi, je suis avec les gens qui sont là, je suis dans le travail et dans le moment présent. Je m'y applique vraiment parce que j'aime exercer mon métier. Quand j'ai fait la série *Feux*, ça a été 40 jours de tournage, un tunnel avec de la lumière au bout. Et on allait vers la lumière, j'ai plongé là-dedans et j'ai adoré ça. Je suis une fille entière qui se donne complètement.

Parle-moi de ton fils...
C'est un garçon formidable et hypersensible, il veut que tout le monde soit heureux autour de lui et quand quelqu'un ne l'est pas, ça l'angoisse, ça vient le chercher. Je lui dis qu'il doit protéger son jardin intérieur, se bâtir une petite clôture. «Tu es jeune, tu es un petit arbre encore, il faut que tu te fasses des racines profondes, que tu t'ancres à la terre et que tu ne sois pas happé par les angoisses et les malheurs des autres.»

On a déjà joué ensemble, Rita Lafontaine et moi, à la Compagnie Jean Duceppe, et elle m'avait dit: «Maude, tu ne t'imagines pas à quel point tu vas travailler, mais fais attention à une chose: ne prends pas tout sur tes épaules». Ça me touche beaucoup parce que je regarde mon petit garçon qui prend justement tout sur ses épaules et j'essaie de trouver des solutions.

Ton rôle de mère te procure beaucoup de bonheur?
Ça, c'est l'affaire la plus solide, c'est ma base, ma fondation, et je vois du béton quand je dis ça. Je pense que je suis très solide avec mon fils. Je ne suis pas la meilleure mère au monde, je suis bien imparfaite comme mère, comme femme et amoureuse, mais je pense que je suis là. J'écoute beaucoup Edmond et il faut savoir être présente et aussi savoir se retirer. C'est un passionné comme moi.

On parle de trouver le bonheur, tu as sûrement vécu de grands moments d'extase mémorables?
J'ai touché au bonheur quand je suis allée jouer les Belles-sœurs à Paris. Pas parce que je jouais les Belles-sœurs à Paris, mais parce que les gens que j'aime étaient venus partager ça avec moi. J'ai passé deux semaines inoubliables là-bas avec mon chum. On est deux grands amoureux de Paris et quand il est reparti, mon fils est venu me rejoindre durant deux semaines et ça a été un réel et grand bonheur. J'avais

une vie quotidienne là-bas parce qu'on a joué Les Belles-sœurs durant un mois et demi, et vraiment, ça a été extraordinaire de partager la première avec mon chum. Les voyages que je fais avec lui sont toujours des moments de pur bonheur.

Je vis aussi des moments de bonheur au théâtre, il y a des moments de grâce où je me dis: «Est-ce que je suis en train de vivre ça?». Pour revenir aux Belles-sœurs, on voyait les gens à Paris et au Québec nous accueillir comme si on était un groupe rock! Ça, c'est du grand bonheur pour une actrice. Sur scène, j'ai vécu de grands moments de grâce dans ce métier.

L'été dernier, j'ai aussi vécu de précieux moments de bonheur en jouant certaines scènes de Feux avec des compagnons que j'admire. Ce sont pour moi des moments mémorables. Je me disais: «Cette scène-là, c'était quelque chose!» Ça m'a permis de faire de belles rencontres aussi.

Je te perçois comme une fille qui répand beaucoup de bonheur autour d'elle, les gens doivent te dire que ça leur fait du bien d'être avec toi...
Je me fais souvent dire ça. Quand je vais dans des émissions, il y a des gens qui me disent qu'ils sont contents que je sois là et c'est l'fun, c'est sincère. J'aime ça qu'on parle du bonheur parce que je suis une fille heureuse, heureuse d'être en vie, heureuse d'être là. Comme là, je suis contente d'être avec toi, je ne pense pas à autre chose, je suis dans le moment présent. Mais il m'arrive souvent, trop souvent, de me mettre de la pression, de penser à tout ce que j'ai à faire. Il faut que j'apprenne à me faire confiance et à m'imposer moins de pression. Bernard Fortin, qui a joué avec moi dans Providence pendant sept ans, a ce don. Il me disait souvent: «Maude, on ne sauve pas des vies, c'est juste une pièce de théâtre, c'est juste un téléroman, c'est juste un film». Mais ça demeure ma passion, mon métier, et le jour où tu le fais, c'est toute ta vie.

Maxim Roy

Les petites et grandes choses de la vie

C'est en 1997, dans le rôle de la petite Suzelle dans la production télévisuelle *Le Sorcier*, que la comédienne Maxim Roy a fait ses débuts. Depuis, elle a joué quantité de personnages, en grande partie à l'étranger, tant à la télévision qu'au cinéma, et on l'a aussi vue ces dernières années dans le rôle de l'attachante Kathleen dans la populaire télésérie *O'*. Maxim avoue avoir appris, avec le temps, à savourer tous les petits moments de bonheur qui s'offrent à elle, particulièrement depuis qu'elle a pris conscience de la brièveté et de la fragilité de la vie.

Pour toi, quelle est la recette pour être heureux? Est-ce que le bonheur passe par la santé, le travail, l'amour, l'argent…?

C'est un peu de tout, c'est un mélange et en fait, pour moi, le bonheur passe par l'équilibre. J'ai beaucoup d'amies qui font un *job* qu'elles aiment, mais qui font ce travail pour se payer autre chose. Moi, mon travail, mon métier, j'en mange! Je ne suis vraiment pas bien quand je ne travaille pas. Pas parce que je suis *workaholic*, mais parce que c'est ma passion de créer des personnages et de jouer. Oui, j'ai ma passion et c'est mon travail, et nécessairement je veux gagner de l'argent pour voyager, passer du temps avec mes amies, c'est un équilibre de tout ça.

Tu vois, le week-end dernier, j'étais dans un chalet durant deux jours avec des amis. J'étais tellement bien! Nous étions sur le bord de l'eau, j'étais relax, tout le monde se faisait de la bouffe, c'était juste… simple. Je pense que la simplicité aussi fait partie du bonheur. Mon métier n'est pas simple et l'industrie n'est pas simple non plus, très stressante et superficielle aussi. J'ai réalisé que de me retrouver dans un chalet avec les cheveux gras et sans maquillage pendant deux jours, c'est vraiment *l'fun*!

As-tu toujours eu le bonheur facile?

Non. J'ai réalisé à un moment que le bonheur était un choix. Tu te lèves le matin et tu choisis de faire ce qui va te rendre heureux dans la vie. Tu n'es pas obligé de t'emmerder, de laisser la culpabilité ou le désir de plaire aux autres guider tes choix si ça te rend malheureux.

C'est un choix que tu fais, sans devenir égocentrique et égoïste. Il faut te demander ce qui te rend heureux dans la vie. C'est de voir telle ou telle autre personne, de passer du temps avec ces gens-là, de bien manger, de m'entraîner, de faire un métier que j'aime. Il y a ça aussi, il y a plein de gens qui font des métiers qu'ils n'aiment pas. Ils sont hyper malheureux, ils se tapent des *burnout*, ou ont une crise de la quarantaine parce qu'ils réalisent que ça fait quinze ans qu'ils font quelque chose qu'ils haïssent. Je pense que c'est un choix aussi.

Tout est dans la façon d'aborder la vie, d'apprécier chaque nouvelle journée avec positivisme…

En fait, tu vois, l'an dernier, j'étais à Los Angeles et j'ai une amie, Simone-Élise Girard, qui est venue habiter chez moi durant dix jours. La neuvième journée, elle m'a dit: «Faut que j'te dise que tu es vraiment facile à vivre. Tu te lèves de bonne humeur, en faisant des *jokes*…» Et j'ai réalisé qu'elle avait raison. Ça a été un dénominateur commun lors des quatre relations importantes que j'ai eues dans ma vie, avec les quatre *chums* avec lesquels j'ai habité: ils disaient tous que j'étais super facile à vivre… pour une fille! Je m'éveille le matin et je suis de bonne humeur, à moins d'avoir eu une mauvaise nouvelle, ou quelque chose de catastrophique qui survient dans ma vie. J'ai eu des périodes plus *dark* où le bonheur était moins facile à atteindre, mais à un moment donné, tu te dis qu'il n'y a pas de temps à perdre. Quand mon père est mort, ça a été un *wake-up* pour moi, j'ai réalisé que la vie était courte et qu'il fallait que je m'arrange pour être heureuse. Ça fait déjà douze ans qu'il est décédé, j'y pense tout le temps, et j'ai beaucoup pensé à lui quand je suis allée voir une partie des Dodgers à Los Angeles l'été dernier. C'était son équipe préférée et je me disais: *mon Dieu qu'il doit être jaloux!*

Tu as donc une urgence de vivre et de trouver le bonheur depuis que tu as pris conscience qu'on n'a qu'une vie à vivre?

Oh oui! Mais tu vois, j'aime voyager mais j'attends trop, je devrais en faire plus. Mais cela dit, j'ai tendance à aller à 100 milles à l'heure, tout le monde me dit que je vais trop vite, que je ne suis pas patiente, que je veux faire le plus de choses possible. Je ne suis pas du genre à attendre cinq ans, à reporter les choses.

Tu as souvent parlé de ton désir d'avoir un enfant, c'est un bonheur que tu espères encore?

Contrairement à ce que tout le monde pense, que je suis ultra-carriériste, j'ai toujours voulu avoir des enfants. C'est juste que je ne suis jamais devenue enceinte. J'ai un désir d'être mère, pas nécessairement de donner naissance à un enfant. Ça n'a jamais été ça. Les seules fois où j'en ai eu envie, de porter un enfant, c'est que j'étais vraiment amoureuse du gars avec qui j'étais, et j'avais envie de voir mon *chum* dans un enfant. Je n'ai pas envie de me voir dans un enfant, une de moi c'est bien assez! Je n'ai pas ce désir que je trouve très narcissique de me voir dans un enfant. Mais de voir la personne que j'aime le plus au monde dans un autre humain, ça oui. J'ai toujours pensé à l'adoption, j'ai toujours voulu adopter, ça a toujours été très présent dans ma vie, même quand j'avais des *chums* et qu'on essayait d'avoir un enfant. C'était toujours une discussion que nous avions.

Quels sont les grands bonheurs auxquels tu aspires, mis à part ton désir d'avoir un enfant?

J'aimerais aller faire de la plongée aux îles Fidji. En fait, je voudrais avoir l'occasion d'aller faire de la plongée dans les cinq plus beaux endroits du monde. Je souhaiterais aussi aller en Terre sainte. Je ne suis pas super religieuse, mais je veux aller à Jérusalem, voir ces endroits historiques, le mur des Lamentations. Et je l'ai dit tantôt, mais oui, je veux être mère, et j'espère aussi vraiment trouver l'homme de ma vie. J'aimerais me marier un jour, je crois au mariage. Tout ça c'est sur ma liste de choses à faire ou que je me souhaite, et pas nécessairement dans cet ordre-là.

Pour moi qui n'en ai jamais fait, explique-moi le bonheur que tu éprouves à faire de la plongée…

C'est tellement la chose la plus relaxante qu'il puisse y avoir! C'est magnifique, il y a un monde en-dessous de l'eau, un univers extraordinaire. On voit de si petits poissons, des petites plantes, et il y a des choses grandioses, des requins, des coraux. Tu n'entends que ta respiration, le son des bulles, c'est vraiment magnifique.

Tu es plus heureuse à donner ou à recevoir du bonheur?

Les deux! Maintenant c'est les deux, j'ai été longtemps à donner trop, et j'avais de la difficulté à recevoir, je n'y étais pas habituée. Maintenant, j'aime ça recevoir! J'ai réalisé, il n'y a pas si longtemps, que les gens qui ont de la difficulté à recevoir pensent qu'il y a une responsabilité qui vient avec ça. Qu'ils se doivent de redonner, alors ils refusent de recevoir pour ne pas avoir cette pression-là, et je pense que je me mettais cette pression. Je ne donnais pas pour recevoir, je donnais parce que je suis très maternelle, j'aime prendre soin des gens que j'aime.

Je veux revenir sur le personnage que tu jouais dans la télésérie *O'* à TVA, celui de Kathleen, qu'on a fait mourir au printemps 2015. Les téléspectateurs s'étaient attachés à elle, à toi, il y a eu énormément de réactions, de commentaires sur les réseaux sociaux. Comment as-tu reçu tout ça?

Ça a été vraiment au-delà de mes attentes, en fait, je ne m'attendais pas du tout à une telle réaction à

la suite de la mort de mon personnage. Je pensais que les gens allaient pleurer et passer à autre chose, mais non! Tellement que la productrice de *O'* m'a demandé si je pouvais faire une vidéo, parce qu'ils recevaient des courriels de bêtises de téléspectateurs qui n'étaient pas d'accord avec la mort du personnage. Personnellement, j'ai reçu plein de beaux commentaires, mais aussi des bêtises, genre: «Tu quittes tout le temps les émissions dans lesquelles tu joues!» Ce n'est pas vrai, et ce n'était pas ma décision. Ça faisait quatre ans que je jouais le rôle de Kathleen et ce n'est pas si long que ça, mais pour quelqu'un qui travaille ailleurs, c'est très exigeant. Je ne pouvais plus faire ce que je voulais, et comme ils voulaient faire mourir un personnage, je me suis proposée. Ça a été vraiment touchant, j'ai été très, très surprise, j'ai trouvé ça bien beau.

Est-ce que tu as un petit bonheur coupable, quelque chose qui te fait vraiment plaisir?

J'adore le café et, honnêtement, l'un de mes bonheurs est de prendre un bon café le matin chez moi en regardant les nouvelles, en prenant mes courriels. Surtout quand tu es avec la personne que tu aimes, sans qu'on ait besoin de se parler… maudit que c'est *l'fun*! Quand je voyage, que je vais dans une ville que je ne connais pas, je m'amuse à chercher sur Internet les endroits renommés pour leur café. Découvrir un endroit où je vais pouvoir savourer un vrai bon café est un grand bonheur pour moi.

Il y a les bonheurs qu'on veut vivre, mais il y a aussi les bonheurs perdus…

Oui, et ça me manque de pouvoir passer du temps avec mon père. J'ai aussi un très bon ami, Steven, qui est décédé d'un cancer il y a quatre ans. Ça te fait réaliser qu'il ne faut pas remettre à demain et profiter des bons moments.

Quels conseils donnerais-tu aux personnes qui sont en quête de bonheur?

Oh, ce n'est tellement pas facile! Il y a des jours où on voit noir et seulement ce qu'on n'a pas. Se comparer, c'est se consoler, et c'est tout à fait vrai. Pendant que j'étais à Los Angeles, l'été dernier, je suis allée faire de la bouffe et servir des repas à des itinérants, pour un organisme que le mari d'une amie a mis sur pied. Et je les voyais nous remercier, être si reconnaissants. Je regardais ça et je me disais: *mais de quoi je me plains?* C'est sûr que lorsque la maladie frappe, c'est autre chose, mais je pense qu'il faut voir le verre à moitié plein plutôt que de le voir à moitié vide. Il faut avoir de la gratitude, la ressentir, et voir à quel point on a tous de la chance. Et je pense que plus tu réalises la chance que tu as, plus tu en as. J'ai un ami qui m'a parlé un jour d'un bon exercice à faire. Quand tu te couches le soir, tu demandes à ton partenaire ou à ta partenaire quel a été son bonheur de la journée. Il y en a toujours un, il y a toujours quelque chose qui t'a fait sourire, qui t'a rendu heureux. Quand tu fais ça tous les jours, tu te rends compte à quel point tu es riche. Ou tu peux l'écrire aussi. Oprah avait fait un livre, il y a une dizaine d'années, dans lequel elle recommandait d'écrire ses cinq joies de la journée. Je le faisais, et il y a des choses qui revenaient régulière- ment, c'est là que je me suis rendu compte qu'un de mes bonheurs était de prendre un bon café. Il y avait toujours quelque chose qui me rendait heureuse, ça pouvait être d'avoir eu une conversation avec une amie, d'être allée promener mon chien ou d'avoir vu quelque chose d'heureux. Je m'émerveille sou- vent devant des scènes touchantes que je vois, dans la rue, différents endroits, et même chose pour des paysages, des choses que je trouve belles.

Dirais-tu que tu aimes plus la femme que tu es maintenant qu'il y a dix ans?

Mon Dieu, oui! Ce n'est pas *le fun* de vieillir, il ne faut pas se leurrer, je ne suis pas contente, ça ne me tente pas! Je retournerais en arrière, mais avec la sagesse d'aujourd'hui. Je n'avais tellement pas confiance en moi, je me suis améliorée, je suis beaucoup mieux dans ma peau que je ne l'étais.

Pierre-Yves Lord
S'aimer, aimer et se sentir aimé

Pierre-Yves Lord dégage tout à fait l'attitude du gars *cool*, du bon gars que quantité de personnes aimeraient compter parmi leurs amis. *Cool*, mais surtout pas au-dessus de ses affaires, plutôt confiant en ses moyens, la tête fourmillant d'idées. Je l'ai côtoyé suffisamment longtemps sur le plateau de *Salut Bonjour Week-end* pour découvrir qu'il est un bourreau de travail doté d'un bon sens de l'humour, et qu'avec lui, tant que faire se peut, le plaisir doit toujours faire partie intégrante du travail qu'il accomplit. Comme pour bien d'autres, cet entretien a constitué un beau prétexte pour faire le point sur les éléments de bonheur qui ponctuent sa vie.

« Mon bonheur est extrêmement élevé ces temps-ci, il est croissant et plus que jamais, j'ai l'impression de me sentir à ma place dans ma vie, en possession de mes moyens. Je carbure aussi au bonheur des autres. Il fut un temps où pour moi le bonheur était concentré sur ma petite personne et on dirait qu'en vieillissant, en avançant et en cheminant, je me nourris beaucoup du bonheur des autres. Entre autres celui de voir grandir mes enfants, de les voir doués pour le bonheur, rire, s'amuser et s'épanouir. Avec le temps, je me rends compte que si ça se passe bien dans mon nid, un des bonheurs collatéraux est forcément que je sois aussi éclaboussé par ce bonheur-là. »

Et les situations désagréables et les gens qui nuisent à ton bonheur, tu sais les reconnaître ?
Il y a une sélection naturelle qui se fait avec le temps, et je le dis sans haine ou sans méchanceté. Il y a des

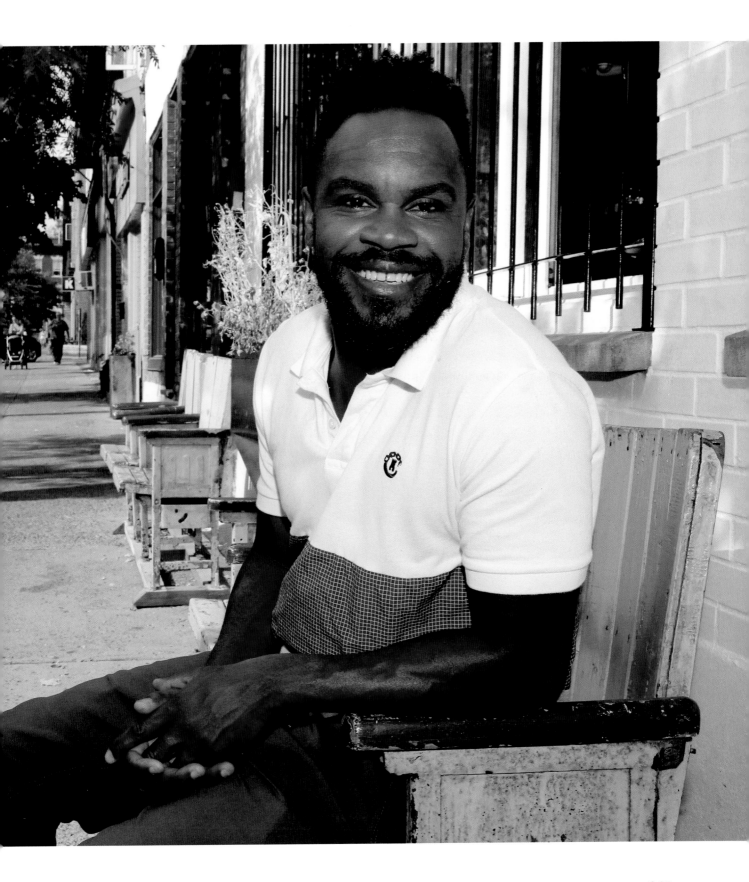

gens que je vois moins souvent parce que la vie en a fait en sorte, alors que pour d'autres, c'est peut-être par choix. On dirait qu'à certaines périodes de ma vie, j'ai peut-être essayé de courir après le bonheur, et j'ai compris que je perdais du temps et que je me rendais malheureux. Il est là, le bonheur, c'est un état d'être, ça demande du travail, mais ça se vit dans le moment présent. Je sais que c'est facile à dire et qu'il y a des centaines de livres qui traitent de ce sujet-là, de l'importance de vivre le moment présent, mais ce n'est pas pour rien qu'on en vient tous à ce constat-là et à cette finalité. Le moment présent, c'est maintenant, c'est de te parler, c'est de boire un petit thé, et ensuite d'aller travailler et de trouver du bonheur dans mon travail, d'essayer de me dépasser. C'est une succession d'événements continus qui créent un état d'être général, ce n'est pas seulement des moments d'artifices où il y a des feux de Bengale, où tu développes des cadeaux et bois du champagne! Ce sont plutôt des moments qui s'ajoutent les uns aux autres à compter du moment où tu te lèves le matin.

Ce matin, j'ai même éprouvé du plaisir à payer mes contraventions! J'ai encore cette maladie-là, je ne sais pas si c'est le syndrome de Peter Pan, mais quand je reçois une contravention, je la mets dans mon coffre à gants et j'ai l'impression qu'elle va disparaître! Au bout de quelques mois, je reçois des rappels et je réalise que je vis dans le déni. J'avais cinq contraventions, j'accumulais les enveloppes brunes, je me trouvais donc imbécile! Donc, ce matin, je riais tout seul en les payant, même si ce n'est pas drôle. C'est réglé et je vais trouver l'aspect positif là-dedans, je vais arrêter de recevoir des rappels. C'est une situation *poche*, mais j'en ris et je passe à autre chose.

Qu'est-ce qui est le plus important à tes yeux pour que tu sois heureux?

La sécurité affective est importante. S'aimer, aimer et se sentir aimé est une base solide sur laquelle tu peux bâtir. Pour moi, le bonheur réside beaucoup là-dedans: les valeurs familiales, le nid familial sont au cœur de ma vie et il y a beaucoup de bonheur qui émane de ça. Le travail prend aussi beaucoup de place dans ma vie, j'éprouve beaucoup de bonheur à essayer de me dépasser, en m'imposant des défis pour avancer sur le plan professionnel. On évolue dans un métier où certains pensent que le bonheur, c'est dans la reconnaissance, la renommée, la visibilité et l'argent, alors qu'il n'est pas là du tout. Tout ça est extrêmement éphémère, et moi, c'est vraiment à l'extérieur de ça que je bâtis mon bonheur professionnel. Je bâtis ma petite entreprise et je produis des trucs; j'ai cru que j'aurais beaucoup de plaisir devant la caméra, et j'en ai eu, mais j'éprouve encore plus de plaisir à faire de la production et à essayer d'apprendre. Tout ça est tellement éphémère! Il y a des années où j'ai animé plein d'affaires et des années où je n'ai rien fait. On peut me dire qu'en ce moment on me voit partout, et c'est peut-être vrai, mais qui peut dire si dans un an je serai encore là? Je ne m'attache pas à ça. Le bonheur n'est pas dans les magazines à potins; il ne se convertit pas en cotes d'écoute, mais réside dans le plaisir que j'ai à faire des tournages ou à orchestrer les projets sur lesquels je suis appelé à travailler.

C'est vraiment réjouissant de voir à quel point tu aimes ton travail, à quel point ça te comble, mais que dirais-tu aux gens qui n'aiment pas leur boulot?

Je pense que tout le monde a le choix. Je crois peu en la chance, je crois qu'on crée nos opportunités et qu'en forçant et en bousculant les événements, parfois, on est capable de trouver notre chemin, puis la vie s'occupe du reste. Ça demande parfois beaucoup d'audace de faire ce que mon ami Daniel Blouin appelle «les sorties de zones». Pour plusieurs, ça peut être effrayant. J'ai quitté plusieurs fois des emplois stables pour me lancer dans un aspect du métier et pour me lancer un défi. Chaque fois que je me lance dans le vide, j'ai un genre de vertige et je me demande si je vais y arriver. Le syndrome de l'imposteur peut nous envahir quand on sort de notre zone de confort. Mais en y mettant les efforts requis et en étant bien préparé, ça finit toujours par fonctionner. Je pense qu'il n'y a rien de facile et tous ceux qui vont affirmer qu'ils sont heureux et qu'ils retirent beaucoup de gratification et de bonheur de leur travail, que ce soit artistique ou non, ces gens-là vont souvent dégager une assurance et une espèce d'aura de facilité et d'aisance autour de ce qu'ils font et de ce qu'ils projettent. Plus ce qu'ils font a l'air facile, plus ça cache du travail ardu. Pour éprouver du bonheur, il y a une route de gravelle à franchir, une traversée du désert qui précède les grands succès.

place plutôt que pour la couleur de ma peau. Plus jeune, je voyais Anthony Kavanagh à la télévision, avec les Bleu Poudre, il était un modèle pour moi.

Tu parlais du bonheur familial, le fait d'être père a changé ta façon de voir la vie ?

J'ai une fille et un garçon (âgés de 4 et 7 ans au moment de l'entrevue) et je réalise avec les enfants à quel point je suis capable d'aimer. Jamais je n'aurais cru aimer à ce point-là, on dirait que mon cœur grandit; je pensais que mon cœur était un un et demi mais, en réalité, c'est un grand loft où il y a de la place pour tout le monde. Et ça se multiplie et ça s'amplifie toujours en voyant ces petits bouts-là aller. Ça me développe un instinct protecteur, ça me donne le goût de les aimer et de les protéger encore plus. J'ai envie de leur donner des biens parce que je veux les gâter, mais surtout de leur donner une bulle de protection affective, une sécurité émotionnelle dans laquelle ils vont pouvoir s'épanouir et être à l'abri du mal. En même temps, ils doivent savoir ce qu'est le mal pour en être conscients et devenir des humains plus solides.

Tout ce que je fais, c'est aussi indirectement pour eux. Je travaille pour subvenir à nos besoins, mais ce sont leurs besoins qui sont ma priorité. Je m'assure qu'ils aient un toit et ne manquent de rien et qu'ils puissent essayer des trucs. Je vis des moments de grâce avec eux. Parfois, c'est une phrase, un regard ou une réflexion, ou ça peut être un moment à ne

As-tu conscience d'être un exemple pour bien des jeunes qui veulent suivre tes traces, faire leur marque dans ce métier ?

Peut-être, j'aime recevoir des courriels de jeunes de différentes ethnies ou nationalités qui partagent avec moi leurs craintes quant à l'attitude du domaine artistique face aux « minorités ». Hé que je n'aime pas ce terme! Je ne sais pas si je suis un modèle pour certains, mais ça ne m'a jamais freiné, j'ai toujours foncé tête baissée. Je ne sais pas si les diffuseurs recevaient une subvention pour me voir à l'écran, mais j'ose croire que c'est pour ce que je suis que j'ai réussi à faire ma rien faire, simplement à les regarder dormir ou à les voir croquer dans la vie. Quand je les vois heureux, je suis une victime collatérale de leur bonheur.

C'est *l'fun* de t'entendre parler de tes enfants avec autant d'amour, j'ai comme l'impression que plus ils vont vieillir, plus tu vas être gaga et leur *fan* no 1!
J'essaie d'être un ami, un motivateur et parfois j'essaie d'être un peu un grand frère pour eux. Mon fils commence à se découvrir dans le sport et j'aime le suivre là-dedans. On échange beaucoup et il m'arrive d'agir comme *coach* lors de certains matchs, et il aime ça quand je suis là. En même temps, je découvre aussi sa curiosité pour plein de choses. Les enfants font toujours des demandes, ils veulent des bonbons, des *popsicles*, faire des voyages, ils veulent ci et ça, mais s'il y a une chose que je ne leur refuserai jamais, c'est bien des livres. Les livres, c'est bar ouvert tant qu'ils en voudront, je vais tout faire pour qu'ils n'en manquent jamais. On laisse traîner des livres à la maison, on leur a fait des bibliothèques à leur hauteur pour qu'ils puissent découvrir le plaisir d'apprendre. Ça fonctionne bien, il y a entre autres des livres un peu encyclopédiques et à l'époque des tablettes numériques, je veux que se faire raconter une histoire, tourner les pages d'un livre, sentir son odeur fassent aussi partie de leurs habitudes, Mon fils est vraiment curieux, on dirait que plus tu lui en donnes, plus il pose des questions. J'éprouve beaucoup de plaisir à essayer de développer des situations pour les mettre dans des environnements stimulants.

Et toi, sur le plan personnel, qu'est-ce qui te rend heureux?
Il n'y a rien qui me rend plus heureux qu'une grosse *game* de hockey, idéalement le jour. Je joue beaucoup le matin ou sur l'heure du dîner à Québec et ce sont des bonnes ligues. Il y a beaucoup d'ex-professionnels, des joueurs qui ont joué dans les ligues semi-professionnelles, qui ont été repêchés. C'est du gros calibre. Je suis de loin le moins bon dans ces ligues-là, mais j'en profite comme d'une situation d'apprentissage et je me défonce sur la

glace. Je me retrouve parfois à jouer avec Simon Gagné (ex-joueur de la LNH, notamment avec les Flyers de Philadelphie) et ces gars-là me conseillent. La compétition, l'esprit d'équipe, le côté *boys club* dans la chambre des joueurs, le fait de ne pas avoir de filtre sur la glace comme dans la chambre, il n'y a rien de plus satisfaisant pour moi. Ça me permet de dépenser mon énergie, de goûter à la compétition active et en même temps d'apprendre et de côtoyer des grands. Ça, c'est mon grand bonheur.

Quels moments heureux entrevois-tu sur le plan professionnel?
Ma petite boîte de production à Québec est née il y a un peu plus d'un an et nous avons déjà plusieurs productions qui sont en cours, dont certaines où je suis à l'écran. Elles me permettent de voyager et de m'adonner à ma passion pour la plongée sous-marine. Au début, nous avons loué des bureaux et nous n'avions qu'une seule production en cours, puis à un moment donné deux autres émissions nous ont été commandées, un jour je suis arrivé au bureau et tout le monde travaillait, il n'y avait même pas de chaise où je pouvais m'asseoir. Ça m'a donné une dose d'énergie incroyable de voir que nous avions réussi à monter une équipe et, que je sois là ou pas, que tout le monde travaillait d'arrache-pied pour mener à terme des projets qui, au début, n'étaient que des idées sur des feuilles de papier nées à la suite de soirées à boire du thé et à *brainstormer*. Ça m'a procuré un bonheur extrême et je *surfe* là-dessus depuis un bon bout.

Tu sais, je te disais qu'on peut être malheureux à courir après le bonheur, alors c'est sûr que je me fixe des objectifs sur le plan professionnel, mais le bonheur se situe plus dans le quotidien que dans l'atteinte de ces buts. J'ai toujours le gaz dans le fond, j'essaie d'avancer, et je suis plus du genre à faire des bilans qu'à me fixer des objectifs à long terme. Quand je m'arrête à y penser, j'éprouve du bonheur en repensant au chemin que j'ai parcouru. Ça me stimule, ça me donne le goût de continuer à avancer.

Pierre-François Legendre

Se libérer des sources de stress et d'inquiétude

J'avais hâte de rencontrer le comédien Pierre-François Legendre dans le cadre de ce projet, afin de l'entendre s'exprimer sur le bonheur et sur ce qui le rend heureux. Marié depuis juin 2010 à Cynthia Sévigny, Pierre-François mène une belle carrière de comédien depuis plus de quinze ans, tant à la télé qu'au théâtre, au cinéma et en tant que metteur en scène. Je me suis donc retrouvé devant un homme qui a tout pour être heureux et qui revient souvent sur l'importance de conserver un bon équilibre dans sa vie afin de préserver son bonheur.

Pierre-François, entrons tout de suite dans le vif du sujet : es-tu un gars heureux ?

Je te dirais que je suis vraiment dans une période où j'ai un sentiment de plénitude et que je me sens bien. Au moment où l'on se parle, pour te faire une image, j'ai comme trois boîtes qui doivent s'équilibrer et desquelles mon bonheur dépend : il y a le côté social, la famille, et mes réalisations en tant qu'être humain et ça comprend ma vie professionnelle. Ma recherche du bonheur est de toujours trouver l'équilibre entre ces boîtes-là. Il y en a une qui a plus de poids que les autres dans la balance et c'est celle de la famille. Quand je suis bien, c'est que la balance est équilibrée. Je ne suis pas heureux quand ma vie est trop en montagnes russes et tu me diras que je n'ai pas choisi le bon métier pour ça, mais c'est pour cette raison que je mets aussi beaucoup d'importance sur mes autres boîtes. Je sais, comme individu, que la boîte des réalisations professionnelles, en tenant compte de ce que je souhaitais et du chemin parcouru jusqu'à aujourd'hui, elle est pas pire ! Il y a toutefois des regrets qui pèsent lourd dans cette boîte-là, il y a des zones d'ombre là-dedans. Mais la boîte de la famille, c'est exactement ça que je voulais et elle va bien, et quand il y a une autre boîte qui est trop lourde, celle de la famille parvient à équilibrer le tout.

Tu as une belle famille et une femme qui a toujours été présente à tes côtés pour te soutenir…

Cynthia y est pour beaucoup dans mon bonheur et je me demande parfois ce qui me serait arrivé si je n'avais pas rencontré cette fille-là. Je ne dis pas que je n'aurais pas pu être heureux, mais j'ai fait le bon choix parce que je savais que je voulais des enfants et il y a eu une époque de cinq à six ans où je me perdais dans des considérations du genre: *Ah, ce n'est pas la bonne, elle a un orteil de travers, ou il y a telle chose que je n'aime pas…* Quand j'ai connu Cynthia, j'ai senti que nos valeurs étaient sensiblement les mêmes, et comme il était important pour moi d'avoir des enfants et qu'elle en désirait aussi, j'ai décidé d'arrêter de fuir et j'ai plongé. Dans ma description du bonheur, il y a des enfants, une famille unie et finalement, le destin a été super pour moi parce que j'ai pris la bonne décision. Ça a été un super *deal* de vie, ça fait dix ans qu'on est ensemble et on a deux enfants.

La famille constitue une grosse partie de ton bonheur, mais à la base, indépendamment de ce que tu me disais concernant tes trois boîtes, qu'est-ce que ça te prend pour être heureux ?

C'est un état, le bonheur, c'est d'avoir le moins de soucis possible. Et il y a le plaisir aussi: une bonne

bouteille de vin, un homard avec des amis. Tu peux *surfer* pendant un mois sur cette soirée formidable, ça fait du bien, mais ce n'est pas ça le bonheur et tu peux courir longtemps après. Ça, je l'ai fait longtemps, j'ai versé pas mal dans le *party* et les bonheurs artificiels. Je sais absolument ce que c'est et que ce n'est pas bon, ce n'est pas ma description du bonheur. Je pense que c'est avant tout un état, il faut juste que je mette les choses en place pour que j'aie le moins de soucis possible et que je me libère le plus possible des sources de stress et des inquiétudes. Et ça, je le vis beaucoup avec mon métier, mais quand je rentre à la maison, je suis bien.

J'ai développé avec le temps — et je ne sais pas si c'est bon, mais pour l'instant ça m'aide — une faculté de mettre de côté les affaires qui me font du mal. Par exemple: un conflit irréparable avec un proche. Pourquoi devrais-je être responsable de régler ce conflit? C'est *rough* de dire ça, mais j'ai besoin, à la fois pour mon bonheur, ma survie et ma santé mentale, de me dire que j'ai donné toutes les chances à cette relation ou à ce problème de se régler, et quand je tourne la page, c'est fini. C'est un peu drastique et probablement qu'un psychologue dirait qu'il ne croit pas que ce soit la solution, ou qu'un homme d'Église dirait: «Je ne crois pas que le Seigneur ait prévu cette avenue pour régler les problèmes», mais c'est ma façon de faire.

Des moments magiques de grand bonheur, tu en as beaucoup en mémoire?

Il y en a un dont je me souviens encore et qui m'a marqué. J'avais 10 ans, ma mère m'avait dit: «Demain, vendredi, tu ne vas pas à l'école, on s'en va skier avec grand-papa Harry au mont Sainte-Anne et on va passer la fin de semaine là.» Je me souviens que j'étais dans le télésiège, il faisait beau, c'était une journée de mars et je manquais l'école pour

être avec mon grand-père que je ne voyais pas super souvent et j'avais dit à mon père: «Je pense que j'ai jamais été aussi heureux que ça!». Tous les éléments étaient réunis pour que ce soit un moment de grâce. Je pense que c'est un amoncellement de plaisirs qui crée un moment de bonheur comme celui-là. Je pose des gestes dans la vie pour que ces moments, dont je vais me souvenir, parviennent à se concrétiser.

Parce que si tu ne fais pas de travail en amont, ces moments n'arriveront pas. Si par exemple je n'avais pas entretenu mes amitiés, parlé des vraies choses avec mes *chums*, ce moment où nous avons reçu un Gémeaux pour *Les Invincibles* ne serait pas arrivé. Ni celui où nous nous sommes retrouvés tous les gars ensemble, en haut du Hyatt à trois heures du matin, un peu chauds, à rire comme des fous et à se répéter à quel point nous étions chanceux.

Je te donne un autre exemple de bonheur à entretenir: mes parents ont toujours fait en sorte que Noël soit une fête magique et je les en remercie. Il y a des gens qui ont hâte que cette période des fêtes se termine et je peux les comprendre, peut-être qu'ils n'ont pas eu de bonnes expériences, ou conservent de mauvais souvenirs. Mais pour moi, c'est une période habituellement assez heureuse, parce que mes parents ont travaillé fort pour nous faire de beaux Noëls. Ils nous ont fait voir que c'est important, que c'est un mélange de plein d'affaires, et oui, il y a un petit peu de religion à travers tout ça qui s'est transformée en spiritualité et en fête de l'amour. Moi, le fait que ce soit l'hiver et qu'on soit encabanés, lorsque je fais le sapin de Noël, c'est l'une des périodes où je me permets d'être quétaine. Il y a de la musique de Noël, on est en pyjama, et j'essaie de perpétuer complètement le travail extraordinaire que mes parents ont fait à ce niveau-là. Le début de ma vingtaine, de 20 à 26 ans, n'a pas été une période

« Moi je trouve le bonheur en étouffant le malheur, c'est ma façon de faire. Et il n'est jamais trop tard pour commencer. »

où j'ai été super heureux. Je n'étais pas malheureux, je n'ai pas fait de dépression, mais je pense que mes modèles étaient difficiles à émuler, et je me disais probablement que je ne serais jamais capable de les reproduire. C'est la période durant laquelle je me suis dit : « Tant pis pour Noël ! Si je suis plutôt cynique et de mauvaise foi envers les beaux moments, je risque de moins souffrir. » C'est plus tard que j'ai ouvert mon cœur à l'amour et que je me suis permis de recréer mes Noëls d'enfance, j'ai fait en sorte que le modèle se reproduise aussi. Mes enfants ont 5 et 7 ans et on fait tout ça parce qu'on aime ça et qu'on le veut, et les enfants le sentent qu'on est bien. On a toujours eu de beaux Noëls parce qu'on aime le vivre en famille.

As-tu découvert avec le temps des choses qui te rendent particulièrement heureux ?

Oui, des petites choses, comme d'aller déjeuner seul dans un restaurant. Ma blonde sait que j'aime ça et, à sa suggestion, j'y suis allé un samedi. J'ai eu du *fun*, j'étais bien pendant à peu près quarante-cinq minutes, puis je me suis dit : *Qu'est-ce que je fais ici ?* Peut-être qu'il faudrait que je me trouve d'autres moments comme celui-là. C'est assez révélateur de ce que je suis et ma blonde le comprend : je ne suis plus jamais tout seul, alors que j'ai longtemps été quelqu'un d'assez solitaire. Simplement le fait d'être seul, ça me réconforte sur moi-même, d'autant plus que je me sens très, très bien seul. Je connais plein de gens qui sont tout le temps en train de s'organiser des affaires, moi je ne suis pas comme ça. Ces petits moments de solitude me font énormément plaisir, par exemple d'être tout seul à lire dans le silence, et pas nécessairement pour le travail. Il me faut des moments comme ceux-là et que je les choisisse bien pour ne pas ressentir de culpabilité.

Par tes rôles, les gens ont l'impression que tu es un gars de *gang*, que tu as beaucoup d'amis, et on t'imagine facilement dire à ta blonde : « Écoute, chérie, ce soir, je sors avec les *chums*… »

C'est avec ma famille et chez moi que je suis le mieux.

Incontestablement ! Mais j'ai besoin de temps en temps de voir les *boys*. Les cinq, six amis proches que j'ai, on a tous des vies de fous et quand on se voit, c'est vraiment comme si on ne s'était jamais quittés, sauf qu'il faut vraiment le planifier, parfois des semaines ou des mois à l'avance. Et quand on se voit, ça peut être en Mauricie, qui est devenue nécessaire à mon bonheur depuis un peu plus de cinq ans. Ma mère vient de Shawinigan et je vais dans cette région depuis toujours, et en plus, mon plus grand ami, Rémi-Pierre Paquin, est de Grand-Mère et il a un chalet dans le coin. On y va souvent, c'est une super place et, je ne sais pas pourquoi, c'est la même chose pour ma blonde : quand j'arrive en Mauricie, il y a quelque chose qui se passe en moi, j'ai le sentiment d'être chez moi. C'est beau, les Laurentides et les Cantons-de-l'Est, j'aime y aller, mais jamais je ne me sens chez moi. Donc, en Mauricie, on a débuté un petit projet, une petite affaire qu'on retape tranquillement et qui va devenir bientôt indispensable à mon bonheur. C'est drôle parce que mon grand-père est un Irlandais qui est arrivé au Québec avec sa famille à 18 ans, et Shawinigan était alors le Klondike et il est parti y travailler. Il a marié une fille de la place et il a fait sa vie à Shawinigan. Quand j'étais petit, je partais de Québec avec ma famille et on y passait deux jours dans le temps des fêtes et deux jours l'été. C'est avec Rémi-Pierre que j'ai découvert la rivière Saint-Maurice. Voir la rivière et me lancer dans ses eaux est probablement l'une des choses les plus exaltantes que j'aie faites ; ça me fait un bien immense d'être là, et c'est la même chose pour ma blonde et pour les enfants.

T'es-tu fixé des buts à atteindre pour ajouter à ton bonheur ?

Professionnellement, je n'ai aucun objectif mais des rêves, comme de continuer à faire du théâtre et d'avoir un beau rôle au cinéma. J'ai des rêves de perdurer dans ce métier-là, mais je n'ai pas de choses précises, ça peut être trop décevant, ça peut faire trop mal. L'un de mes grands, grands malheurs a été la série télé *Adam et Ève*. Sur papier, c'était extraordinaire : un premier rôle à Radio-Canada, une super actrice comme partenaire (Sophie Cadieux) et

un auteur qui était une idole (Claude Meunier). Il n'y a pas un acteur qui n'a pas auditionné pour ça. Et là, tac, tac, tac, tout s'est mis à aller de travers. Quand j'arrivais pour les tournages, je me disais que tout était en train de s'effondrer et, comme de fait, c'est ce qui est arrivé. Ça se passait dans la petite planète télévision, mais ça a eu une grosse influence. Ça a été une grosse déception, à la fois au niveau de l'accueil et du résultat, et ça m'a fait mal parce que j'avais des espérances extrêmement élevées. Ça a influencé mon bonheur et ça ne fait pas longtemps que tout ça est complètement réglé dans ma tête. J'aime mieux demeurer naïf par rapport au métier, faire ma *job* le mieux possible et laisser arriver les beaux rôles et les beaux projets.

Et mis à part ton métier de comédien ?

L'eau est l'élément dans lequel je suis le mieux et je m'étais dit que, pour mes 40 ans, je suivrais des cours de plongée sous-marine. Le projet a été remis, mais il faut que je le fasse, parce que j'ai vécu l'un de mes gros moments de bonheur intense, un moment magique, en faisant de la plongée en apnée quand je suis allé à Cuba il y a plusieurs années. Je ne voulais plus sortir de l'eau, j'étais bien, et tout ce que je voyais me faisait capoter. Je prends toujours du temps avant de prendre mes décisions, mais je l'ai encore dans la tête. J'ai refait de l'apnée, mais je veux pousser la note un peu plus loin et suivre mes cours, avoir ma bombonne, acheter l'équipement, et quand les enfants vont être plus vieux, voyager en fonction des endroits où ce sera *l'fun* de faire de la plongée. Je l'ai en tête et je ne peux pas croire que je ne le ferai pas.

À 42 ans, je dois aussi commencer à penser à ma santé qui est assez bonne, mais je sens que je dois faire des choix et changer quelques habitudes de vie.

J'ai déjà commencé les changements, il faut que je sois moins sédentaire. Ça ne va pas me rendre heureux d'aller faire du jogging ou de faire du vélo stationnaire, mais du haut de ma grande insouciance, je me dis qu'il y a des affaires plus *tough* à faire. Si je ne mets pas les briques en place, si je ne bouge pas assez, ça pourrait *scrapper* mon bonheur.

Je suis dans une période de ma vie où je me rends compte que ce que j'ai fait en amont depuis trente-cinq ans va demeurer «mon carré de sable» pour le reste de mes jours. Il y a quelque chose d'un peu *freakant* là-dedans aussi. Si je veux tout laisser tomber et retourner aux études pour devenir vétérinaire, par exemple, il faudrait que ce soit maintenant! Je le vois, mon carré de sable, je vois ce que va être mon aire de jeux, les gens qu'il y aura autour de moi. Je ne dis pas qu'il n'y a pas de place pour les nouvelles rencontres, mais pas beaucoup. Et tout ça me convient, je veux seulement que tout ça demeure en équilibre.

Es-tu du genre à faire des choses sous le coup de l'impulsion?

Non, je ne suis pas comme ça. Par exemple, ça a été très long avant que je me décide à venir habiter à Montréal. Je regarde les autres autour de moi et, tu vois, je n'ai pas été le premier à avoir des enfants, je n'ai pas été le premier à partir en appartement avec ma blonde. C'est long dans mon cas avant que les choses se mettent en branle, mais j'ai l'impression que lorsque c'est parti, je les termine et c'est ça qui me rend heureux. Par contre, je sens que de m'ouvrir sur de nouvelles choses dans mon métier va me rendre heureux. En fait, je veux avoir le moins de regrets possible et, par exemple, mon frère et moi on a une bonne idée pour la télévision et on s'est dit qu'on allait y travailler.

Que voudrais-tu dire aux gens, qui ont ce livre entre les mains, au sujet du bonheur ?

De trouver la façon d'étouffer les sources de soucis. Moi, je trouve le bonheur en étouffant le malheur, c'est ma façon de faire. Et il n'est jamais trop tard pour commencer. Comme il n'est pas trop tard pour arrêter de fumer, il n'est pas trop tard pour connaître le bonheur. Pose un geste, appelle quelqu'un, fais-toi plaisir une fois avec quelque chose, inscris-toi à un cours que tu veux faire depuis longtemps! À un moment donné, quand tu es trop malheureux, tu ne vois plus la beauté, mais elle est partout, la beauté.

Quand j'ai rencontré Cynthia, je n'étais pas dans une période de ma vie où j'étais le plus heureux même si, en apparence, à deux heures du matin dans un bar, j'en avais l'air. Mais on se promenait et elle me disait tout à coup: «Hé, regarde les tulipes qui commencent!» Elle était un vrai rayon de soleil et elle m'a fait remarquer des petites affaires ici et là, et j'ai commencé à m'arrêter et à voir les belles choses. C'est vrai qu'en ce moment précis où on se met la face au soleil et qu'on ferme les yeux, on est bien. C'est bien simple et quand tu commences à apprécier ces moments-là, il ne faut pas que tu arrêtes. Quand tu cherches le bonheur, il faut juste te rappeler le principe de la petite brique: des petits moments de bonheur, des petites briques que tu mets l'une sur l'autre, étape par étape. Je dirais aussi qu'il faut être proactif, qu'il faut provoquer les choses.

Pénélope McQuade

On est tellement plus fort qu'on ne pense l'être...

Pénélope McQuade est une femme de convictions, une curieuse, une passionnée qui sait ce qu'elle aime et ce qu'il lui faut pour être heureuse. J'ai eu l'occasion de mieux la connaître quand j'étais chroniqueur à l'émission *Salut Bonjour, Week-end* qu'elle animait en 2008-2009. J'ai découvert une animatrice d'une grande rigueur qui ne laissait rien au hasard et une formidable compagne de travail. J'aimais l'entendre rire, la surprendre en ondes, partager des repas avec elle, la regarder mener ses entrevues avec beaucoup de pertinence et de professionnalisme. C'est avec énormément de plaisir que nous nous sommes retrouvés pour réaliser cette entrevue.

Ton bonheur se porte comment? De 1 à 10, à quel échelon est-ce qu'il se situe?

Je dirais que je suis pas mal à 7,5, ce qui est très bon pour moi. Dans les dernières semaines, j'ai eu de grandes pointes de bonheur et de grands creux, alors aujourd'hui, au moment où l'on se parle, 7,5 est un super bon chiffre. Quand tu ne sais pas si le bonheur va durer, c'est difficile de savourer le bonheur présent. Je trouve que l'inquiétude de ne pas savoir s'il va être là demain ou dans trois jours fait en sorte que j'ai envie d'être conservatrice par rapport à mon bonheur d'aujourd'hui.

Quel genre de relation entretiens-tu avec le bonheur?

Je vais te dire une niaiserie: j'adore le bonheur! Le bonheur, c'est ce qui me rend le plus heureuse dans la vie. Je suis remplie de gratitude pour tous les moments de bonheur que je vis. Pour moi, le bonheur n'est pas quelque chose qui passe sans que je m'en rende compte. Je ne dirais pas que j'ai bonheur difficile, mais simplement que ma vie est remplie d'épreuves, de défis d'ordre psychologique et émotif qui font que le bonheur est très fuyant chez moi, mais c'est un état que

je recherche et que je savoure. Tu sais, quand tu gèles et que les premiers rayons de soleil du printemps arrivent, pour moi, chaque journée de bonheur, c'est un peu comme ça. Je suis en amour avec le bonheur parce que ça m'apporte énormément quand je suis dedans, mais je n'ai pas une relation stable avec le bonheur. Ce à quoi j'aspire est un genre de lame de fond qui ferait en sorte que quoi qu'il arrive, ce tapis ne serait jamais tiré de sous mes pieds, même s'il vente beaucoup au sommet. C'est un peu ça qui me manque, cette confiance, cette assurance en la vie qui me permettraient de composer avec tout, de tout gérer et de tout le temps être bien. Je ne devrais pas avoir peur, parce que j'ai fait face à beaucoup d'adversité dans ma vie et que je m'en suis toujours sortie. Pour moi, la beauté de ma vie, c'est de n'avoir aucune idée de quoi sera fait le lendemain et c'est comme ça que je la veux, ma vie. Je ne suis pas une victime, tout ce que j'ai dans la vie, je l'ai choisi, même quand je suis malheureuse. Je me bats avec la dépression depuis vingt-cinq ans... Je pense qu'elle est là, mon insécurité. Ça m'est arrivé à plusieurs reprises de penser que j'étais bien équipée et, tout à coup, le sol s'ouvrait sous mes pieds.

reusement, force est de constater que j'ai un problème de santé mentale, probablement quelque chose de biologique ou de chimique qui fait qu'il y a des choses qui se dérèglent malgré tout le travail que je fais et bien que j'aie le bonheur facile, dans la mesure où ça ne me prend pas grand-chose pour être heureuse. Je ne suis pas compliquée dans la vie, j'adore la spontanéité, je suis très facile à vivre, mais il y a comme une stabilité émotive dans laquelle je n'arrive pas à m'installer et en laquelle je n'arrive pas à avoir confiance. Alors les moments de bonheur, je les savoure encore plus parce que je ne sais pas quand ils vont disparaître. Le bonheur me rend complètement euphorique, parce que sachant ce que c'est que d'être dans le côté sombre, lorsque le soleil sort, je capote et j'en profite.

Quels sont les ingrédients essentiels à ton bonheur ?
C'est sûr qu'on a besoin d'amour, je pense qu'on est biologiquement faits pour être deux, pour créer, pour enfanter, pour subsister et qu'on est faits pour être avec quelqu'un qui prend soin de nous. À la base, moi, j'ai besoin d'amour et d'en donner, besoin d'être « amoureuse ». Pour moi, être en couple, être en amour, partager ma vie avec quelqu'un, c'est vraiment au *top* de mes priorités dans la vie. Bien avant les priorités d'ordre professionnel. Ça passe avant beaucoup de choses pour moi. Pour être heureuse, j'ai besoin de me sentir libre, de vivre un amour qui me donne des ailes, d'une famille qui me soutient et d'amis qui, même s'ils ne sont pas d'accord avec moi, sont quand même dans mon cercle d'amis. J'ai aussi besoin de sentir que je peux être ce que je suis, en tout temps, avec les gens que j'ai décidé de laisser entrer dans ma vie, et qu'ils me fassent confiance. J'ai besoin que mon *chum* par exemple, s'il me laisse libre, sache que ce n'est pas pour aller vers quelqu'un d'autre. Si je ne vois pas les membres de ma famille durant six mois, il faut qu'ils aient confiance, qu'ils sachent que je les aime, que je les adore, et que mon absence n'affecte en rien mes sentiments à leur égard. J'ai besoin de cette liberté-là et d'être entourée de gens ouverts pour être heureuse. Je ne peux pas travailler dans un milieu professionnel fermé ou avoir des amis qui n'ont pas d'ouverture. Il

Tu ne peux pas dire que tout ça est derrière toi ?
Je pensais qu'après mon accident, tout serait derrière moi. J'étais tellement contente d'être en vie, j'avais tellement l'impression d'avoir touché à quelque chose d'essentiel et d'avoir un cadeau et une responsabilité de vivre la vie qui m'avait été donnée une deuxième fois, que j'avais vraiment le sentiment d'avoir réglé mes problèmes de dépression pour toujours. Malheu-

faut que ce soit des gens ouverts d'esprit, ouverts à la différence et aux autres, à d'autres cultures, aux idées, à la marginalité. Si je n'avais pas ça, je serais très malheureuse.

Est-ce que le bonheur passe par les réseaux sociaux ?

Oh non ! Au contraire, à l'été 2016, j'ai fermé ma page Facebook durant près de cinq mois, alors que j'étais dans une période de ma vie où le bonheur me semblait difficile à trouver. Je l'ai fermée parce que le bonheur des autres était difficile à voir au quotidien, il me renvoyait surtout à ce qui me manquait et à cette illusion du bonheur que l'on se fait. On est super bons pour se faire des carapaces, mais tout le monde que l'on rencontre dans la rue a une histoire, tout le monde vit quelque chose de difficile, se bat avec ses démons. Évidemment, ce que l'on voit sur les réseaux sociaux ou ce que les gens montrent quand ils sortent dans la rue, ce n'est pas nécessairement faux, mais c'est une façade, une carapace. On ne veut pas traîner notre malheur pour que tout le monde le voie. Bref, tout ça me confrontait dans ma propre perception du bonheur, dans ma capacité d'être heureuse, et ça m'a permis de me reconcentrer sur ma vie. Le bonheur affiché sur les réseaux sociaux me dérangeait dans ce que je suis, à un niveau assez profond pour me dire qu'il fallait que j'arrête de regarder comment les autres vivaient et maîtrisaient les choses pour me concentrer à être avec moi-même et à observer ce qui me rendait dans cet état. Le bonheur ne passe donc pas par les réseaux sociaux, quoiqu'ils apportent beaucoup d'amour aux personnalités connues. Chaque message positif que je reçois, c'est comme une décharge électrique, c'est un bonheur. Il y a quelque chose qui rend très heureux dans cette conversation qu'on a avec le public tous les jours.

Mais il y a aussi ceux qui critiquent, qui ne sont pas tendres et parfois carrément méchants…

Les *haters* ne me rendent pas malheureuse, au pire ça va m'irriter, mais c'est très rare que ça me rende triste ou que ça me fâche. Je ne suis pas ébranlable à ce niveau. La première chose que tu reçois quand le vocabulaire est agressif, c'est l'énergie négative, avant même de te demander de qui ça vient ou si c'est bien écrit. Il y a comme une première petite vague négative, mais elle ne dure pas longtemps et c'est très rare que je sois blessée, que ça me mette à l'envers ou que je me remette en question. Sauf si c'est un commentaire qui vient d'une source que je considère comme crédible, ou d'une partie du public que je respecte et qui argumente sur quelque chose que j'ai dit. Mais généralement, quand c'est un message envoyé avec beaucoup de négativité, je me dis que ça ne me concerne pas.

Quels sont les petits plaisirs qui te rendent heureuse ?

Pour me faire plaisir, je vais dormir jusqu'à midi ! Quand je sais qu'il y aura une journée dans mon horaire où je n'ai rien et que je vais pouvoir gaspiller la journée, dormir sans me soucier du réveil, c'est vraiment quelque chose qui me fait plaisir. Une soirée en robe de chambre, les cheveux gras, avec une grosse pizza, devant la télé ; je vais annuler une sortie pour rester chez moi, heureuse à zapper. Si je peux combiner une telle soirée et dormir jusqu'à midi le lendemain, *oh my God* ! Sinon, me retrouver dans un resto et boire du super bon vin, je pense que c'est la chose que je préfère le plus dans la vie. Je pourrais être au resto sept jours sur sept et je *trippe* sur le vin, j'en achète d'un importateur. Ça, ça me fait vraiment plaisir. Sinon, je ne suis pas une « magasineuse », j'aime aller passer une journée au spa et, bien sûr, j'adore voyager, mais je ne compte pas ça parmi les petits plaisirs.

Et quand tu voyages, tu aimes faire de la plongée, tu m'as si souvent dit que ça te rendait heureuse !

Je suis déjà allée en voyage dans des moments de ma vie où j'étais en dépression. J'étais sur le bateau, en train de me préparer, et je pouvais penser à plein de choses, être préoccupée, anxieuse. Mais du moment que j'étais dans l'eau et jusqu'à ce que je remonte sur le bateau, j'oubliais tout. Ça fait vingt-six ans que je plonge, et pour moi, c'est comme une méditation, ça a le même effet. C'est méditatif, contemplatif et calmant. Il y a un aspect physique à la chose qui est la respiration, parce que, tu n'as pas le choix, tu dois respirer profondément et de façon régulière. Je me sens en paix quand je plonge. Il y a le son de ta respiration qui est différent, tu es en mouvement avec l'eau, et il y a aussi l'aspect découverte. Les fonds de l'eau ne sont jamais pareils, ma curiosité est assouvie quand je suis sous l'eau, j'ai de quoi m'émerveiller constamment. Parfois, je me dis que c'est l'origine de l'humain; on vient de l'eau, et j'ai l'impression de retrouver ma place dans l'univers, d'être vraiment en symbiose avec la planète quand je suis sous l'eau. Moi, mon cerveau *spinne* toujours sur plein de choses, positives ou négatives, sauf en plongée. Ça m'apaise vraiment, c'est un grand, grand plaisir, à la fois très ludique et très profond.

Revenons sur cet accident d'automobile dont tu as été victime en mai 2009, alors que tu faisais la route Québec-Montréal. Est-ce que tout ce que tu as vécu t'a changée et fait voir la vie de façon différente?

Tu sais, dans notre vision Walt Disney de l'affaire, on voit un film où quelqu'un a un accident ou une maladie, s'en sort et devient une meilleure personne. Sa vie est changée. Il aurait fallu que je sois une personne superficielle, unidimensionnelle, pour que ma vie change du tout au tout vers le bonheur, ce qui n'a pas été le cas. J'avais quand même 39 ans, mes valeurs et ma vie étaient installées, j'avais fait des choix, j'étais en démarche thérapeutique pour l'amélioration de mon bien-être et de ma personne. Depuis des années, je cherchais à être une meilleure personne, à répandre le bien autour de moi. Alors, tu ne t'éveilles pas un matin et, tout à coup, tes valeurs tombent à la bonne place. Ma mère m'a dit après l'accident: «Tu as la responsabilité d'être heureuse dans cette deuxième vie qui t'est donnée.» Être heureuse serait de ne pas me laisser déranger par les petites affaires, de prendre les moyens pour éliminer ce qui me rend malheureuse dans la vie. C'est plus facile à dire qu'à faire! Oui, quand tu sors de l'hôpital après trois mois et que tu entends les oiseaux chanter, tu fais: *Oh my God!* OK, on avait pris pour acquis cette magie de la nature qu'est un oiseau qui chante. C'est super! Mais deux ans après, le samedi matin quand tu essaies de dormir, que ta fenêtre est

ouverte et que les oiseaux chantent à ta fenêtre, tu fais: «Hé! J'peux-tu dormir?» La vie te rattrape et c'est sûr qu'il y a une partie de moi qui a changé. J'ai vu à quel point ça faisait plaisir à des gens que j'aime que je me présente à eux de façon vulnérable et fragile, parce que c'était comme si je leur disais que j'avais besoin d'eux. Moi, je m'étais toujours organisée toute seule dans la vie, je ne demandais jamais rien à personne. Demander de l'aide à quelqu'un, c'est une preuve d'amour, et je me suis rendu compte, quand mon père, mes amis m'ont aidée, qu'ils étaient dans tous leurs états parce que c'était pour eux une façon de me dire qu'ils m'aimaient, d'autant plus que je ne les avais pas laissé entrer dans ma vie de cette façon-là auparavant. Alors ça, ça a changé et, maintenant, montrer mes vulnérabilités et demander de l'aide, ça me rend plus heureuse parce que ça a créé des liens plus profonds dans les deux sens et que je me sens moins seule dans la vie. Quand je demande un service à ma mère, elle est la personne la plus heureuse au monde! C'est sûr que ça a fait grandir tout l'amour qui circule entre moi et les gens qui font partie de ma vie. Malheureusement, quand la dépression est revenue quelques années après, pour moi, ça a été un gros choc, parce que je pensais que tout était réglé. Mais ça m'a rendue plus ouverte, moins ignorante des douleurs des autres. Plus sensible aussi. J'étais déjà curieuse des gens et avenante, mais quand je vois quelqu'un qui a mal, je suis beaucoup plus empathique et c'est sûr que mes rapports avec les autres ont changé. Ça m'a ouvert les yeux sur le fait que chaque personne a une histoire derrière sa façade.

Qu'aurais-tu à dire aux gens qui cherchent le bonheur, qui en arrachent, ou qui veulent simplement embellir leur vie?

Qu'on est tellement plus fort qu'on ne pense l'être! Beaucoup plus fort. Se le répéter, s'entendre le dire, l'intégrer nous renforce dans l'idée que c'est une certitude. Rien que de se lever le matin et de passer au travers de sa journée peut demander une force herculéenne, et on a l'impression qu'on est faible parce qu'on ne s'est pas levé du bon pied ce matin-là. La force, ce n'est pas de se sentir fort, c'est de se sentir faible et d'agir quand même. C'est vraiment ça pour moi. Quand je suis retournée plonger, un an après mon accident, mon matériel de plongée était trop lourd pour mes jambes, il fallait qu'on me tire de l'eau parce que j'avais de la difficulté à cause de ma jambe. Mais je n'étais pas faible parce que j'étais faible, j'étais forte parce que j'étais là tout en étant faible. On trouve toujours des ressources en nous quand il le faut. Quand j'ai eu mon accident, moi qui vis des dépressions et qui trouve parfois le monde tellement lourd pour peu de raisons, j'avais toutes les raisons d'être découragée… et je pense que j'ai pleuré seulement une fois en trois mois de découragement, ça a duré quinze minutes. Cette force-là, je l'avais en moi. Et quand on n'est pas capable de la déployer, ce n'est pas par manque de volonté, c'est seulement que ce n'est pas le moment. Et quand viendra le moment, les forces vont se déployer.

Que manque-t-il à ton bonheur ?

Je veux développer ma confiance en moi, ma propre responsabilité de mon propre bonheur. Ma faiblesse numéro un, c'est un manque de confiance en moi qui me rend malheureuse à certains moments de ma vie. Si je travaillais là-dessus, ça règlerait bien des problèmes avec moi-même, avec les autres et avec une foule de choses. Je pense qu'on travaille tous là-dessus. Sinon, si on parle d'un grand bonheur, un projet que je voudrais réaliser : j'aimerais me marier.

Le mariage avec la robe blanche, la cérémonie, le *party*, le *trip* au complet ?

Oui ! Oui ! Ça ne fait pas longtemps que je me suis avoué que je voulais me marier. J'ai toujours grandi en disant que je ne voulais pas me marier ni avoir d'enfant. Je ne voulais pas d'enfant, ça n'a pas changé, je ne l'ai jamais regretté. Ce n'est pas tant un choix conscient que la vie qui en a été ainsi. Et si j'étais tombée enceinte, ce qui ne m'est jamais arrivé, peut-être que j'aurais eu cet enfant, je ne sais pas. Donc, je ne voulais pas me marier, ni avoir d'enfant, ni avoir de maison ou de carrière, je n'ai jamais eu de plan de carrière. Le mariage était donc passé dans le tordeur, mais au cours des cinq ou six dernières années, j'ai

réalisé que je trouvais ça beau, le mariage. Pour moi, c'est un peu un geste irrationnel de se marier sans nécessairement vouloir fonder une famille. Il y en a beaucoup qui se marient pour solidifier quelque chose. Mais pour moi, un mariage sur un coup de tête, c'est vraiment sur ma *bucket list*. Une espèce de geste d'un romantisme fou, irrationnel, genre on s'en va à Las Vegas et on se marie ce week-end !

Je te le souhaite ! Tu me le diras un peu à l'avance, j'irai faire tes photos de mariage !

Michel Barrette
Oser faire des virages à 180 degrés

Je ne compte plus les entrevues réalisées avec Michel Barrette depuis plus de vingt ans, et chaque fois c'est la même chose : il suffit de lancer quelques questions pour que Michel se confie avec passion, le tout entremêlé de parenthèses glissées ici et là, pour ensuite reprendre le fil de la discussion avec maints gestes et expressions à l'appui. Un spectacle, un flot d'histoires, de moments drôles et touchants, parsemés d'anecdotes! Ce n'est pas surprenant que cet enthousiaste et formidable raconteur continue toujours de faire courir les foules lorsqu'il se raconte sur scène.

Michel, sur une échelle de 1 à 10, aujourd'hui, le 8 novembre 2016, à quel niveau dirais-tu que ton bonheur se situe?

Je ne peux pas dire 10, parce que ça ne se peut pas, mais je suis à 9, c'est sûr que j'suis à 9 et pour toutes sortes de raisons. Un, je suis encore vivant et deux, j'ai près de 60 ans et je pète le feu! Mais avant tout, et je vais tomber dans le cliché, mon bonheur est à ce niveau à cause de ma famille, de ma blonde et de mes enfants. Tu sais, moi j'ai tellement de *bébelles*, je ne suis pas bouddhiste; quand on dit que l'essentiel devrait pouvoir entrer dans une valise, moi je mettrais quoi dans ma valise? Si tu mets une poignée sur une semi-remorque de 53 pieds et que je dis «voici ma valise», c'est correct! Mais tout ça, ce sont des objets. En même temps, je suis celui qui dit mille fois par année à ma blonde que, demain matin, je pourrais vivre dans la petite roulotte qui est en arrière de la maison, m'en aller dans le Nevada, dans le désert, avec mon vieux *pick-up* et ce qu'il faut pour manger. J'irais faire un tour de temps en temps, je regarderais au loin, je lirais et j'écouterais de la musique et je serais très heureux. C'est une utopie totale parce que j'ai 22 chars et parce que j'ai eu les moyens d'acheter des *bébelles*. J'suis comme un enfant qu'on a amené

chez Toys "R" Us et à qui on a dit : «Tu ramasses tout ce que tu veux là-dedans, c'est gratuit.» C'est exactement ce que j'ai fait. Ce n'était pas gratuit, mais je me suis *lâché lousse*. Mais je n'ai pas besoin de ça pour être heureux. C'est un beau loisir, ça m'occupe la tête, comme si j'étais un enfant.

Tu pourrais donc avoir toutes ces bébelles, ces souvenirs, mais tu ne serais pas heureux sans ta blonde et les enfants?

Non, non! Je suis content d'avoir réussi, je suis content d'avoir fait des grimaces, d'avoir une carrière et c'est bien *l'fun*, je suis vraiment privilégié. Mais j'aurais pu travailler à l'usine, rester dans un bungalow et avoir les mêmes enfants et la même femme, avoir mille fois moins d'argent et je serais très, très heureux. J'ai quatre garçons, je suis avec Maude depuis quinze ans et ça fait dix ans qu'on est mariés. C'est la plus belle rencontre de ma vie, la rencontre qui m'a carrément sauvé la vie. Ça a l'air drôle de dire «sauvé la vie», parce que j'avais 45 ans à ce moment-là, mais c'était pathétique, mon affaire. Heureusement que j'avais mes enfants, mais je tournais à vide, je travaillais encore et encore. Quant à ma vie personnelle, c'était n'importe quoi. J'étais tout seul et Maude a ramené

tout ça, c'est-à-dire qu'elle a fait qu'on est devenus un couple et ça a enfin donné une famille à mes enfants. Ils ont un père et une belle-mère qui sont solides et ils se rattachent à ça, même si Martin et Nicolas sont de quelqu'un d'autre et Olivier d'une autre mère. C'est un clan solide, mes enfants parlent à ma blonde et pour eux, elle est devenue comme une référence.

Mis à part tout ce que tu viens de me dire, quelle est ta notion du bonheur?
Ma notion du bonheur, ça passe par des moments. Si je retiens le titre de la biographie de Dominique Michel, *Y a des moments si merveilleux*, je pense que c'est ça,

y a des moments merveilleux, mais ça ne peut pas toujours être ainsi, je ne suis pas toujours sur une piste de course à mettre un char de travers! Et je ne peux pas toujours avoir mon p'tit garçon de 10 ans dans les bras, à le regarder et à le trouver beau quand il me fait une belle face. Systématiquement, tous les matins, il vient m'embrasser dans le lit, il me réveille par un petit bec sur la joue, et je lui mets la main dans les cheveux. Ça, ça fait ma journée! Ce sont des moments merveilleux qui ne durent pas longtemps. Tantôt, je vais aller le chercher à l'école et de le voir arriver me remplit de joie comme aucun trophée, chèque de paie, char ou moto ne pourrait le faire.

Des moments heureux, ça peut être aussi de marcher seul dans la rue et d'arrêter devant un bâtiment que je trouve beau. Ou des moments où tu es heureux sans savoir pourquoi; il n'y a rien qui se produit, mais tu te dis simplement : *Je suis donc bien! Hé que la vie est belle!* Il y a eu des moments dans ma vie où j'étais beaucoup plus riche que certains de mes amis, mais ils étaient bien mieux que moi parce qu'ils avaient quelque chose de solide: une maison, une famille, des enfants et de l'amour dans la maison. Moi, j'étais millionnaire et je peux te dire que j'étais malheureux!

Par ton métier, tu procures beaucoup de bonheur aux gens…

J'ai besoin d'être sur la scène. Être devant 1 800 personnes à la salle Albert-Rousseau comme demain soir, c'est comme un condensé de bonheur. Tu sais, quand on dit: «Si je pouvais prendre une pilule pour être heureux!» Eh bien ça, c'en est une toutes les fois parce que les gens rient, je leur fais tout oublier pendant 90 minutes et, à la fin, ils sont debout et ils applaudissent et me crient des belles affaires. Quand je sors de là, tous les soirs, c'est comme si je gagnais la coupe Stanley ou les 500 milles d'Indianapolis. Je les entends, surtout quand je fais des spectacles ici (à l'hôtel Les Trois Tilleuls), où ils sont tout près de moi, et ils ne sont pas en train de parler de leurs *bibittes* et de la fin du mois, ils vivent le spectacle et ils s'amusent.

Dans ton cas, le bonheur a été de suivre ta voie, de quitter ton emploi dans une caisse populaire, de t'être écouté et d'avoir décidé de foncer?

On dit que la meilleure *job* dans la vie est celle qui te fait lever le matin, heureux de courir au travail! Peu importe que tu sois camionneur, éboueur, pilote d'avion ou premier ministre. Depuis 33 ans, je me lève tous les matins pour aller faire ce que j'aime, même les jours où je suis malade. Une heure après j'ai oublié ça et le soir je suis sur scène. Il y a deux semaines, au Dix30, mon technicien m'a regardé et a trouvé que j'avais l'air *magané*. Je suis arrivé sur scène avec mes *kleenex* et ma poubelle, et j'ai expliqué au public que j'étais malade et qu'il ne fallait pas que je tousse ni que je me mouche pendant une heure et demie… et que mon record était de 15 secondes!

Si on parle de bonheur, si on parle de *job*, mon père m'a dit un jour: «J'ai travaillé 35 ans à l'usine et j'ai haï chaque journée.» Je lui ai dit: «P'pa, ça se peut pas!», et il m'a répondu: «C'était ma job! T'es chanceux de faire ce que t'aimes.» Chanceux oui, les gens peuvent dire que je le suis parce que je suis riche maintenant, mais sur ces trente-trois ans de carrière, pendant les dix premières années, j'ai été pauvre pas à peu près! Je le faisais parce que j'aimais ça, et que les sous soient arrivés après, ça a été tant mieux pour moi. C'est ben *plate* pour ceux à qui ce n'est pas arrivé, mais ce n'est pas ça qui m'a rendu plus heureux.

Tu aimais ce que tu faisais, c'était la clé…

Quand je partais en autobus avec mon petit sac pour faire *Hi! Ha!* en Abitibi, je revenais souvent moins riche, parce qu'après avoir eu ma paie pour mon petit *show* là-bas, payé ma chambre, mes repas et mon transport, je revenais avec à peu près pas d'argent, et parfois pas du tout. Mais je n'ai jamais été malheureux de ça et je pouvais me dire que les spectateurs avaient beaucoup ri.

Quand Olivier est né, il y a 33 ans, sa mère et moi, on restait dans un appartement sur le boulevard

Édouard-Montpetit et tous nos meubles avaient coûté 400 $ au total. Tu imagines que c'était chic! Quand j'ai commencé à faire *Les Lundis des Ha! Ha!*, je devais prendre l'autobus pour aller au Club Soda, ça me coûtait 1 $ et, souvent, il me manquait 25 cents que j'empruntais au voisin. J'ai fait *Les Lundis des Ha! Ha!* comme invité et, l'année d'après, Ding et Dong sont partis en tournée avec Daniel Lemire, Pierre Verville, Normand Brathwaite et des artistes français. Ils nous ont demandé, à André-Philippe Gagnon et à moi, de les remplacer comme animateurs aux *Lundis* durant deux mois d'été. Je me souviens qu'André-Philippe avait emprunté le *pick-up* de son père et on s'était donné rendez-vous à la porte du Club Soda. Je ne me souviens pas du prix d'entrée, mettons que c'était 8 $, mais je me rappelle avoir dit à André-Philippe: «Si on n'animait pas le *show*, aurais-tu de l'argent pour venir y assister?» Et il m'avait répondu: «Es-tu fou! Ils sont ben mieux de nous payer après le *show*, sinon j'ai pas d'argent pour mettre du *gaz* pour m'en retourner à Québec.»

À tous ceux qui cherchent le bonheur et qui savent qu'il se trouve peut-être ailleurs, mais qui n'osent pas bouger, qu'aurais-tu à leur dire?
Je n'ai jamais eu peur de faire des virages à 180 degrés. Contrairement à ce qu'on pense, ce n'est pas toujours évident, surtout quand on a des enfants. Moi, j'ai longtemps été malheureux et j'ai longtemps hésité avant de quitter ma blonde de l'époque.

Que ce soit de laisser quelqu'un avec qui on n'est pas bien, de réaliser que la condition dans laquelle on est n'a pas d'allure, ou que notre emploi ne nous satisfait pas — et je sais qu'il faut gagner sa vie et qu'on ne cherche pas à faire éclater les familles —, je comprends tout ça, mais parfois il faut le faire, ce virage à 180 degrés. Ça va être dur et c'est toujours un méchant virage, et parfois même on va se dire qu'on ne peut pas le faire parce que ça va *fucker* les enfants. C'est cliché de dire que les enfants préfèrent des parents heureux qui sont séparés que des parents ensemble qui sont malheureux, mais ce n'est pas vrai

qu'on peut faire semblant, et ce n'est pas vrai qu'on sauve la santé mentale de nos enfants en s'obligeant à rester ensemble. La pire chose à faire est de rien faire parce que tu t'enterres toi-même. Et ça ne s'applique pas seulement aux relations que j'ai eues et que j'ai laissé tomber, mais aussi à avoir quitté la caisse pour aller gagner 110 $ par soir. On me disait que j'étais fou! Mon bonheur n'était plus à la caisse, mais quand on fait un tel changement, ça ne veut pas dire que demain matin ça va bien aller. Dans mon cas, ça n'a pas été si long; dans les mois qui ont suivi, j'ai retrouvé le bonheur, mais le bonheur était tellement simple que j'étais pauvre comme t'as pas idée. Je n'ai jamais regretté ce virage-là et ça peut parfois paraître égoïste de faire des virages à 180 degrés parce que tu penses d'abord à ton propre bonheur. Moi, à l'époque où je me suis retrouvé malheureux dans une relation, j'ai fait: *Ok, c'est assez!*, et je continue à croire que j'ai fait ce qu'il fallait. Pour mon bien d'abord, il faut que je sois honnête, parce que si je suis heureux, c'est plus facile pour moi de rendre mes enfants heureux qu'en étant malheureux.

Mais cela dit, pour faire un virage à 180 degrés, il faut que tu fasses grandement confiance à la vie parce que ce n'est pas évident. C'est comme sauter dans le vide en souhaitant que le parachute finisse par ouvrir, c'est vraiment ça.

Justement, tu n'as jamais été du genre à te morfondre et à attendre que le bonheur te tombe dessus, que tout se fasse sans effort et que tu gagnes à la loterie!
Ben non! N'attendez pas d'avoir de l'argent pour être heureux, parce qu'il n'y en aura peut-être pas. Le bonheur, c'est d'oser. Sur ma pierre tombale, tu peux écrire: «J'ai vécu très longtemps et je suis mort jeune»... parce que moi, j'ai 60 ans, mais j'en ai 17 parce que je m'interdis de penser autrement que lorsque j'étais ti-gars. Tant que ça va ressembler à ça, je vais avoir du *fun*. Dans le fond, je n'ai pas de réponse à savoir quel est le secret du bonheur, et en parlant avec toi — et tu fais bien de faire ce

recueil — ça nous oblige à avoir une réflexion qu'on n'a pas, surtout quand on est heureux. Quand on est heureux, on ne se pose pas la question à savoir ce qui pourrait nous rendre heureux…

Tu es heureux, tu as une belle famille, du travail, tu t'amuses, est-ce qu'il y a d'autres bonheurs auxquels tu rêves ?

Tout ce que je souhaite est que ça dure le plus longtemps possible, que tout mon monde et moi-même, on demeure en santé. L'un de mes bonheurs est de voir que, malgré ma sécurité financière, mes enfants ne veulent pas passer par ça. Mon fils Martin est marin, il aime la musique et il me dit que tant qu'il a son appartement et qu'il fait de la musique, il n'a pas besoin de plus. Il se confie beaucoup à moi et à ma blonde. Même chose pour Olivier, c'est un acteur, il n'est pas riche, et il m'appelle pour me dire de penser à lui quand il va passer une audition pour un rôle dans une série. C'est *l'fun* parce que ma notion du bonheur a été de leur dire : « Pensez d'abord à ce que vous aimez faire dans la vie. Quand vous vous levez le matin, êtes-vous heureux de ce que vous allez faire ? Sinon, ne restez pas longtemps là-dedans. »

Je te donne un autre exemple : ma mère, c'était une fonceuse qui voulait voyager, une femme de carrière. Mon père ne comprenait pas qu'elle puisse faire autre chose à l'extérieur de la maison, et elle avait eu des opportunités qu'elle n'a pas saisies. Il y a longtemps, ma mère a laissé mon père pendant peut-être un an ; elle est partie en Europe, elle a voyagé, elle a fait un virage à 180 degrés. Je me souviens du choc que j'avais eu, je n'ai pas compris au début. Ma mère me disait : « Oui, j'adore ton père, mais je veux lui mettre en pleine face que moi aussi j'existe, que moi aussi j'ai des rêves. Il a le choix, ou bien il participe à ça, ou bien je le fais toute seule. » Après coup, mon père a compris, mais il a eu de la misère, ce n'était pas naturel pour lui. Elle disait qu'elle voulait vendre la maison, alors que mon père voulait la garder pour nous, comme héritage, mais moi j'encourageais ma mère et je disais à mon père de la vendre et de prendre l'argent pour voyager. Mon père est mort depuis deux ans et ma mère a un nouveau *chum* et qu'est-ce qu'elle fait ? Elle voyage, elle va à New York, elle va au cinéma, au théâtre, elle vit ! C'est malheureux, excuse-moi, P'pa, mais elle est en train de faire ce qu'elle et mon père auraient dû faire.

Ça fait 2 ans que ton père est parti, tu y penses souvent, il est encore présent dans ta vie ?

Tout le temps. Mon grand-père est mort le 14 avril 1996 et à chaque show, quand la lumière baissait, avant que la musique commence, c'était un moment entre mon grand-père et moi. Je lui parlais quand j'étais fatigué, j'avais l'impression de l'entendre me dire : « Allez, entre sur scène ! » Tout comme s'il y avait une conversation entre nous deux. Maintenant que mon père est mort, je parle aux deux. Quelques semaines avant que mon père meure, je suis en coulisses avant mon *show* et je parle à mon grand-père : « Mon père s'en va, ton fils s'en vient, veux-tu le recevoir… ? », et là j'ajoute : « Je suis là à te parler, sûrement que je parle dans le vide, que je radote, t'es mort, t'es mort ! S'il y a quelque chose de l'autre bord, fais-moi signe, et quelque chose d'évident ! » Je fais mon *show*, et après je vais m'installer sur un petit tabouret derrière une table où pas mal de monde attend en file pour avoir un autographe. La première personne s'avance et elle met sur la table une photo de mon grand-père que je n'avais jamais vue, une photo officielle de l'Alcan, faite par un « vrai » photographe, sur laquelle il regarde la caméra avec un petit sourire en coin. L'air de dire : « Tiens, t'en voulais, une preuve ?! » Je t'en parle et j'ai des frissons ! Je dis à la femme : « Madame, vous êtes la première personne que je rencontre après mon *show* et vous me mettez une photo de mon grand-père devant moi ! Et je venais de lui parler il n'y a pas deux heures ! » Hé ! Pas une semaine après, pas le lendemain, pas la huitième personne à se présenter devant moi : la première ! Elle avait connu ma grand-mère qui lui avait donné cette photo et elle voulait me prouver qu'elle les avait vraiment connus en me l'apportant. Depuis ce temps-là, la photo de mon grand-père est sur mon foyer à la maison… et je lui parle encore plus souvent.

286

Philippe Bond
Éviter d'avoir des regrets

Philippe Bond est tout à fait le genre de gars qu'on aimerait compter parmi ses amis. Sympathique, toujours l'air heureux et de bonne humeur, sans compter qu'il a le cœur sur la main, Philippe est un bon vivant qui a le bonheur facile. Il adore son métier d'humoriste et, clairement, il s'amuse comme un enfant et parle avec beaucoup d'enthousiasme de l'amour qu'il porte à ses proches, lesquels font partie intégrante de son bonheur.

C'est dans les Laurentides, où il habite, attablés à la terrasse d'un café du village de Saint-Sauveur, que nous avons discuté d'une foule de choses, notamment de l'importance d'apprécier et de provoquer des moments heureux avec les personnes qui nous sont chères.

Philippe, ça fait déjà quinze ans que tu exerces ton métier?

Oui, quinze ans en 2017, et quand tu sors de l'École nationale de l'humour avec ton diplôme, tu comprends que tu ne vas pas vivre nécessairement de ton métier tout de suite. J'avais trois ou quatre emplois: j'ai travaillé dans un restaurant à Saint-Sauveur; de temps en temps, j'allais aider mon frère l'été comme électricien, et je lavais aussi des vitres de commerces. Il n'y a rien que je n'aie pas fait. À un moment donné, en 2006-2007, j'ai commencé à faire des *Gags juste pour rire* avec les caméras cachées, et c'est ce qui m'a permis de quitter tous mes autres emplois et à commencer à vivre de mon métier. Tout a vraiment débuté quand Louis-José (Houde) a fait sa tournée en 2008 (le spectacle *Suivre la parade*) et que j'ai eu l'occasion de faire sa première partie.

Tu projettes vraiment l'image d'un gars *cool*, pas torturé du tout et ayant le bonheur plutôt facile…

Tout à fait et ce sont souvent des choses hyper simples qui me rendent heureux. Je te donne l'exemple de ma journée d'hier: de 7 h à 8 h 30, j'étais avec un de mes *chums* et nous sommes allés jouer au hockey. Je suis revenu à la maison pour un *meeting* téléphonique avec ma gérante de 9 h 30 à midi, puis mon *chum* est revenu et nous sommes allés jouer au golf tout l'après-midi. Et hier soir, on s'est assis dehors, devant un feu, en chemise de chasse, avec une bouteille de vin. J'ai dit à mon *chum*: «On est mercredi, on a joué au hockey, au golf et là on se fait un feu, on dirait qu'on est à la retraite!» C'est assez ça, le bonheur!

Si je sais que ma *gang*, que le monde est bien autour de moi, je suis heureux. L'un de mes bonheurs serait de voyager un peu plus au cours des prochaines années. Je n'ai pas besoin d'aller dans un tout inclus ou à Paris! C'est sûr que c'est *l'fun*, j'aime ça Paris, j'y suis allé une fois et j'ai capoté, sauf que cet été, je suis allé sept fois dans le Maine, à Wells. C'est à cinq heures et demie de route, ça ne coûte pas une fortune, on couche dans un petit motel *cheap* parce que mon père connaît ce motel-là depuis 35 ans. Je connais le village au complet parce que je vais là depuis que j'ai deux ans. Il y en a qui me demandent: «Pourquoi tu retournes encore là, dans le Maine?» Parce que j'aime ça et que j'y suis bien, j'ai de beaux souvenirs qui y sont rattachés. Mes parents nous amenaient avec les jouets de plage et les planches de surf; mon père avait l'air d'une mule, il apportait tout sur la plage, il était surchargé comme ça n'avait pas de bon sens!

Le bonheur, ça passe par l'entourage avant tes propres besoins?

Il y a des affaires que je ne fais pas chez nous, que je ne fais pas pour moi. Par exemple, j'ai fait livrer trois cordes de bois et ça a traîné dans la cour durant deux jours, ça ne me tentait pas de le corder. Puis, je me suis mis de la musique, un de mes *chums* est venu m'aider et on l'a fait. Mais tu vois, ma sœur m'a téléphoné pour me dire qu'elle avait fait livrer trois cordes de bois chez elle. Je lui ai dit: «C'est beau, j'arrive!», et deux secondes après, j'étais là et j'ai cordé le bois plus vite que chez nous parce que je voulais qu'en revenant de travailler, elle voie que c'était fait. Moi, je déteste peinturer dans la vie, je n'ai même pas peinturé chez nous, j'ai engagé un peintre. Ma sœur m'appelle: «Je viens de déménager pas loin de chez papa et maman, il faut juste que je peinture les chambres.» Je lui ai dit que je m'en occupais, je l'ai fait et j'étais heureux de le faire pour elle. C'est la même affaire pour mes parents, je les invite à souper au restaurant une fois aux deux semaines et je paie pour eux. Mon père n'aime pas ça… mais il a tout payé pour moi pendant 20 ans! J'aime ça, ce sont des petites niaiseries, mais ça me rend heureux. Mon père a complètement arrêté de boire parce qu'il avait un tremblement essentiel, il tremblait un peu des mains. Le médecin lui a dit que c'était peut-

être en raison de l'alcool et du jour au lendemain, il a complètement coupé la bière et le vin. C'est quand même quelque chose. Il disait qu'il allait être capable et je lui ai lancé un défi: «Si tu *toffes* un mois, on part, j't'emmène dans le Maine.» Il l'a fait et au bout d'un mois il m'a demandé si j'avais réservé. Tu vois, juste ça, aller là-bas avec mes parents, au bord de la mer, dans un village où il n'y a que quelques restaurants, on est bien. On lit, on jase, on se raconte des *jokes*, on joue à la pétanque sur la plage.

La famille a beaucoup d'importance pour toi, j'imagine que tu ressens l'urgence de faire des choses avec tes parents?

Oui, j'ai perdu ma grand-mère juste avant les Fêtes, en 2015. Mon grand-père est décédé à 61 ans; après son décès, mon père a construit une maison intergénérationnelle avec un studio, et il a invité ma grand-mère maternelle à habiter avec nous. Pendant 20 ans, j'ai habité avec ma grand-mère, nous étions proches; j'allais faire l'épicerie avec elle. En raison de mon travail d'humoriste, j'avais plus de moments libres que mon frère, ma sœur ou mes cousins et cousines pour m'occuper de ma grand-mère, et ce n'était évidemment pas parce qu'ils ne voulaient pas être présents eux aussi à ses côtés.

Dans mon premier *show*, j'ai écrit un numéro complet dans lequel je parlais de ma grand-mère, et un autre numéro dans le deuxième, après l'avoir perdue. Je sais bien qu'on va tous partir à un moment donné, mais ça m'a donné un choc. Et quand mon père a appris qu'il tremblait un peu des mains, je me suis dit: *OK, je vais faire tout ce que je peux tout de suite.* Je n'ai pas envie de me dire plus tard: *Ah, j'aurais aimé voyager avec mes parents, j'aurais aimé jouer au golf avec ma mère, aller marcher à Tremblant avec eux.*

On le sait que la vie ne tient parfois qu'à un fil, que la santé peut être fragile, je pense entre autres à Jacques Demers et à Josée Boudreault, tous deux victimes d'un AVC…

J'essaie de ne pas trop y penser. J'ai accompagné ma

grand-mère aux soins palliatifs et je sais qu'un jour, ce seront peut-être mes parents que j'irai voir là. Dans le quotidien, je fais des activités avec eux, je les vois le plus souvent possible. Ça peut arriver à tout le monde, j'ai 37 ans, je ne suis pas vieux, mais je ne suis plus comme j'étais à 25 ans et ça amène des questionnements, entre autres celui de me dire: *OK, rencontre une fille, mets-toi en couple, fais des enfants, fonde une famille.* Dans le temps, le bonheur, c'était de sortir avec mes *chums.* Je le fais encore, mais une fois aux trois mois. L'été, on est huit *chums,* on va jouer au golf, on a du *fun,* on rit, et en même temps on ne va pas dans les bars, on reste à la maison, on se fait un feu. Les *trips* ont changé et c'est bien correct de même. Ma vie et ma *job* font en sorte que j'aime aller dans les restaurants, prendre des photos avec les jeunes, avec les parents, mais je n'aime plus aller dans les bars.

Ton métier d'humoriste, c'est en somme un rêve que tu as réalisé?

J'ai sorti un vieux travail d'école, je devais avoir 12-13 ans, et je devais répondre à la question «Qu'est-ce que tu veux faire plus tard?» J'étais en sixième année ou en secondaire 1, et j'avais écrit: «Je veux être joueur de hockey dans la Ligue nationale ou humoriste.» Je ne m'étais pas donné grand choix, j'aurais pu être déçu! Finalement, j'ai joué au hockey jusqu'au junior AA à Saint-Jérôme, puis j'ai voulu aller à l'École de l'humour, mais ça coûtait 7 000 $. Mon père m'a dit: «Ouin, t'es sûr que tu veux faire ça?» Je lui ai répondu par l'affirmative et c'est là que tout est parti. J'étais jeune, je voulais devenir humoriste et je le suis. Et je souhaitais pouvoir vivre de mon métier, et je vis très bien grâce à mon travail. Dans le fond, je réalise mes rêves parce que je veux juste être heureux, et je le suis.

Je m'entoure du monde que j'aime, mes amis sont les mêmes depuis l'école primaire; ça fait vingt-cinq ans que je connais mes *chums*, on avait huit-neuf ans, on habitait tous dans le même quartier et je me tiens encore avec les mêmes gars, j'ai du *fun* avec eux et je suis heureux. Pour moi le bonheur c'est des moments que je vis et des projets que j'ai en tête, par exemple le garage que je veux faire construire à côté de la maison, et une vieille voiture que j'aimerais avoir.

Tout ça ne se fait pas tout seul, il faut le travailler, notre bonheur, ça commence par soi…

Oui et ça va plus loin que les voitures et les garages. Quand j'étais jeune, je manquais énormément de confiance en moi, j'angoissais quand je savais que j'avais un examen le jeudi. Les jours précédents, je ne dormais pas de la nuit et mon père venait me voir et me disait : « Calme-toi, y a rien là, c'est juste l'école, ce n'est pas grave, c'est un examen. Tu fais ton possible, si tu ne passes pas, tu ne vas pas mourir! Ton grand-père est décédé, mais il est ici, tu peux continuer à lui parler. » Mes parents n'étaient pas très pratiquants, j'allais à l'église jusqu'à sept ou huit ans, mais les tournois de hockey ont fait en sorte qu'on n'y allait plus, ce qui ne nous empêchait pas d'être très croyants. Mon père disait toujours : « Parle à ton grand-père, il va t'aider, demande-lui. » Et je n'ai jamais arrêté de penser à cette phrase-là et j'ai toujours parlé à mon grand-père jusqu'à récemment. Quand je me suis inscrit à l'École nationale de l'humour, nous étions 174 candidats. J'ai passé une première audition et j'ai été parmi les 25 humoristes choisis. Je suis allé au cimetière Notre-Dame-des-Neiges avec la lettre confirmant que j'avais été choisi, j'ai creusé un trou et je l'ai enterrée. J'ai dit à mon grand-père : « Donne-moi un coup de main, grand-papa, j'ai passé la première étape, mais la deuxième va être plus difficile. » Cette fois, ils allaient en sélectionner entre 10 et 14 sur les 25 candidats, les meilleurs aux auditions. Je n'avais jamais fait ça de ma vie, j'avais travaillé sur la construction! Il y en avait qui avaient fait de l'impro, du théâtre et tout ça… Bref, je me présente à la deuxième audition et je ne sais pas ce qui s'est passé, mais ça a tellement bien été! Autant

je n'étais pas capable de faire un exposé oral à l'école, de parler devant une classe, que j'étais en feu la fin de semaine des auditions. J'ai reçu une deuxième lettre dans laquelle on me disait que j'étais accepté à l'École pour la cuvée 2001-2002. Je suis retourné au cimetière et j'ai creusé un autre trou pour l'enterrer. J'ai déposé des fleurs et j'ai dit à mon grand-père : « Merci de m'avoir donné un coup de main, astheure aide-moi encore! » Aux trois mois, je retourne au cimetière et je m'assois pour jaser à mon grand-père. Je disais à l'époque à ma grand-mère que j'allais au cimetière et elle me disait : « Il va t'aider et moi aussi, je prie pour toi ». Je sais que ce n'est pas juste de la chance, ça ne se peut pas; je sais qu'il y a quelque chose d'autre, que partout où je me suis présenté, mon grand-père était tout le temps avec moi. Là, je suis doublement plus fort que je ne l'étais parce que je sais que je peux compter à la fois sur mon grand-père et sur ma grand-mère pour m'aider. Mon père a une grande spiritualité aussi. Quand il a voulu arrêter de boire, je sais que ça l'ai aidé à y parvenir.

Au fond, c'est une question de croyance et d'avoir confiance…

Ce n'est pas de demander des affaires complètement folles et ça n'arrive pas comme ça du jour au lendemain. Je pense qu'il faut s'aider soi-même avant tout. Mon père m'a toujours dit : « T'es tellement généreux que ça va t'être remis au centuple, mais ne le fais pas en y pensant, et ne le fais pas pour ça! » J'aime donner des coups de main à mes parents, à mon frère, à ma sœur et à mes *chums*, j'aime faire plaisir à mes proches. Et moi, je me considère comme chanceux et je sais que ce n'est pas que de la chance. Un jour, quelqu'un m'avait dit de parler à voix haute, de ne pas seulement réfléchir ou de me dire des choses dans la tête. Alors quand je suis seul en voiture, quand je fais de la route, je parle, je demande quelque chose et ça arrive, j'ai des signes. C'est peut-être débile, il y en a qui ne croient pas à ça, mais moi je m'en sacre parce que ça marche.

Mariana Mazza

De bonne humeur, mais pas le bonheur facile

Au cours des dernières années, Mariana Mazza s'est démarquée à titre d'humoriste avec son franc-parler et sa fougue. Directe et punchée, elle déplace de l'air et son style et son humour ont conquis quantité de jeunes et moins jeunes. Avant même la 12e représentation de son premier spectacle *Femme ta gueule*, Mariana apprenait en août 2016 que plus de 50 000 billets avaient été vendus pour ses prestations à venir. Un succès, vous dites? En plus de la scène – plus de 110 spectacles étaient à son agenda pour 2017 – et de la télé (*Code F*, *MED*, entre autres), elle a aussi tourné dans les films *Bon Cop, Bad Cop 2* et *De père en flic 2*. Une carrière en plein essor et une jeune femme de 26 ans qui n'a pas ménagé les efforts ces dernières années pour atteindre ses buts.

«Ça fait quand même cinq ans que je roule ma bosse: j'ai commencé avec *Juste pour rire*, j'ai travaillé dans des bars, j'ai fait la première partie du spectacle de Peter MacLeod, *En route vers mon premier gala Juste pour rire* et un spectacle en tournée avec Virginie Fortin. Je ne suis pas arrivée comme un cheveu sur la soupe, mais ça a vraiment explosé depuis deux ans, et d'être connue du grand public, c'est vraiment depuis 2016», raconte celle dont la popularité a fait un bond de géant avec son numéro *Sable dans le vagin*. La femme derrière l'humoriste est fascinante, un brin complexe et verbomotrice, et elle a des vues bien arrêtées sur le bonheur.

Mariana, qu'est-ce qui t'a amenée à l'humour?
Quand j'ai commencé à faire de l'humour, je ne le faisais pas dans un but précis. C'était d'abord parce que

j'avais trouvé une façon de m'exprimer. Et ça ne date pas d'hier que j'aime parler, ce n'est pas un *branding* que je me donne pour être intéressante. J'aime vraiment parler avec les gens et je me suis rendu compte que puisque je n'avais pas une très bonne écoute, il fallait que je trouve une façon de parler sans que ça ait un impact sur l'écoute que j'ai. Et l'humour était ce qu'il y avait de mieux, c'était un hybride entre les deux, parce qu'il faut que j'écoute le public qui rit. Alors je n'avais pas vraiment d'attentes par rapport au fait d'être humoriste, je trouvais ça *l'fun*; j'ai laissé l'université et ma *job* pour faire de l'humour. Est-ce que j'ai des attentes, des rêves? Oui, mais mon rêve n'est pas par rapport à mon travail. Mon rêve est plutôt de savoir ce que je vais être capable de gérer après avoir connu une popularité comme celle-là. Connaître une popularité de même à mon âge, de façon aussi forte, et toucher autant de générations, avec un métier qui est aussi intense, avec des tournées à travers le Québec, ça vient avec des côtés super positifs, mais aussi avec des côtés négatifs sur le plan personnel. Mon rêve est de pouvoir, d'ici la fin de la tournée, dans environ 3 ans (2019), me permettre de faire le tour du monde. J'ai toujours voulu, littéralement, faire le tour du monde, partir six mois ou un an. Ce serait ça, mon projet de vie.

Le genre de projet qui te comblerait pleinement ?

Je pense que oui. Je n'ai pas de rêve particulier avec ma carrière. Un rêve, selon moi, c'est quelque chose que tu ne sais pas s'il sera réalisable. Ça reste un rêve, un fantasme, tandis que tout le reste de ma vie, au niveau de la ma carrière, je sais que je vais être capable de tout faire.

Et le bonheur, tu le trouves en exerçant ton métier ou dans ta vie de tous les jours ?

Je le trouve dans les deux, à la fois dans ma vie professionnelle et personnelle, mais je dirais beaucoup sur le plan professionnel parce que je n'ai jamais connu une vie privée, une vie intime avec quelqu'un. J'ai toujours été *focusée* sur ma carrière. J'ai hâte d'avoir un temps où je pourrai me retrouver, mais tu vois, quand je pars en voyage, j'ai l'impression d'abandonner quelque chose, ma carrière, à laquelle je consacre tous mes efforts depuis cinq ans. Je ne pense qu'à ça, j'ai de la misère, par exemple, à aller passer une semaine de vacances dans le Sud.

Tu penses pouvoir en arriver éventuellement à lâcher prise, à être plus zen et profiter de la vie comme tu l'entends sans te sentir coupable de quoi que ce soit ?

Oui. J'ai 25 ans, je me répète tout le temps, et je me dis que ce n'est pas de ma faute : je suis dans la fougue et dans un monde d'équilibre total. Mais pour répondre à ta question, ça va être mon projet à long terme. Mon rêve de vie est de voyager, mon rêve personnel est d'avoir un équilibre émotif que je n'ai pas, que je n'ai jamais eu. Je consulte pour ça. J'ai vraiment un problème émotif : je suis trop empathique. Trop. Quand je sens que quelqu'un va mal, je vais aller mal tout de suite. Ou je vais me mettre mal pour des trucs qui se passent dans ma tête. Je ne suis vraiment pas équilibrée sur le plan émotif. Un rien me fait pleurer, j'ai des hauts et des bas émotifs et un débalancement ridicule au niveau des émotions, mais lorsque je suis sur une scène, je le canalise. Parce

que je sais que pendant une heure et demie je dois *focuser* là-dessus. Et quand c'est fini et que l'adrénaline qui était dans le tapis descend, c'est fou, c'est difficile, et je pense que c'est ce qui vient parfois tuer mon bonheur.

On peut dire que tu n'as pas le bonheur facile ?

Non. Je suis de bonne humeur, mais je n'ai pas le bonheur facile parce que je suis constamment en train de penser, réfléchir à ce que je peux faire, comment je peux le faire, qu'est-ce que j'ai dit, à qui je l'ai dit, qu'est-ce que je pourrais redire… Je réfléchis tout le temps et je ne suis jamais dans le moment présent, c'est l'un de mes gros défauts. Il faut que j'arrête de me projeter, je vis constamment dans le futur. Quand j'ai gagné mon Olivier (Meilleur numéro d'humour, en 2016), je ne peux te décrire comment je me suis sentie parce que je ne l'ai pas vécu. J'étais déjà en train de penser au lendemain, si j'allais avoir des entrevues à faire, qu'il fallait que j'écrive encore mieux pour mon spectacle.

Tu en es consciente, tu veux essayer de changer cette façon d'être ?

Mon plus gros regret, au moment où l'on se parle, est de ne pas avoir vécu les moments présents au complet. Quand quelqu'un part en voyage, je vais être triste et je vais parler durant les vingt dernières minutes avec cette personne-là, à lui dire à quel point je suis triste au lieu de juste être heureuse. J'anticipe déjà la tristesse, j'anticipe mes émotions. Tandis que sur scène, c'est le seul endroit où je n'anticipe pas ce qui va venir ensuite. Je vis un gag à la fois, je suis capable d'isoler mon cerveau et d'isoler toutes mes émotions, et c'est pour ça que je suis bonne sur scène. Tu pourrais me dire quelque chose de grave, quelque chose qui est arrivé, et je vais arriver sur scène et je vais être toute là, tu ne vas pas te rendre compte que ça m'a affectée. Mais dès que je sors de scène, c'est un autre univers.

Et quand tu entres chez toi, es-tu capable de faire le vide, de demeurer en place ?

Oui, j'aime ces moments ou je m'arrête. J'allume des chandelles, je regarde quelque chose sur Netflix. Est-ce que je suis capable de faire une seule chose à la fois? La réponse est non. Chez nous, il y a tout le temps de la musique, et ou bien je regarde un film, ou j'écris, je lis, je pars dans ma tête. Avant, je peignais beaucoup, mais le trip est passé.

Quelle est ta notion du bonheur?

La clé pour le bonheur, c'est d'avoir le droit de ne pas être heureux. Ce n'est pas une obligation. Souvent, on utilise le bonheur comme une façon de définir les gens alors qu'on peut le garder pour nous. Le bonheur, parfois, c'est de se recueillir et de fixer une table! On a le droit d'être malheureux dans notre bonheur, parce qu'à ce moment-là, tu te questionnes, tu deviens une meilleure personne, et ensuite tu es capable de cibler ce que tu as envie de vivre comme émotions. On n'apprend pas à se connaître dans le bonheur, mais dans le malheur, oui. Il faut le dire: le bonheur, c'est euphorique, c'est l'*fun*, et ce n'est pas permanent. Dès qu'un moment de bonheur finit, c'est un moment de malheur qui commence, c'est juste qu'il est dosé. Trouver le bonheur, c'est aussi trouver le malheur, et ça aussi on ne le dit pas assez, les gens ne se permettent tellement pas d'être tristes, de vivre leurs petites tristesses.

Moi, j'aime mieux vivre des petites tristesses et de gros bonheurs plutôt que l'inverse. Je parle comme si j'étais négative, mais je veux faire comprendre que le bonheur, c'est aussi être malheureux. Et il y a tellement de filles qui font semblant d'être heureuses! Moi, plutôt que de faire semblant, je vais le dire. «Ça va, Mariana? Non, toi?...» Quelqu'un qui donne une telle réponse, ou bien elle est très honnête ou elle a envie de parler. Il faut alors y prêter attention et peut-être qu'elle va devenir la personne la plus heureuse au monde parce que quelqu'un sera à son écoute. J'ai hâte d'avoir beaucoup d'écoute pour combler l'autre avec mes questions. J'ajouterais aussi que consulter peut être tellement bénéfique, parce que tu parviens toi-même à identifier ce qui ne va pas bien.

Quelles sont les choses que tu aimes, qui te procurent du plaisir et dans lesquelles tu te sens bien?

J'aime avoir une bonne conversation avec quelqu'un, genre en prenant une coupe de vin. Moi, je suis hyperactive de nature, diagnostiquée et tout et je ne me médicamenterai jamais parce que ça ne m'intéresse pas. Quand tu es hyperactive, directement, tu as un trouble de l'attention. Alors, j'ai de la difficulté à rester en place mais ça va bien quand je suis capable de contrôler ça. Les moments ou je suis vraiment, mais vraiment bien, c'est lorsque je vais au cinéma seule, le soir, ou en après-midi. Toute seule. Là, je suis bien. Mais en public, je ne peux pas te dire les bons moments passés sur une terrasse, parce qu'il y a trop de stimulis, il y a trop de monde. Il faut que mes stimulis soient très réduits, il faut que je sois en *one-on-one* avec quelqu'un. J'aime les choses hyper simples, comme aller faire une marche dans mon quartier, discuter avec quelqu'un. Ce sont des moments isolés, dès que ça tombe dans le compliqué, je pars dans ma tête. Je n'ai pas un bonheur, ce sont des petits bonheurs, des petits moments isolés où je sens que mon cerveau n'est pas en train de *spinner*. C'est dans ces moments-là que je suis heureuse.

Et comment vis-tu avec le vedettariat?

Jusqu'à présent, il n'y a aucun manque de respect. Ma vie privée demeure privée, ma vie professionnelle et ma vie publique ne sont pas privées, c'est la seule chose qu'il me reste. Tant et aussi longtemps que ma vie privée va être bien gérée, je pense que je vais avoir une santé mentale saine. Les gens ne se doutent même pas comment je suis dans l'intimité. Je suis hyper douce, sensible, fragile, très romantique et j'ai la larme facile. Je suis aussi très renfermée dans certains aspects de ma vie et je ne veux pas l'étaler. Ça fait partie de mes petits bonheurs, ce petit côté que personne ne connaît à part les gens qui sont dans ma vie intime. Sinon, sentir que j'ai été utile à long terme dans la vie de quelqu'un, que j'ai servi à quelque chose, que je n'ai pas été seulement «un produit», ça c'est le bonheur et c'est important pour moi.

Marie-Soleil Dion

La santé, une priorité pour être heureuse

Au moment de ma rencontre avec Marie-Soleil Dion en octobre 2016, elle venait à peine d'emménager dans sa nouvelle maison sur la Rive-Sud de Montréal avec son compagnon de vie, le comédien Louis-Olivier Mauffette. «On sent que ça va être la maison du bonheur, de la famille, et qu'on va avoir de beaux *partys* ici. On capote, on a vraiment de l'espace, c'est prometteur, je suis vraiment super heureuse. »

Mis à part ce bonheur d'être propriétaire, la comédienne Marie-Soleil Dion a toutes les raisons du monde de se réjouir puisque, ces dernières années, elle a été gâtée par son métier. Sa persévérance a porté fruit : « Je pense que ça s'est fait vraiment petit à petit, j'ai l'impression que les gens ont fait le lien entre moi et ma participation à telle et telle autre émission. Je ne crois pas au vedettariat instantané, même si ça a pu fonctionner pour certains, on peut compter sur les doigts d'une main ceux qui atteignent la popularité rapidement. Pour ma part, j'ai fait le Conservatoire d'art dramatique de Québec, j'ai terminé en 2007, et j'ai fait plein de projets dont certains qui n'ont pas marché. Quand j'ai décroché un rôle dans *Adam et Ève* de Claude Meunier, je me suis dit : *"Oh my God*, ça y est, c'est le *break* que j'attendais !" C'était vraiment *l'fun*, j'ai adoré Claude, mais la réception du *show* n'a pas été celle que l'on avait imaginée au départ. J'ai fait plein d'émissions dont *VRAK la vie* qui était une constante, mais j'ai l'impression que tout s'est fait une marche à la fois. »

Quelle est la chose la plus importante à tes yeux pour toucher au bonheur?

Ça passe beaucoup par la santé. Tu as simplement une grippe et tu réalises que tout s'enchaîne, il n'y a plus rien qui marche comme il faut. Tant que Louis et moi, que mes parents et ma famille sommes en santé, c'est ça qui est précieux et important. On vieillit, c'est sûr qu'on s'en va immanquablement vers des moments plus difficiles. Quand j'étais plus jeune, il y a eu beaucoup de morts dans ma famille, ma marraine est décédée du cancer, mes grands-parents et mon oncle sont disparus, ma mère a perdu beaucoup de membres de sa famille quand j'avais 12 ans. Le cancer enlève une vie, mais ça déstabilise la vie de tout le monde autour.

Cela dit, essaies-tu de créer encore plus de moments de bonheur avec tes proches?

Complètement ! Je me suis toujours adonnée à des activités dans la mesure de mes moyens et j'ai toujours trouvé important de créer des moments magiques. Ça peut être une demi-journée au spa avec ma mère ou un voyage au Mexique avec elle, ma tante, mon *chum* et sa fille. Ça facilite les choses maintenant que j'ai plus de travail et de succès, les moyens sont là, je peux emmener ma mère à New York ou partir avec mon père et ma mère dès que j'en ai la possibilité.

Tu es une fille heureuse?

Oui et en général j'ai le bonheur facile, j'apprécie vraiment les choses. J'ai quand même en moi une

certaine mélancolie, mais je suis plus positive que négative. En fait, je ne suis vraiment pas négative, je ne vais jamais chialer à voix haute, mais à l'intérieur de moi, je peux être déprimée parce qu'il ne fait pas beau, qu'il fait froid. Il faut que je me parle. Mais je n'ai vraiment pas mauvais caractère, je ne me lève jamais de mauvaise humeur.

Depuis 2016, tu es porte-parole de *Bell cause pour la cause* dont le but est de sensibiliser les gens à la santé mentale et à l'importance d'en parler. Pourquoi as-tu décidé de t'impliquer ?
Quand j'étais en secondaire 5, j'ai fait une dépression parce que je voulais trop être performante, être parfaite, être partout et tout faire. J'en ai trop fait et

j'ai fait un genre de *burnout*. Il y a beaucoup de jeunes qui se mettent trop de pression sur les épaules et qui font des *burnout*. Dans le cadre de cette campagne, je parle aux jeunes et aux gens qui souffrent de problèmes de santé mentale, pas nécessairement extrêmes comme la schizophrénie ou la bipolarité, mais qui, lorsqu'elles ne sont pas traitées, peuvent gâcher la vie de ceux qui en sont atteints.

Et toi, qu'as-tu fait à l'époque pour régler ce problème ?
J'ai parlé avec mes parents et mes professeurs, j'ai consulté et j'ai trouvé des solutions, comme de ralentir mes activités et de m'adonner à certaines autres pour réduire mon stress. J'ai aussi été médicamentée pour

réussir à passer à travers les périodes plus intenses sans avoir à subir les contrecoups du stress.

Est-ce que vouloir être performante te rendait heureuse, ou était-ce une pression malsaine ?

Je pense que ça me rendait heureuse. J'avais de la misère à ne rien faire, à être tranquille, ce qui est moins le cas maintenant. J'aimais m'impliquer dans toutes les activités, et comme je faisais un programme d'études enrichi, j'avais de nombreuses activités parascolaires : j'étais notamment présidente de l'école, de la troupe de théâtre, d'Amnistie internationale, et j'étais capitaine de l'équipe d'improvisation en plus de travailler chez Simons. J'aimais ça, mais ça n'avait pas de bon sens, et je n'étais pas la seule à avoir un horaire aussi chargé.

Il y avait des gens autour de toi pour te dire que tu en faisais trop ?

Pas avant que je commence à être vraiment fatiguée. J'étais toujours souriante, énergique, tout comme mes parents qui travaillent beaucoup et aiment ce qu'ils font. Pour moi, c'était normal d'être comme ça, et ce ne sont pas eux qui me mettaient de la pression, ils ne m'en demandaient pas tant. C'était moi, je ne le faisais pas de façon trop consciente et j'aimais ce que je faisais. Mon corps m'a un jour envoyé le signal qu'il fallait que je me calme les nerfs : j'étais trop stressée et j'angoissais.

Cette envie de faire une foule de choses et de te mettre beaucoup de pression est encore présente chez toi ?

C'est encore présent, mais très tôt j'ai pris des moyens pour m'aider quand j'ai réalisé qu'il y avait quelque chose qui n'allait pas. J'ai appris à voir venir les choses, à en refuser et à pratiquer, entre autres, des techniques de respiration. Au moment où l'on se parle, mon *chum* et moi venons de déménager et je travaille en même temps, alors je peux être stressée, mais ça ne m'empêche pas d'être bien et heureuse, j'arrive à contrôler tout ça. C'est le message que je lance aux *kids* qui ne *filent* pas et qui capotent : ils

ont le droit de demander de l'aide même s'ils ne sont pas schizophrènes, même s'ils ne se tapent pas la tête sur les murs. Le spectre de la santé mentale est vaste.

L'important, c'est d'en parler…

Exactement.

À tes yeux, le bonheur passe d'abord par toi-même ou par les autres ? Tu accordes de l'importance à ce que les autres disent de toi ?

J'ai vraiment un bon « lâcher prise » et je pense que c'est nécessaire avec le travail que je fais. C'est sûr qu'avec ce métier, on se voit beaucoup à la télé, dans des magazines, en photos et on lit ce que les gens disent de nous sur les réseaux sociaux. Je pense qu'il est nécessaire de savoir lâcher prise, sinon tu deviens fou, tu ne peux pas *toffer*. J'attache beaucoup d'importance aux opinions des gens autour de moi : celles de mes amis, de mon *chum*, de mes collègues, des réalisateurs et metteurs en scène. Je suis attentive à leurs propos et commentaires, j'aime avoir l'approbation de ceux qui sont pertinents dans mon entourage. Par contre, j'arrive vraiment à me détacher de ce que l'on écrit sur moi ou sur une robe que j'ai portée, dans les réseaux sociaux par exemple.

Arrives-tu à te créer et à savourer des bonheurs au quotidien ?

Je suis vraiment gourmande, j'adore le sucré, et quand Louis veut vraiment me faire plaisir, il va acheter du vin et il prépare un repas. J'aime beaucoup me retrouver à table avec des amis qu'on aime. Et ce n'est pas au quotidien, mais j'aime voyager, aussitôt que je le peux, je pars !

Quand tu regardes autour de toi, entre autres les femmes de ton âge, est-ce que tu constates qu'il y a une obsession liée au bonheur ?

Mes amies sont plutôt *relax* comme moi, c'est-à-dire que ce sont des artistes pour la plupart, et non des carriéristes qui courent après l'argent. Oui, on veut jouer, on veut trouver de nouveaux projets et on veut que ça marche, mais je ne me vois pas comme une carriériste. Je le suis dans le sens que je veux faire des projets que j'aime et qui me plaisent, pas dans le sens que je veux prendre ma retraite à 52 ans et aller vivre en Floride.

Dans ton travail, le bonheur se vit comment ?

Il passe beaucoup par la *gang*. Je peux faire un *show* qui est *l'fun* et qui marche, mais si je n'ai pas de plaisir avec la *gang* et que ça ne clique pas, je vais trouver ça *plate*. Dans le cas de l'émission *Ça décolle !* Anne-Élizabeth (Bossé) et moi avons fait ce projet-là à un moment où nous étions vraiment dans le jus. Je tournais dans *L'échappée*, *Papa*, *Subito texto*, et je jouais au théâtre d'été pendant qu'Anne-Éli faisait *Les Simone* et *Les pays d'en haut* en même temps. On travaillait des sept, huit jours de suite, mais ça n'a été que du bonheur, parce que l'équipe était tellement *l'fun* ! Je savais que ce projet-là, qui aurait pu être de trop, parce que nous étions toutes deux très occupées et fatiguées, allait être un grand bonheur. On avait hâte de se lever le matin et de se retrouver sur le plateau, de se raconter des affaires. C'est vraiment la *gang* qui change tout.

Ton bonheur, tu le vis au jour le jour ou tu essaies de l'anticiper ?

En fait, j'ai deux côtés, je suis vraiment au jour le jour pour ce qui est du travail, c'est-à-dire que je n'ai jamais été stressée même s'il ne se passe rien, j'ai vraiment confiance qu'il va arriver quelque chose, peut-être parce que j'ai toujours eu du travail. Je ne vis pas dans l'angoisse de ne plus travailler. Je sais qu'il y a des acteurs qui ne poursuivent plus ce métier-là parce que c'est trop insécurisant, ils n'arrivent pas à gérer le stress de ne pas savoir ce qui va arriver. Je comprends vraiment ça. Moi, j'ai toujours confiance qu'il va y avoir du travail et de l'argent, j'ai toujours été comme ça, à l'exemple de ma mère. Mais je suis très prévoyante, j'aime vraiment organiser tout dans ma vie. Si je sais qu'à un moment, nous aurons congé durant quatre jours, Louis et moi, je bloque ça dans l'agenda et je vais préparer un voyage. Je suis la « Miss organisatrice », j'organise autant des voyages que des soupers. Avant de partir en voyage, je vais m'informer pour savoir quels sont les endroits à voir, les choses à faire, les restos à ne pas manquer, j'aime vraiment planifier ces choses-là.

Ton travail te rend heureuse et, en plus, on a découvert que tu peux être utilisée à toutes les sauces, beaucoup de possibilités s'offrent à toi !

C'est ce que j'aime, c'est pour ça que je ne me *tanne* pas de ma *job* non plus. Je pourrais animer mon *show* à un moment donné, j'aimerais faire de l'animation ou un gros drame au théâtre. Je fais beaucoup de drames au théâtre et à la télé, ce ne sont plus les comédies dans lesquelles on m'a connue. Il y a plein de défis potentiels qui sont là et c'est excitant. J'aime le changement et pour moi, travailler dans un bureau par exemple aurait été difficile, parce que j'ai de la misère à faire des choses à répétition. J'aime ça travailler sans arrêt pendant trois semaines, ou trois mois, tous les jours, et ensuite passer deux ou trois semaines à la maison à ne rien faire. J'aime ce rythme-là, ça ne m'angoisse pas parce que je sais que les tournages vont recommencer, mais c'est moins facile à dire quand tu n'as rien devant toi.

Le bonheur passe par le travail avec ton *chum* ?

Oui, vraiment, on a travaillé ensemble au théâtre d'été et on a joué un couple dans la télésérie *Papa*. S'il pouvait jouer dans tous les *shows* que je fais, je serais contente.

Tu serais passée à côté de quelque chose si tu n'avais jamais joué avec lui ?

Oh oui, vraiment ! Il y en a pour qui il est difficile de travailler ensemble parce qu'ils se querellent, ne s'entendent pas et n'ont pas les mêmes façons de voir le travail, ce qui n'est pas notre cas. Ça clique, on aime ça, et plus on est ensemble, plus on est contents. J'aime sa façon de jouer, de travailler, son professionnalisme. Je suis tellement fière de lui !

Alain Lefèvre

Aller vers les autres pour les rendre heureux

Alain Lefèvre ne fait pas que s'appliquer à offrir des performances éblouissantes lorsqu'il est au piano : il s'applique également, tous les jours, à chercher, à entretenir et à travailler son bonheur. C'est un homme fascinant, un raconteur hors pair qui s'enflamme facilement et vibre avec passion. On ne doute pas une seconde qu'il se donne à fond dans tout ce qu'il entreprend et ne craint pas de surmonter les obstacles, ce qu'il a dû faire à plus d'une reprise. Une grande partie de son bonheur réside dans la capacité, que lui confère son talent de pianiste et de compositeur, de répandre le bonheur autour de lui, tant par ses albums que par sa présence sur scène.

« Mon bonheur, parce que j'en ai décidé ainsi, se situe toujours au sommet de mes priorités. J'exerce une volonté constante pour être dans le bonheur. Le mal de vivre est quelque chose de normal, nous vivons dans une société dans laquelle on oblige tout le monde à rire de tout et de rien, et ce n'est pas si simple que ça. Je pense que dans mon bonheur, il doit y avoir énormément de volonté à être heureux, surtout que par ma nature, malheureusement, je me sens responsable de la misère de la planète. Je te réponds donc de manière sincère que mon bonheur est à 10, sur une échelle de 1 à 10, mais je ne serais pas sincère de ne pas te dire qu'il y a sûrement en moi une volonté constante de refuser d'être mélancolique. »

La misère sur la planète, les gens qui sont malheureux... ta notion du bonheur est axée sur le bonheur des autres ?

Oui, je pense qu'il faut d'abord aimer les autres et être le plus sincère possible. Je me suis toujours sorti de périodes extrêmement difficiles — parce que rien n'a été facile dans ma carrière — en me disant : « Que puis-je faire pour aider les autres ? » Et dans la mesure où tu transposes ton mal de vivre dans l'action d'aimer davantage, d'aimer mieux ou d'apporter ton aide à autrui, à ce moment-là, la vie se transforme par elle-même. Et ça te revient, bien que tu n'aies pas posé ces gestes dans cette intention.

Je te raconte : je sors un disque et je tombe sur un journaliste qui me dit : « Monsieur Lefèvre, parlez-nous de votre disque, dites-nous à quel point il est bon, soyez positif et heureux... » Mais qu'est-ce qu'il veut dire par là ? Et après un moment, durant l'entrevue, il me dit : « Vous parlez beaucoup de ce qui se passe dans le monde, vous parlez beaucoup d'austérité... »

Je lui ai répondu : « Écoutez, ne me demandez pas d'être seulement un pianiste, j'en suis incapable. Si vous me demandez d'être simplement un pianiste, je vais me mettre une balle dans la tête ! Je suis avant tout un citoyen inquiet qui essaie d'être responsable. Je viens d'une époque où mon père avait une petite *job*, mais pouvait se rassurer d'avoir la sécurité d'emploi. Aujourd'hui, il n'y a plus rien. J'ai un ami qui vient d'avoir 53 ans et qui vient de tomber au chômage... Nous sommes dans une société très difficile, alors ne me demandez pas d'être simplement devant vous et de raconter que j'ai fait un disque, que j'suis beau, que

j'suis fin, que j'compose, ce n'est pas ma nature ». J'ai toujours été comme ça, mais encore plus maintenant parce que je trouve que la vie est plus difficile pour les jeunes et moins jeunes.

J'imagine que ton métier t'a amené à vivre de grands moments et beaucoup de satisfaction?

Il m'est arrivé un truc récemment en route vers Québec. Je m'arrête à une halte routière et un homme, au volant d'un énorme camion, me dit : « Aïe, Lefèvre, viens ici, je veux te parler une seconde. » Et il me dit avec des larmes dans les yeux : « Écoutez, ma femme et moi, on aime ce que vous faites, c'est beau, et c'est beau ce que vous dites. » Ça, c'était un moment de bonheur pour moi, parce que c'est ça l'accomplissement d'un artiste, parce que le rôle principal d'un artiste est d'apaiser les peines des autres, de les aider à vivre. C'est la raison pour laquelle la musique a été créée. La musique a été créée, à l'époque des pharaons, pour aider ceux-ci à surmonter les problèmes politiques. Les artistes ont été dénaturés, ils sont devenus des idoles qui n'en ont jamais assez. Je ne dis pas que les artistes n'ont pas eux aussi des soucis, mais ceux qui réussissent vraiment bien en ont quand même moins que la majorité des gens. Je pense qu'Adele, même si elle a des problèmes métaphysiques de vie, a sûrement moins de soucis que pas mal de gens.

Tu as bien raison, la musique, la tienne, procure du bonheur et agit souvent comme un baume chez bien des gens. En voilà, des moments heureux !

Mes grands moments de bonheur sont, par exemple, faire sourire un enfant qui n'a pas une vie facile quand je vais dans des écoles. Je suis heureux quand je sens que les gens autour de moi peuvent avoir accès au bonheur. Modestement, j'arrive à avoir une vie, mais je suis très à l'écoute de ce qui se passe autour de moi, je ne peux pas être insensible à la misère. À Montréal, je n'ai jamais vu autant d'itinérants, autant de gens qui semblent perdus. Et c'est une réalité. Je te parle de Montréal et j'ai des souvenirs qui remontent… je me souviens qu'en 1967, j'habitais Ville-Émard. Ce n'était quand même pas le quartier le plus riche de la ville. Et même si c'est un quartier qui avait ses misères, les gens y travaillaient et c'est certain que, parfois, il y avait beaucoup de bruit dans les tavernes et… quelques bagarres. Mais aujourd'hui, quand tu te promènes à Montréal, tu vois une quantité extraordinaire de gens qui sont déconnectés de la vie et qui n'en peuvent plus. Les gens pensent que le gouffre est très loin quand ça va bien, mais il est toujours très près. Quand on dit que l'amour est très proche de la haine, la réussite est très proche du gouffre. J'ai connu un monsieur qui avait une vie assez extraordinaire, il devait sûrement être parmi ces salariés qui gagnent plusieurs millions par année, jusqu'à ce qu'il traverse le divorce le plus « sale » qu'on puisse imaginer. Cet homme a tout perdu et il est dans la rue, il est devenu itinérant.

C'est pour ça que je reviens à ma première réponse: le bonheur n'est pas un état que tu dois attendre en t'imaginant qu'un matin, tu vas te lever et que, comme par magie, tu vas être heureux. C'est plutôt un travail quotidien où il faut se demander ce qu'on peut faire pour améliorer son sort. La plus grande des épreuves est d'être frappé par la maladie quand on est dans la force de l'âge et, jusqu'à maintenant, Dieu a été bon pour moi, parce que je crois en Dieu. Je me dis que j'ai la force nécessaire pour faire en sorte que la vie des autres soit moins malheureuse, alors je le fais avec mes batailles, avec mes passions. Peut-être parfois avec une attitude trop forte, mais j'essaie de le faire.

Si on parle de ton art qu'est-ce qui te rend le plus heureux? Composer? Le studio? Sur scène?
Je n'ai pas beaucoup confiance en moi pour la composition. La scène, par contre, m'apporte beaucoup. Je suis appelé à me produire régulièrement à l'étranger et mes succès à travers le monde sont de plus en plus gratifiants. Surtout quand tu joues devant un auditoire de connaisseurs qui t'écoutent, et que tu

sais que tu n'as pas été parrainé pour ce concert, ni les billets offerts gracieusement. Avec mon plus récent disque de compositions (*Sas Agapo*), c'est sûr que je commence à réaliser que ce que je compose n'est pas si mal et que, finalement, les gens aiment ça. Et ça aussi ça commence tranquillement à me faire du bien, je commence peu à peu à me faire confiance. Tu sais, il y a des gens qui avancent dans la vie avec la certitude de toujours être bons, forts et puissants. Je ne donnerai pas de noms, on les connaît, ils sont partout. Moi, je n'avance pas dans la vie en ayant raison, j'avance en faisant ce que je peux et j'essaie d'apprendre.

Mais quand même, tu as réussi à te bâtir un public fidèle et j'imagine qu'il s'en ajoute toujours plus?
Il y a des artistes qui sont admirés pour leur art, ce qui est peut-être mon cas, mais qui ne sont jamais aimés. Pour moi, la plus belle des victoires, c'est d'avoir la cote d'amour de mon public, que ce soit au Québec, en Grèce, en Allemagne ou en Chine. C'est une cote d'amour qu'on ne peut m'enlever parce que je ne l'ai pas gagnée en raison d'un matraquage publicitaire. Les succès qui sont achetés ou qui ne sont pas bâtis peuvent être très relatifs.

Quand on pense à l'épisode André Mathieu, j'ai l'impression que les gens aiment autant aller t'écouter jouer à la Maison symphonique de Montréal ou ailleurs, que de t'écouter nous raconter ton vécu, ta façon de faire les choses, tes points de vue…
C'est pour ça que j'ai dit à ce journaliste — et c'est la première fois que je dis ça à 54 ans — que je ne suis pas seulement un pianiste. Je suis pianiste, je fais de la musique, j'aime la musique, mais je me réserve le droit, de manière toujours délicate, de dire ce qui me révolte, comme par exemple quand je vois des gouvernements qui prônent l'austérité et que moi, ça fait trente ans que je travaille avec les misérables au Québec. Je suis allé dans les écoles, les hospices, les prisons, les hôpitaux, les gens étaient pauvres il y a trente ans, et ils sont toujours aussi pauvres. Ces gens-là ne comprennent pas le principe de l'austérité, c'est quelque chose qui est un peu

« Le bonheur n'est pas un état que tu dois attendre en t'imaginant qu'un matin, tu vas te lever et que, comme par magie, tu vas être heureux. C'est plutôt un travail quotidien où il faut se demander ce qu'on peut faire pour améliorer son sort. »

nébuleux. Alors c'est sûr que ce sont des batailles que je vais livrer, je ne les livre pas de manière agressive, je les livre en disant qu'il ne faut pas exagérer.

Serais-tu plus heureux en tant qu'artiste si tu avais une confiance à toute épreuve ?

Non, parce que ce qui est beau dans l'artiste est le doute. Pourquoi sommes-nous devenus des amis ? Parce que je sais que tu doutes, et c'est ce qu'on aime chez l'autre. Une femme qui est très, très belle et qui n'a pas de doutes sur elle-même devient laide. Quand une femme est moyennement belle et qu'elle a des doutes, son doute devient d'une grande beauté. Ça c'est quelque chose en quoi je crois. Quand tu rencontres des gens qui se sentent au-dessus de la mêlée, ils deviennent moins bons et moins beaux, c'est le doute qui fait que la personne est grande.

Maria Callas, qui était peut-être la plus grande des chanteuses, arrivait sur scène et elle doutait. Et elle avait encore plus de succès étant donné que les gens avaient envie de pleurer parce qu'ils ressentaient toute son émotion. Ce sont les faiblesses et les imperfections qui sont belles chez l'humain.

Tu as accompli de grandes choses et vécu une foule de bonheurs, tu en as d'autres en tête que tu veux concrétiser ?

Comme je fais du piano de manière extrémiste, parce que c'est toujours des sept à huit heures par jour, c'est certain qu'il y a des journées où je rêve à de grandes plages horaire où j'aurais simplement le temps de faire ce que je veux. Maintenant, je pense aussi que la course pour toujours obtenir ce qu'on n'a pas est une course un peu stérile et qu'il faut se rendre compte de ce qu'on a déjà. Tous les musiciens rêvent un jour de faire Carnegie Hall. Et, comme tout le monde, j'ai rêvé de faire Carnegie Hall. Je l'ai fait, mais le lendemain de Carnegie Hall, tu fais quoi? Oui, ça m'a apporté une satisfaction, mais ça n'a pas changé ma vie comme je pensais que ça la changerait. Mais par contre, la dame qui m'a arrêté dans la rue pour me remercier d'être un homme bien, d'être quelqu'un qui écoutait et qui comprenait le monde, ça c'est du bonheur à l'infini! Tout ce qui ne recherche que ta propre gloire ou l'argent, c'est stérile. Et après, qu'est-ce qui se passe? Si on demandait à Céline Dion si son grand bonheur est d'avoir conquis la planète, je suis certain qu'on serait surpris de la réponse, ce ne serait sûrement pas ça.

Tu n'es pas du genre à te faire un plan de carrière, à faire de la planification de bonheurs?

Non. Ce matin, j'ai vu ton nom à l'agenda, et j'étais heureux. C'est ma nature. Le bonheur, ce sont de tout petits ponts que tu te bâtis pour survivre. Je suis un angoissé, je fais de l'insomnie depuis l'âge de 11 ans, je suis une bibitte! Sauf que j'ai appris que ce sont les petites choses qui procurent du bonheur. Ce soir, après mon piano, je vais pouvoir prendre une bonne bière avec un sac de chips BBQ. Ça, ce sont des petits ponts.

J'espère que les gens qui vont lire ce livre iront piger ici et là, parmi tous ces témoignages, ces conseils, ces façons de penser, des trucs pour avoir plus de bonheur dans leur vie. Que leur dirais-tu, toi?

Les gens qui voient Alain Lefèvre comme une réussite se rendront compte, s'ils lisent ma biographie, que toutes les étapes de ma vie ont été difficiles. Il n'y en a pas eu une qui a été facile. La recette fondamentale pour être heureux dans les plus grands moments de désespoir — et j'ai vécu trois moments de désespoir —, et la seule qui fonctionne, c'est d'aider et d'aimer les autres.

J'ai vécu des moments où j'étais tellement angoissé que je ne pouvais plus respirer, et je remettais tout en cause. J'ai réussi à me reprendre en main et me suis dit que j'allais aider et aimer les autres. Et quand tu décides d'aider les autres, tu es automatiquement projeté vers leur souffrance, tu expérimentes donc la compassion, et la compassion t'amène le bonheur éternel.

Il y a une phrase que j'aime et que je me répète souvent: «Le premier degré de la mort est la tristesse. La tristesse amène le désespoir, le désespoir amène la maladie et la maladie amène la mort. Le premier degré de la vie éternelle est le bonheur. Le bonheur amène la joie, la joie amène la force et la force amène la vie éternelle». Quand je travaille avec les jeunes et qu'ils me disent: «Je veux être riche, je veux avoir un jet privé comme Céline Dion», j'essaie très modestement de leur dire que le bonheur, c'est des petites choses.

Il y a des gens qui vont lire ce texte et qui vont se dire: «Ben voyons, Alain Lefèvre peut sûrement se permettre d'aller passer une ou deux semaines à la plage!»

Non, jamais. Je suis trop angoissé. Si j'étais assez sûr de moi, oui, je pourrais prendre deux semaines de vacances et avoir un peu de temps. Je peux faire deux heures de natation quand je suis en Grèce, mais je n'ai pas pris quatre jours de vacances cette année.

Mais cette angoisse-là, crois-tu que tu vas réussir à t'en débarrasser un jour?

Je ne penserais pas. Ce n'est pas une angoisse maladive, c'est une vraie angoisse. Mais tu es angoissé, toi aussi, tu poses la question et tu l'es, on est pareils, c'est une question de sensibilité. Les niveaux de sensibilité font en sorte que les vibrations ne sont pas les mêmes. Il y a des gens qui sont malheureux simplement à cause d'un regard, ou parce qu'une chose n'est pas dite, ou qu'elle leur fait de la peine. Mais parfois, il y a des gens qui disent des affaires qui n'ont pas de sens. Tu les regardes et tu dis: «Écoute, je n'ai pas envie que tu me dises que j'ai l'air fatigué, j'ai plutôt envie que tu me dises que j'ai l'air bien. Pas fatigué. Parce que si tu me dis que j'ai l'air fatigué, je vais l'être encore plus!»